O poder da presença

"Milhões de pessoas já foram fortalecidas pela palestra revolucionária de Amy Cuddy no TED sobre 'posturas poderosas' – mas essa foi só a ponta do iceberg! Em *O poder da presença*, Amy Cuddy revela uma ciência bem maior e mais profunda: toda uma nova forma de entender a ligação corpo-mente e como nossos hábitos físicos afetam nossos pensamentos, sentimentos e escolhas. Ler este livro mudará para sempre a forma como você se conduz, tornando-o mais corajoso, arrojado e capaz de aproveitar todas as oportunidades da vida."

— **JANE McGONIGAL**, autora de *A realidade em jogo*

"Com conselhos práticos mas profundos, Amy Cuddy mostra como acessar seu eu mais arrojado e autêntico em situações desafiadoras. Emoções são contagiosas. Se você personifica equilíbrio e otimismo, aumenta as chances de recebê-los na mesma moeda."

— **MICHAEL WHEELER**, Harvard Business School, autor de *A arte da negociação*

"Leitura obrigatória para quem deseja alcançar seu potencial máximo."

— *People*

"Não é mistério por que Amy Cuddy é uma das palestrantes do TED mais celebradas de todos os tempos. Sua abordagem minuciosa e baseada em pesquisas sobre como exibir seu eu mais autêntico em situações críticas faz deste livro uma leitura obrigatória."

— **JOHN NEFFINGER E MATTHEW KOHUT**, autores de *Compelling People*

"A autora mergulha fundo em estudos que confirmam que podemos nos transformar, mudar a forma como somos vistos e dominar a arte da influência. Mas primeiro temos de entender como o corpo afeta a mente, e como a mente, operando em conjunto com o corpo, nos modifica, mudando as percepções e o mundo à nossa volta. E ninguém faz isso melhor do que Amy Cuddy."

— **JOE NAVARRO**, ex-agente do FBI e autor de *A inteligência não verbal*

"Existe uma coisa que separa aqueles que fazem daqueles que não fazem: poder. Amy Cuddy nos mostra como desenvolver nosso poder pessoal e mantê-lo forte sem nos tornar arrogantes."

— **SIMON SINEK**, autor de *Por quê? – Co*

Amy Cuddy

O poder da
presença

SEXTANTE

Título original: *Presence*

Copyright © 2015 por Amy Cuddy
Copyright da tradução © 2016 por GMT Editores Ltda.

Este livro foi publicado mediante acordo com a Little, Brown and Company, Nova York, Nova York, EUA.

Todos os direitos reservados. Nenhuma parte deste livro pode ser utilizada ou reproduzida sob quaisquer meios existentes sem autorização por escrito dos editores.

tradução
Ivo Korytowski

preparo de originais
Fernanda Lizardo

revisão
Luis Américo Costa, Rebeca Bolite e Tereza da Rocha

adaptação de projeto gráfico e diagramação
DTPhoenix Editorial

capa
Chris Werner / Partners Design

imagens de capa
Geoff Spear

adaptação de capa
Miriam Lerner

imagens de miolo
ilustrações do capítulo 6: cortesia de Nikolaus F. Troje, de Cuddy e Troje
ilustrações e gráfico do capítulo 8: Dailey Crafton

impressão e acabamento
Associação Religiosa Imprensa da Fé

CIP-BRASIL. CATALOGAÇÃO NA PUBLICAÇÃO
SINDICATO NACIONAL DOS EDITORES DE LIVROS, RJ

C971p   Cuddy, Amy
           O poder da presença / Amy Cuddy; tradução de Ivo Korytowski; Rio de Janeiro: Sextante, 2016.
           256 p.; il.; 16 x 23 cm.

           Tradução de: Presence
           ISBN 978-85-431-0390-7

           1. Relações humanas. 2. Comunicação interpessoal. 3. Linguagem corporal. 4. Desenvolvimento profissional. I. Título.

16-36231   CDD: 158.2
                                                     CDU: 316.47

Todos os direitos reservados, no Brasil, por
GMT Editores Ltda.
Rua Voluntários da Pátria, 45 – 14º andar – Botafogo
22270-000 – Rio de Janeiro – RJ
Tel.: (21) 2538-4100
E-mail: atendimento@sextante.com.br
www.sextante.com.br

Para Jonah e Paul,

os amores da minha vida...

Obrigada por me lembrarem pacientemente, o tempo todo,

de "simplesmente ficar de pé na prancha de surfe"

Sumário

Introdução	9
1. O que é presença?	17
2. Acreditando na própria história e assumindo o controle dela	41
3. Pare de pregar, comece a ouvir: como a presença gera presença	60
4. Eu não mereço estar aqui	78
5. Como a sensação de impotência reprime o eu (e como o poder o liberta)	97
6. Má postura e linguagem corporal	125
7. Surfando, sorrindo e cantando para ser feliz	148
8. O corpo molda a mente	166
9. Posturas para a presença	207
10. Autocutucar: como pequenos ajustes levam a grandes mudanças	213
11. Finja até virar verdade	232
Agradecimentos	252

Introdução

Estou sentada junto ao balcão da minha cafeteria favorita em Boston, laptop aberto, escrevendo. Dez minutos atrás pedi café e um muffin. A atendente – jovem, cabelos escuros, sorriso largo e óculos – fez uma pausa e falou tranquilamente:

– Só queria dizer que sua palestra no TED significou muito para mim e que me inspirou. Alguns anos atrás, um professor meu a divulgou durante a aula na universidade. Agora estou me matriculando na faculdade de medicina e só quero que você saiba que me postei no banheiro igual à Mulher-Maravilha antes das provas de admissão e que aquilo realmente ajudou. Então, embora não me conheça, você me levou a descobrir o que eu realmente queria fazer na vida: cursar a faculdade de medicina. E me ensinou o caminho para chegar lá. Obrigada.

Com lágrimas nos olhos, perguntei:

– Qual é o seu nome?

– Fetaine – respondeu.

Depois disso, ainda conversamos um pouco sobre os desafios passados de Fetaine e sua empolgação recém-descoberta com o futuro.

Todas as pessoas que me abordam são únicas e memoráveis, mas esse tipo de interação ocorre com muito mais frequência do que eu poderia imaginar: um desconhecido me cumprimenta calorosamente, conta uma história pessoal sobre como enfrentou um desafio específico com sucesso e depois simplesmente agradece pela minha participação nele. São homens e mulheres, velhos e jovens, tímidos e sociáveis, assalariados e abastados. Mas têm algo em comum: todos se sentiram impotentes diante de grandes pressões e da ansiedade, e todos descobriram um jeito bem simples de se livrar daquela sensação de impotência, pelo menos naquele momento.

Para a maioria dos escritores, primeiro vem o livro, depois, as reações. Para mim, foi o contrário. Primeiro conduzi uma série de experimentos que deram origem a uma palestra na conferência TEDGlobal em 2012. Naquela palestra, apresentei algumas descobertas intrigantes, de pesquisas pessoais e de terceiros, sobre como nosso corpo pode influenciar nosso cérebro e nosso comportamento. (Foi aí que descrevi aquele negócio da Mulher-Maravilha no banheiro mencionado por Fetaine – que detalharei a seguir –, um gesto capaz de aumentar rapidamente nossa confiança e reduzir nossa ansiedade em situações desafiadoras.) Também compartilhei minhas batalhas pessoais contra a síndrome do impostor e como aprendi a me induzir a me sentir e realmente me tornar mais confiante. Referi-me a esse fenômeno como "Finja até virar verdade".

Com certeza aqueles temas eram importantes para mim, mas eu não sabia se teriam repercussão na plateia. E então, imediatamente após o vídeo de 21 minutos da palestra ser postado na internet, comecei a receber feedback das pessoas que o viram.

Claro que assistir à minha palestra não forneceu a Fetaine os conhecimentos dos quais ela necessitava para se sair bem nas provas. Ela não adquiriu milagrosamente a absoluta compreensão das características das bactérias ou da aplicação do teorema da energia cinética. Mas minhas palavras talvez a tenham libertado do medo que a impedia de expressar as coisas que sabia. A sensação de impotência nos engole – levando junto tudo aquilo em que acreditamos, que sabemos e sentimos. Encobre quem somos, tornando-nos invisíveis. Chega até a nos alienar de nós mesmos.

O contrário de impotência deve ser poder, certo? Em certo sentido, é verdade, mas não é tão simples assim. As pesquisas que venho fazendo há anos agora se juntam a um grande corpo investigativo a respeito de uma qualidade que denomino *presença*. A presença advém de acreditar e confiar em si – em seus sentimentos, valores e habilidades reais e genuínos. Isso é importante porque, se você não confiar em si, como os outros poderão confiar? Não importa se estamos falando diante de duas pessoas ou de 5 mil, sendo entrevistados para um emprego, negociando um aumento ou vendendo uma ideia de negócio a investidores em potencial, falando por nós ou por terceiros, todos vivemos momentos intimidantes que precisam ser encarados com equilíbrio se quisermos alcançar a satisfação e progredir em nossa vida. A presença nos permite crescer para estar à altura desses momentos.

O caminho que me levou àquela palestra e a essa descoberta revolucionária foi tortuoso, para dizer o mínimo. Mas o seu começo é bem nítido.

Consigo me lembrar com clareza das caricaturas e dos recados carinhosos deixados pelos meus amigos no quadro de avisos. Estou no segundo ano da faculdade. Acordo num quarto de hospital e olho em volta – cartões e flores por todos os lados. Estou exausta. Mas também ansiosa e agitada. Mal consigo manter os olhos abertos. Nunca me senti assim. Não entendo o que acontece, mas me falta energia para tentar compreender. Adormeço.

A situação se repete – muitas vezes.

Minha última lembrança clara antes de acordar no hospital era a de estar viajando de Missoula, Montana, até Boulder, Colorado, na companhia de duas amigas com quem eu dividia o apartamento. Havíamos ido a Missoula para ajudar a organizar uma conferência dos alunos da Universidade de Montana e visitar amigos. Deixamos Missoula no início da noite de um domingo. Estávamos tentando voltar a Boulder a tempo de pegar as aulas da manhã. Fazendo um retrospecto agora, especialmente hoje que sou mãe, vejo como aquilo foi insensato, considerando que a viagem de carro entre Missoula e Boulder leva de 13 a 14 horas. Mas tínhamos 19 anos.

Dispúnhamos do que julgávamos ser um bom plano: cada uma de nós dirigiria um terço da viagem. Uma passageira ficaria acordada para ajudar a motorista a permanecer alerta, enquanto a outra descansaria num saco de dormir na traseira do Jeep Cherokee. Cumpri meu turno ao volante. Depois fui a passageira ativa, de olho na motorista. Eu adorava as pessoas que estavam comigo. Adorava a vastidão do Oeste. Adorava o descampado. Nenhum farol para nos ofuscar na rodovia. Aí chegou minha vez de dormir no banco traseiro.

Conforme fiquei sabendo mais tarde, eis o que aconteceu: minha amiga estava dirigindo no pior turno – aquela hora da noite em que você sente que é a única pessoa acordada no mundo inteiro. Não apenas estávamos no meio da noite como estávamos no meio da noite no meio do estado de Wyoming. Muito escuro, muito vasto, muito solitário. Pouca coisa para manter você acordado. Lá pelas quatro da madrugada, a amiga que dirigia saiu da estrada. Ao passar pelo sonorizador no acostamento, deu uma guinada na direção oposta. O carro capotou várias vezes. As meninas no banco da frente estavam usando cinto de segurança. Eu, que dormia atrás, fui ejetada. O lado direito da minha testa bateu na estrada.

Sofri uma lesão cerebral traumática. Mais especificamente, sofri uma lesão axonal difusa, LAD. Numa LAD, o cérebro é submetido à chamada "tensão de cisalhamento", que geralmente ocorre devido a uma aceleração rotacional grave, algo bem comum em acidentes de carro. Imagine o que acontece num desastre automobilístico em alta velocidade: com a mudança súbita e extrema de velocidade no impacto, seu corpo para abruptamente, mas seu cérebro continua a se mover e às vezes até gira dentro da caixa craniana, coisa que não deveria fazer, e pode colidir contra as paredes do crânio. A força do impacto da minha cabeça na estrada (fato que causou uma fratura craniana) também não ajudou.

O cérebro foi feito para existir num espaço seguro, protegido pelo crânio e amortecido por diversas membranas finas, chamadas meninges, e pelo líquido cefalorraquidiano. O crânio é amigo do cérebro, mas os dois nunca devem se tocar. As tensões de cisalhamento de uma lesão grave na cabeça rasgam e estiram neurônios e suas fibras, denominadas axônios, dentro do cérebro. Assim como fios elétricos, os axônios são isolados por um revestimento protetor que se chama bainha de mielina. Mesmo que um axônio não seja danificado, o dano à bainha de mielina pode reduzir significativamente a velocidade com que as informações viajam de um neurônio a outro.

Em uma LAD, a lesão ocorre por todo o cérebro, diferentemente do que ocorre em uma lesão cerebral focal, como um tiro de arma de fogo, onde o dano atinge um ponto bem específico. Tudo que o cérebro faz depende da comunicação entre os neurônios. Quando os neurônios por todo o cérebro estão danificados, sua comunicação inevitavelmente fica prejudicada. Assim, quando você sofre uma LAD, nenhum médico irá lhe dizer: "Bem, a lesão se deu na região motora, portanto você terá problemas com os movimentos." Ou: "É na região da fala; você terá dificuldades para elaborar e processar a fala." Eles não saberão *se* você vai ser recuperar, *até que ponto* se recuperará ou *quais funções cerebrais* serão afetadas: sua memória ficará prejudicada? Suas emoções? Seu raciocínio espacial? Sua coordenação motora fina? Considerando o pouco que se entende sobre LADs, as chances de um médico fornecer um prognóstico preciso são pequenas.

Após uma LAD, você se torna uma pessoa diferente. De várias maneiras. O modo como pensa, sente, se expressa, reage, interage: todas essas extensões são afetadas. Além disso tudo, sua capacidade de compreender a si mesmo provavelmente também é afetada, de modo que você não é mais capaz de saber exatamente *como* seu eu mudou. E ninguém – NINGUÉM – pode lhe dizer o que esperar.

Deixe-me dar uma explicação sobre o que ocorreu com meu cérebro tal como entendi *naquela época*.

Então lá estava eu no hospital. Naturalmente, havia sido afastada da faculdade e meus médicos expressaram sérias dúvidas sobre se chegaria a ficar cognitivamente apta a retornar aos estudos. Dadas a gravidade da minha lesão e as estatísticas de pessoas com lesões semelhantes, eles disseram: *Não espere concluir a faculdade. Você vai ficar bem – "altamente funcional" –, mas deveria pensar em achar outra coisa para fazer.* Soube que meu QI havia caído 30 pontos – dois desvios padrão. Soube disso não porque um médico me explicou, mas porque o QI fazia parte de uma bateria de dois dias de testes de neuropsicologia que precisei enfrentar, e recebi um longo relatório que incluía esse resultado. Os médicos não julgaram importante explicar isso para mim. Ou será que acharam que eu não era inteligente o suficiente para entender? Não quero dar ao QI mais crédito do que ele merece. Não estou fazendo nenhuma alegação sobre sua capacidade de prever os resultados da vida. Mas na época era algo que eu acreditava quantificar minha inteligência. Assim, pela minha compreensão, segundo os médicos, deixei de ser inteligente, e senti isso fortemente.

Passei por terapia ocupacional, terapia cognitiva, fonoaudiologia, fisioterapia, orientação psicológica. Cerca de seis meses após o acidente, eu estava em casa para passar o verão e algumas das minhas amigas mais íntimas, as quais haviam nitidamente se afastado de mim, disseram: "Você não é mais a mesma." Como duas pessoas que pareciam me entender mais do que todo mundo eram capazes de dizer que eu já não era mais eu? De que jeito eu estava diferente? Elas não conseguiam me enxergar ali; eu também não conseguia mais me enxergar naquela pessoa.

Uma lesão na cabeça deixa você confuso, ansioso e frustrado. Quando seus médicos informam não saber o que você deve esperar e seus amigos dizem que você está diferente, isso com certeza amplia toda a confusão, ansiedade e frustração.

Passei o ano seguinte na incerteza: ansiosa, desorientada, tomando decisões ruins, sem saber direito o que faria a seguir. Depois, voltei à faculdade. Mas ainda era cedo. Eu não conseguia raciocinar. Não conseguia processar as informações orais adequadamente. Era como se estivesse ouvindo alguém falando metade numa língua que eu conhecia, metade numa língua que eu ignorava, o que me deixava ainda mais frustrada e ansiosa. Tive de largar a faculdade porque não estava acompanhando as aulas.

Embora tivesse fraturado vários ossos e ganhado umas cicatrizes feias no acidente, eu parecia fisicamente inteira. E, como as lesões cerebrais traumáticas costumam ser invisíveis aos outros, as pessoas diziam coisas do tipo: "Uau, você é sortuda! Poderia ter quebrado o pescoço!"

"Sortuda?", eu pensava. Aí me sentia culpada e envergonhada por estar irritada com aqueles comentários bem-intencionados.

Jamais esperamos que nossa forma de pensar, nosso intelecto, nosso afeto, nossa personalidade se modifiquem um dia; nós os consideramos definitivos. Temermos sofrer um acidente que nos deixe paralisados, mude nossa capacidade de locomoção ou provoque a perda da audição ou da visão. Mas não pensamos num acidente que cause a perda de nós mesmos.

Por muitos anos após a lesão na cabeça, fiquei tentando simular meu eu anterior... embora não soubesse realmente quem era aquele eu anterior. Eu me sentia uma impostora, uma impostora no meu próprio corpo. Tive de reaprender a aprender. Vivia tentando recomeçar a faculdade, pois não conseguia aceitar as pessoas me dizerem que eu não era capaz.

Estudar era bem mais difícil para mim do que para os outros. Aos poucos, enfim, e para meu alívio absoluto, minha clareza mental começou a voltar. Concluí a faculdade quatro anos depois de meus colegas pré-acidente.

Uma das razões para eu ter persistido foi haver encontrado algo que gostava de estudar: psicologia. Após a faculdade, consegui ingressar numa profissão que requeria um cérebro em pleno funcionamento. Ao longo do percurso, não surpreende que eu tenha me tornado uma pessoa para quem todos aqueles questionamentos sobre presença e poder, confiança e dúvida assumiram uma enorme importância.

Minha lesão me levou a estudar a ciência da presença, mas foi minha palestra no TED que me fez perceber como o anseio por ela é universal. Pois a verdade é que *a maioria* das pessoas lida com desafios estressantes diariamente. Indivíduos em todos os cantos do mundo de todas as profissões tentam ganhar coragem para falar em público, encarar uma entrevista de emprego, fazer um teste para um papel, enfrentar uma adversidade a cada dia, lutar por suas crenças ou simplesmente encontrar a paz sendo quem são. Isto se aplica tanto aos sem-teto quanto a profissionais altamente bem-sucedidos pelos padrões tradicionais. Vítimas de *bullying*, preconceito e violência sexual, refugiados políticos, pessoas com distúrbios mentais ou que sofreram ferimentos graves – todas elas enfrentam esses desafios. Assim como todas aquelas que trabalham para ajudar essa gente: pais, cônjuges, filhos, orientadores, médicos, colegas e amigos.

Todas essas pessoas me obrigaram a examinar minhas pesquisas de um jeito novo: elas ao mesmo tempo me afastam e me aproximam da ciência. Ouvindo suas histórias, fui obrigada a refletir sobre como as descobertas da ciência social de fato se aplicam ao mundo real. Comecei a me interessar por realizar estudos que mudem vidas de uma forma positiva. Mas comecei também a formular perguntas básicas que talvez jamais me ocorressem caso eu tivesse permanecido dentro do laboratório, mergulhada em literatura.

A princípio fiquei aturdida com as reações à palestra no TED e dominada pela sensação de que talvez tivesse cometido um grande erro ao partilhar minhas pesquisas e minha história pessoal. Não esperava que tantos desconhecidos assistissem ao vídeo e não tinha ideia de como ia me sentir vulnerável e exposta. É o que acontece com qualquer um que é acolhido pela internet e depois apresentado ao mundo todo de uma só vez. Algumas pessoas reconhecerão você em público. E isso requer certa adaptação – seja um desconhecido pedindo para eu posar de Mulher-Maravilha com ele para uma *selfie* ou alguém berrando de um riquixá (como aconteceu em Austin): "Ei! É a moça do TED!"

Fora tudo isso, me sinto *incrivelmente* sortuda por ter tido a oportunidade de dividir aquela pesquisa e minha história com tantas pessoas, e ainda mais sortuda por tantas pessoas dividirem suas histórias comigo.

Adoro o ambiente acadêmico, mas encontro muita inspiração fora do laboratório e da sala de aula. Uma das vantagens de estar na Harvard Business School é que sou incentivada a transpor aquela fronteira entre teoria e prática, de modo que eu já havia começado a falar às pessoas nas empresas sobre como a pesquisa se aplica, o que vem funcionando, onde estão os problemas e coisas semelhantes. Mas não previ que aquele mundo de desconhecidos atenciosos se abriria para mim depois que a palestra do TED foi postada.

Agora vejo que uma palestra pode funcionar como uma canção – percebo como as pessoas a personalizam, conectam-se a ela, sentem-se validadas sabendo que outra pessoa sentiu o mesmo que elas. Como disse certa vez Dave Grohl, da banda Foo Fighters: "Esta é uma das grandes virtudes da música: você pode cantar uma canção para 85 mil pessoas e elas a cantarão de volta por 85 mil razões diferentes."

Eu estava falando num abrigo para jovens sem-teto e pedi aos moradores que me contassem sobre as situações que achavam mais desafiadoras. Um adolescente disse: "Chegar à entrada deste abrigo." Em outro abrigo, uma mulher disse: "Ligar para solicitar serviços, ajuda ou apoio. Sei que vou aguardar por um bom tempo e aí a pessoa do outro lado da linha vai ser rude e intolerante." Ouvindo isso, outra mulher no abrigo respondeu: "Eu já trabalhei num call center e ia dizer: 'Atender chamadas de pessoas que você sabe que estão frustradas e zangadas, e que estavam aguardando há um bom tempo enquanto eu tentava lidar com mil outras chamadas.'"

Milhares de pessoas me escreveram para contar sobre seus desafios – uma gama de problemas que me surpreendeu, contextos nos quais jamais imaginei poder aplicar esta pesquisa. A maioria dos e-mails começava com algo do tipo "Como sua palestra ajudou a...", e, entre os mais diversos assuntos, estavam: lidar com familiares portadores da doença de Alzheimer; um colega com lesão cerebral, adultos com deficiências físicas, um veterano da Segunda Guerra Mundial que "perdeu seu orgulho"; crianças vítimas de *bullying*, estudantes do quinto ano com medo de matemática; o filho com autismo; encarar uma entrevista para ser admitido na faculdade; fechar um grande negócio; comprar a casa própria; recuperar-se de um trauma; competir num torneio esportivo importante; ter autoconfiança; passar numa prova concorrida; propor uma ideia nova ao chefe; encontrar a própria voz e expressar suas ideias. E isso é só uma amostra.

Todas as reações que recebi à palestra do TED são dádivas que me ajudaram a entender melhor como e por que esta pesquisa repercute. Em suma: as histórias me ajudaram a escrever este livro e me motivaram a fazê-lo. Elas vêm de todas as partes do mundo, de indivíduos de todas as profissões, e vou compartilhar muitas delas nas páginas a seguir. Talvez, no meio desses relatos, você encontre ecos da sua história.

1

O que é presença?

Nós convencemos por nossa presença.
– Walt Whitman

Nós a reconhecemos quando sentimos e quando vemos, mas a presença é difícil de definir. Por outro lado, a maioria de nós é exímia em descrever sua ausência. Eis minha história – uma dentre muitas.

Eu estava fazendo doutorado e, como queria me tornar professora, resolvi me lançar no mercado de trabalho acadêmico no outono de 2004. Se um estudante de doutorado em psicologia social tiver sorte, seu orientador fará com que "estreie" em uma pequena conferência anual frequentada pelos melhores psicólogos sociais do mundo. O estudante, vestindo o que há de melhor em trajes acadêmicos, tem a oportunidade de se misturar a professores veteranos, muitos de grandes universidades respeitadas por suas pesquisas, que poderão vir a contratá-lo no ano seguinte. Os professores veteranos, trajando suas roupas do dia a dia, têm a oportunidade de sondar novos talentos – mas a maioria está ali apenas para colocar o papo em dia.

Em certo sentido, os estudantes ensaiam para esse momento durante os quatro ou cinco anos inteiros que culminarão nele. Eles chegam preparados. Prontos para sintetizar seu programa e os objetivos de pesquisa em exíguos 90 segundos – breves o suficiente para prender a atenção do público sem acidentalmente mostrar desrespeito por consumir demais seu tempo. Eles chegam munidos de um discurso que se conhece, dentro e fora do mundo acadêmico, como venda de elevador – uma apresentação tão sucinta que possa ser feita durante uma viagem de elevador.

Minha ansiedade com essa conferência desafiava todas as dimensões cabíveis.

O encontro começou num salão de conferências de um hotel. Subindo para o jantar de abertura, tomei o elevador no saguão junto com três pessoas – todas figuras consagradas na minha área acadêmica e que eu idolatrava havia anos.

Sem se apresentar, um dos professores, que era de uma prestigiosa universidade em que eu adoraria trabalhar, disse casualmente:

– Ótimo. Estamos num elevador. Vamos ouvir seu projeto.

Meu rosto esquentou; minha boca secou. Hiperconsciente de que não apenas um, mas *três* acadêmicos famosos estavam confinados comigo naquele espaço minúsculo, comecei minha venda – ou melhor, as palavras começaram a pular da minha boca. Ao final da primeira frase, soube que tinha começado totalmente errado. Ouvi-me dizendo coisas como: "Então... ah, esperem, antes que eu explique esta parte..."

Eu mal conseguia acompanhar minha narrativa. E, quando a consciência do meu fracasso iminente bateu, a capacidade de pensar em qualquer outra coisa além da minha ansiedade esmagadora foi embora. Certa de que estava matando minhas chances em não apenas uma, mas em três faculdades – ah, e também nas faculdades onde seus colaboradores mais próximos trabalhavam –, entreguei-me ao pânico.

Para tudo eu tinha uma ressalva. Ficava tentando recomeçar. Não havia a menor chance de concluir minha apresentação durante o tempo necessário para chegarmos ao vigésimo andar,[1] onde o jantar seria servido. Meus olhos disparavam de um ídolo a outro, buscando algum vislumbre de compreensão, alguma microexpressão de apoio, aprovação, empatia. Alguma coisa. Qualquer coisa. *Por favor.*

As portas finalmente se abriram. Dois dos passageiros logo escaparam, cabisbaixos. O terceiro – aquele que me incitara a vender meu peixe – cruzou o limiar do elevador para pisar em solo firme, parou, virou-se para mim e disse:

– Essa foi a pior venda de elevador que já ouvi.

(E... seria aquilo no rosto dele a sugestão de um sorrisinho afetado?)

As portas se fecharam. O elevador desceu e me levou diretamente de volta ao saguão. Apesar da crítica inequívoca, senti uma tênue, porém efêmera, sensação de alívio.

Então a ficha caiu. O que eu tinha feito? Como não consegui dizer ao menos uma frase inteligente sobre o tema que vinha estudando havia mais de quatro anos?

Fora do elevador, meu discurso de vendas ensaiado começou a retornar à lembrança, transpondo uma bruma difusa e retomando uma forma reconhecível. Ali estava ele. Eu tive vontade de subir de novo, ir atrás dos professores e pedir uma segunda chance.

Em vez disso, passei os três dias seguintes da conferência voltando mentalmente àquele momento, remoendo as várias formas como deveria ter discursado, sofrendo com o menosprezo demonstrado pelos meus três companheiros de elevador. Fiquei dissecando a lembrança implacavelmente, e jamais me esquecendo de que não só deixei de me representar como também deixei de representar meu orientador, que tinha passado vários anos me instruindo e investira sua reputação ao me levar àquela conferência. O fracasso de 90 segundos se repetia no meu cérebro num looping eterno, me assombrando. Permaneci aqueles três dias na conferência, mas não estive presente de fato em nenhum deles.

Contei meu suplício a minha boa amiga Elizabeth, que disse:

– Ah, o espírito da escada!

– O quê?

Então ela me contou uma história que tinha ouvido em suas aulas de filosofia na graduação.

Denis Diderot, um filósofo e escritor francês do século XVIII, estava num jantar, envolvido num debate sobre um tema que dominava. Mas talvez estivesse fora de si naquela noite: um pouco constrangido, distraído, temeroso de parecer tolo. Ao ser desafiado sobre determinado tema, Diderot não conseguiu achar as palavras e se viu incapaz de articular uma resposta inteligente. Logo depois, deixou a festa.

Uma vez lá fora, ao descer a escada, Diderot continuou a remoer aquele momento humilhante em sua mente, buscando em vão a réplica perfeita. Ao chegar ao pé da escadaria, achou. Será que ele deveria dar meia-volta, subir a escada e retornar ao jantar para fazer sua réplica espirituosa? Claro que não. Tarde demais. O momento – e, com ele, a oportunidade – havia passado. O arrependimento o dominou. Se ao menos tivesse tido a presença de espírito de encontrar aquelas palavras quando precisara delas...

Refletindo sobre aquela experiência em 1773, Diderot escreveu: "Um homem sensível como eu, oprimido por uma objeção levantada contra ele, fica confuso e só consegue voltar a pensar com clareza ao atingir o pé da escada."[2]

Assim ele cunhou a expressão *l'esprit d'escalier* – o espírito da escada. Em ídiche o termo é *trepverter*. Os alemães o chamam de *treppenwitz*. Em inglês tem sido chamado de *elevator wit* (sagacidade de elevador), que tem uma ressonância sentimental para mim. Meu termo favorito é *afterwit* (sagacidade atrasada). Mas a ideia é a mesma: é a observação incisiva que nos ocorre tarde demais. É o retorno bloqueado. A réplica órfã. E que traz consigo uma sensação de arrependimento, decepção, humilhação. Todos queremos uma segunda chance, mas jamais a obteremos.

Aparentemente, todos já viveram momentos como meu pesadelo no elevador da conferência, mesmo filósofos franceses do século XVIII.

Rajeev, um dos primeiros espectadores a me escrever após a publicação da minha palestra no TED, descreveu assim um desses momentos: "Em muitas situações da vida, não sinto que dei tudo de mim e que pus todas as cartas na mesa, por assim dizer. E isso sempre me corrói depois, quando as analiso repetidas vezes na minha cabeça, e acaba me levando a sensações de fraqueza e fracasso."

A maioria de nós tem sua versão pessoal dessa experiência – após uma entrevista de emprego, um teste para um papel, um encontro romântico, a proposta para um projeto, uma manifestação numa reunião ou aula, uma discussão com alguém num jantar.

Mas como foi que chegamos lá? Provavelmente estávamos preocupados com o que os outros pensariam de nós, mas acreditando que já sabíamos o que pensavam, sentindo-nos impotentes e também consentindo em tal sensação, nos apegando ao resultado e atribuindo demasiada importância a ele em vez de nos concentrarmos no processo. Essas preocupações se uniam num coquetel tóxico de autoderrota. Foi assim que chegamos lá.

Antes de sequer alcançarmos a soleira de uma oportunidade, estamos cheios de medo e ansiedade, antecipando problemas de um futuro que ainda não aconteceu.[3] Quando adentramos uma situação de alta pressão nesse estado de espírito, estamos condenados a sair de lá arrasados.

Se eu ao menos tivesse me lembrado de dizer isso... Se tivesse agido daquela forma... Se tivesse mostrado a eles quem realmente sou... Não temos como nos envolver totalmente numa interação quando estamos ocupados duvidando de nós mesmos e ouvindo a roda-viva em nossa cabeça – a análise confusa, frenética e insegura do que *achamos* que está acontecendo ao redor; a consciência torturante de que estamos, definitivamente, numa situação de alta pressão e de que estragamos tudo. Exatamente quando mais precisamos estar presentes, ficamos menos propensos a isso.

Como escreveu Alan Watts em *A sabedoria da insegurança*: "Para entender a música, você precisa escutá-la. Mas, à medida que começa a pensar 'Estou ouvindo esta música', você não está ouvindo de fato."[4] Quando está numa entrevista de emprego pensando "Estou numa entrevista de emprego", você não consegue compreendê-la, envolver-se plenamente com o entrevistador nem apresentar o eu que gostaria de mostrar: seu eu mais real, brilhante, arrojado e relaxado.

Watts descreveu a expectativa ansiosa desses momentos como a busca de "um fantasma que vive recuando, e quanto mais rápido você o persegue, mais rápido ele dispara na frente".[5] Esses instantes se transformam em assombrações. E nós os dotamos do poder de nos assombrar – antes, durante e depois.

Na próxima vez que se deparar com uma dessas situações tensas, imagine que a enfrenta com confiança e entusiasmo em vez de dúvida e temor. Imagine-se cheio de energia e à vontade enquanto está ali, livre de seus medos de como os outros poderiam estar julgando você. E imagine que vai embora depois sem arrependimento, satisfeito por ter dado o melhor de si, independentemente do resultado mensurável – nenhum fantasma a ser caçado; nenhuma sagacidade aos pés da escadaria.

Tina, uma moça de Nova Orleans, escreveu para me contar como o fato de não ter concluído o ensino médio a prejudicou, não apenas limitando seu acesso a um emprego estável e bem remunerado, mas também minando seu sentimento de que merecia tais coisas. Ela trabalhou em vários empregos, muitas horas por dia, durante anos, e aos 34 formou-se na faculdade. Então foi se educando lentamente, por meio de mudanças pequenas e graduais, a tratar "mesmo as interações mais difíceis como oportunidades de revelar do que sou capaz e de expressar meu valor".

Imagine isso.

Soa como presença.

Os elementos da presença

Vários anos atrás, durante uma reunião do laboratório do meu departamento, tive um momento revelador que despertou fortemente meu interesse em desvendar a psicologia da presença.

Naquele dia, uma estudante visitante, Lakshmi Balachandra, estava pedindo feedback sobre alguns dados novos. Ela vinha investigando a forma como empresários vendiam ideias a investidores em potencial e como esses investidores reagiam. Após analisar meticulosamente vídeos de 185 apresentações para capitalistas de risco – examinando o comportamento verbal e não verbal –, Lakshmi acabou obtendo resultados surpreendentes: os indicadores mais fortes de quem obtinha o dinheiro não eram as credenciais da pessoa ou o teor da apresentação. Eram, na verdade, os seguintes traços: *confiança, nível de bem-estar* e *entusiasmo apaixonado*. Os bem-sucedidos não gastavam seus preciosos momentos sob os holofotes preocupando-se com seu desempenho ou com o que os outros pensavam deles. Nenhum espírito da escada os aguardava porque eles sabiam que estavam dando o melhor de si. Em outras palavras, os que se saíam bem estavam plenamente presentes e sua presença era palpável. Ela se manifestava sobretudo de formas não verbais: por meio de atributos vocais, gestos, expressões faciais e assim por diante.[6]

As descobertas nos intrigaram. Será que decisões envolvendo grandes investimentos eram realmente tomadas com base apenas nas impressões sobre a pessoa que faz a apresentação? Tudo se resume ao carisma?

Tive uma reação nitidamente diferente ao ouvir Lakshmi na reunião do laboratório: eu desconfiava que aquelas qualidades – confiança, bem-estar, paixão e entusiasmo – sinalizavam algo mais poderoso do que palavras sobre a capacidade do empresário de obter investimentos. Elas indicavam até que ponto aquele indivíduo realmente acreditava no valor e na integridade de sua ideia e em sua capacidade de concretizá-la, o que, por sua vez, podia sinalizar algo sobre a qualidade da proposta em si.

Às vezes projetamos facilmente uma confiança equilibrada, empolgada. Conforme indica o estudo de Lakshmi e outros, isso tem um grande peso. Influencia os entrevistados na hora de decidir a quem financiar. Influencia as avaliações dos entrevistadores de candidatos a empregos, se eles serão chamados e os detalhes finais da contratação.[7]

Estamos certos em valorizar tanto esse traço? Será apenas uma preferência superficial? Os bons resultados dessas decisões de contratação e investimento sugere que não. Na verdade, o entusiasmo com autoconfiança é um indicador impressionantemente útil de sucesso. Em estudos sobre empresários, essa qualidade indica garra, disposição para trabalhar duro, iniciativa, persistência em face de obstáculos, atividade mental aprimorada, criatividade e capacidade de identificar boas oportunidades e ideias inovadoras.[8]

E a coisa não para por aí. O entusiasmo fundamentado dos empresários é contagiante, estimulando um alto nível de comprometimento, confiança, paixão e desempenho nas pessoas que trabalham para e com eles. Por outro lado, empresários e candidatos a emprego que não transmitem essa qualidade costumam ser considerados menos confiantes e confiáveis, comunicadores menos eficazes e, em última análise, pessoas com desempenho fraco.[9]

Existe outro motivo para acreditarmos nas pessoas que projetam paixão, confiança e entusiasmo: esses traços não podem ser simulados facilmente. Quando nos sentimos corajosos e confiantes, nosso tom de voz fica significativamente mais variado, o que nos torna mais expressivos e relaxados. Quando o medo nos domina – ativando a reação de lutar ou fugir no sistema nervoso simpático –, as cordas vocais e o diafragma se contraem, sufocando nosso entusiasmo genuíno.[10] Se você já enfrentou o medo de palco, conhece esta sensação: os músculos que produzem o som se enrijecem, fazendo com que sua voz saia fraca e tensa – o que é bem diferente daquilo que você pretende.

Quando tentamos simular confiança ou entusiasmo, as pessoas conseguem perceber que algo está errado, ainda que não sejam capazes de identificar precisamente o quê. Na verdade, quando candidatos a emprego exageram ao tentar passar uma boa impressão através de táticas não verbais como sorrisos forçados, o tiro pode sair pela culatra – os entrevistadores os descartam como falsos e manipuladores.[11]

Uma ressalva: a minha área, psicologia social, acumulou uma enorme quantidade de indícios de que os seres humanos seguem tomando decisões equivocadas baseados em primeiras impressões mínimas, enganadoras e oriundas de más interpretações. Demonstramos claramente que primeiras impressões costumam ser frágeis e perigosas, e não estou contestando esse fato. Na verdade, grande parte da minha pesquisa concentrou-se em identificar e compreender essas tendências destrutivas.[12] O que estou dizendo aqui é que primeiras impressões baseadas em entusiasmo, paixão e confiança *podem* realmente ser corretas – precisamente por essas qualidades serem tão difíceis de simular. Quando você não está presente, as pessoas percebem. Quando está, elas reagem de acordo.

Façamos uma pausa, porque quero me certificar de que você não perdeu o fio da meada. Este não é mais um livro de conselhos exclusivamente para empresários e executivos. A presença de que você precisa para persuadir um grupo de investidores a financiar seu projeto é a mesma necessária para se convencer de que conseguirá expor sua ideia numa reunião. Ou pedir um aumento de salário. Ou exigir um tratamento mais respeitoso.

Enquanto estou sentada escrevendo, penso nas pessoas que compartilharam suas histórias comigo: Nimanthi, do Sri Lanka, que luta para sentir-se confiante como a primeira estudante universitária de sua geração na família; Cedric, do Alabama, que batalha para preservar sua independência após perder a esposa para o câncer enquanto trata dos próprios problemas de saúde; Katharina, da Alemanha, que está se recompondo após sair de um relacionamento abusivo; Udofoyo, da Nigéria, que tenta superar uma incapacidade física que o impede de ser mais participativo durante as aulas; Nicole, da Califórnia, que busca meios de estimular seus alunos adultos com síndrome de Down; Fariha, de Karachi, que está tentando aproveitar suas novas oportunidades educacionais totalmente inesperadas; Marcos, do Brasil, que está tomando coragem para montar um pequeno negócio familiar; Aleta, de Rochester, que aos poucos recupera sua identidade após uma lesão cerebral traumática; Kamesh, da Índia, que tenta pôr sua vida de volta nos trilhos após perder um jovem membro da família. Este livro é para eles e para você.[13]

As histórias que mais me inspiraram são de gente cujo maior desafio é encarar cada dia com um pouco mais de otimismo e dignidade do que no dia anterior – pessoas com recursos limitados e pouquíssimo poder ou status, muitas das quais passaram por provações terríveis, mas ainda assim têm motivação para *tentar*. Tentar se sentir presentes e poderosas, não apenas para si mesmas, mas também para as pessoas que as amam e respeitam. Elas não estão tentando conquistar um emprego milionário ou um grande negócio de capital de risco. Estão tentando achar um meio de abraçar o próprio poder e utilizá-lo para se fazerem presentes ao enfrentar os desafios normais da vida.

Já constatamos que a presença é um estado incrivelmente poderoso. Mas ainda não respondemos à grande pergunta: o que ela *é* exatamente? E como conseguimos isso?

Presença são os próximos cinco minutos

*Presença é a remoção de julgamentos, barreiras e máscaras de
modo a criar uma conexão verdadeira e profunda
com pessoas ou experiências.*
– Pam, estado de Washington, Estados Unidos

*Presença é adorar as pessoas à sua volta
e apreciar o que você faz por elas.*
– Anônimo, Croácia

*Presença é ser eu mesmo e me manter confiante,
aconteça o que acontecer.*
– Abdelghani, Marrocos

Essas são apenas algumas das muitas respostas à pergunta "Como você define presença?", que fiz on-line, recebidas de pessoas do mundo inteiro. Impressionam-me tanto as diferenças quanto as semelhanças nesse conjunto diversificado de comentários.

A presença ainda pode parecer um conceito nebuloso. Claramente significa coisas diferentes para pessoas diferentes. Envolve o físico, o psicológico ou o espiritual? Diz respeito ao indivíduo em si ou acontece em relação aos outros? É uma característica constante ou uma experiência momentânea?

A ideia de uma forma de presença permanente e transcendente brotou em solo filosófico e espiritual. Conforme escreveu a blogueira Maria Popova: "O conceito de presença se fundamenta na ideia oriental de atenção plena (*mindfulness*) – a capacidade de passar pela vida com atenção cristalina e de habitar plenamente nossa experiência."[14] O conceito foi popularizado no Ocidente em meados do século XX pelo filósofo britânico Alan Watts, que, explica Popova, alega que "a raiz da frustração humana e da ansiedade diária está em nossa tendência de viver para o futuro, que é uma abstração", e que "nossa forma básica de renunciar à presença é abandonando o corpo e nos refugiando na mente – aquele caldeirão fervilhante eternamente calculista e autocrítico de pensamentos, previsões, ansiedades, julgamentos e metaexperiências incessantes sobre a experiência em si".

Embora atingir um estado duradouro do estilo "viver o momento filosófico" seja um objetivo louvável, não é o tipo de presença que estudo e sobre o qual escrevo. Para alcançar uma "atenção cristalina" duradoura precisamos ter os meios e a liberdade para decidir exatamente como despender nosso tempo, nossa energia – nossa vida. Gostaria que todos pudéssemos ter essa liberdade, mas não é o que acontece com a maioria de nós, não só porque muitas vezes temos bocas para alimentar, pessoas de quem cuidar, trabalhos a realizar e contas a pagar, mas também porque nenhuma mente humana é capaz de bloquear todos os pensamentos perturbadores o tempo todo. É difícil ler uma página inteira de um livro ou participar de uma conversa de cinco minutos sem sermos cutucados por pensamentos que nos distraem. E isso significa ter de encontrar outros meios de nos sentirmos presentes e poderosos.

Presença, na acepção que dou nestas páginas, é o estado de sintonia com nossos reais pensamentos, sentimentos, valores e potencial, bem como a capacidade de expressá-los confortavelmente. É isso. *Não* é um modo de ser permanente, transcendente. Vem e vai. É um fenômeno momentâneo.

A presença emerge quando nos sentimos pessoalmente poderosos, permitindo que nos sintonizemos de forma clara com nosso eu mais verdadeiro. Nesse estado psicológico, somos capazes de manter a presença até mesmo em situações bem estressantes que em geral nos deixariam enlouquecidos e impotentes.

Quando nos sentimos presentes, tudo se alinha: nossa fala, as expressões faciais, as posturas e os movimentos. Eles se sincronizam e se concentram. E essa convergência interna, essa harmonia, é palpável e ressonante – porque é genuína. É o que nos torna irresistíveis. Já não estamos combatendo a nós mesmos; estamos *sendo* nós mesmos. Desenvolver a presença não tem a ver com carisma ou extroversão, nem com controlar minuciosamente a impressão que estamos passando às outras pessoas. Significa conectar-nos honesta e poderosamente com nós mesmos.

O tipo de presença ao qual me refiro é resultante de uma mudança gradual. Você não precisa embarcar numa longa peregrinação, experimentar uma epifania espiritual ou buscar uma transformação interior completa. Não há nada de errado nessas coisas, mas elas são intimidantes. São "grandiosas". Para muitos de nós, são fugidias, abstratas, idealistas. Em vez disso vamos nos concentrar em momentos – em alcançar um estado de presença psicológica que dure apenas o tempo suficiente para nos permitir enfrentar as situações mais desafiadoras quando há muita coisa em jogo, tais como entrevistas de emprego, conversas difíceis, propostas de vendas, pedidos de ajuda, discursos em público, apresentações teatrais e afins.

A presença envolve o dia a dia. É até, ouso dizer, corriqueira. Todos podemos praticá-la. A maioria simplesmente não sabe ainda como evocar a presença quando ela nos foge temporariamente nos momentos mais críticos da vida.

Um conjunto significativo de pesquisas científicas oferece um vislumbre dos mecanismos psicológico e fisiológico desse tipo de presença transitória. E eis o melhor: podemos ajustá-los. Através de autoajustes, pequenas correções em nossa linguagem corporal e nossa mentalidade, podemos obter a presença. Podemos autoinduzir a presença. Até certo ponto, trata-se de deixar o corpo comandar a mente, mas abordaremos essa parte depois.

Esse tipo de presença vai ajudá-lo a ter mais sucesso no sentido tradicional? É possível. Mas o que mais importa é que permitirá que você aborde situações estressantes sem ansiedade, medo ou pavor, e as conclua sem arrependimento, dúvida ou frustração. Pelo contrário, você sairá delas com a noção de que fez todo o possível. De que representou precisa e plenamente a si e suas habilidades. Que mostrou quem você realmente é. Que mostrou *a si mesmo* quem realmente é.

Sempre haverá novos desafios, novas situações incômodas, novos papéis que nos desequilibram e alimentam nossa ansiedade, forçando-nos a reexaminar quem somos e como podemos nos conectar com os outros. Para estarmos presentes, precisamos tratar esses desafios como momentos. Presença não é tudo ou nada. Às vezes nós a perdemos e temos de recomeçar, e isso é normal.

Portanto vamos examinar essas ideias, ver como se enquadram na ciência e aplicá-las não só à nossa vida num contexto geral, mas daqui a cinco minutos, quando enfrentaremos aquela entrevista de emprego ou de admissão à faculdade, cobraremos aquele pênalti, abordaremos aquela questão espinhosa com um colega ou amigo, apresentaremos uma ideia com a qual estamos empolgados porém tensos. É aí que a coisa acontece. É quando mais nos beneficiamos de aprender a estar presentes.

Qual é o aspecto da presença?
Presença é confiança sem arrogância.
– Rohan, Austrália

A presença se manifesta de duas maneiras. Primeiro, quando estamos presentes, comunicamos os tipos de traços que Lakshmi Balachandra identificou em sua pesquisa sobre apresentações para capitalistas de risco: paixão, confiança e entusiasmo apaixonado. Ou, como descreveu Rohan, da Austrália: confiança sem arrogância. Segundo, a presença cumpre seu papel em algo que chamarei de sincronia, que abordaremos daqui a pouco.

Voltemos aos capitalistas de risco, que são especialmente fascinantes quando se trata de como a presença soa e se mostra. Eles precisam decidir rapidamente se uma ideia e, mais importante, se seu criador são dignos de investimento. Portanto, o que capitalistas de risco bem-sucedidos estão buscando? Se estão comparando várias boas propostas de negócios, quais sinais minúsculos os levam a preterir um empresário em busca de financiamento e escolher outro?

Vou sintetizar as observações que coletei de vários capitalistas de risco bem-sucedidos através dos anos:

> Eu busco pistas que me mostrem que eles não acreditam plenamente no que estão vendendo. Se não acreditam no que estão vendendo, eu também não acredito.
> Eles se esforçam demais para passar uma boa impressão quando deveriam estar me mostrando a importância que dão à ideia que estão me vendendo.
> Eles são agressivos e enérgicos demais, talvez um pouco impositivos. Isso demonstra uma postura defensiva. Não espero que tenham todas as respostas. Na verdade, não quero que tenham todas as respostas.

Não me importo se estão um pouco tensos. Eles estão fazendo algo grandioso, algo que é importante para eles, por isso faz sentido estarem nervosos.

Vamos analisar essas observações.

Eu busco pistas que me mostrem que eles não acreditam plenamente no que estão vendendo. Se não acreditam no que estão vendendo, eu também não acredito.

Se uma pessoa que lhe pede investimento não acredita na própria história, por que você haveria de acreditar? "Ser sincero em suas palavras", escreveu o especialista em administração Jonathan Haigh, "está de fato no cerne da apresentação."[15] Uma ideia cujo defensor é indigno de confiança não sobreviverá.

A presença advém de acreditar e confiar em sua história – seus sentimentos, crenças, valores e capacidades. Talvez você já tenha precisado vender um produto do qual não gostava, ou convencer alguém de uma ideia na qual não acreditava. Parece desesperador, desestimulante, difícil de disfarçar. *Parece* desonesto porque *é* desonesto.

Não creio que as pessoas possam aprender a vender algo em que não acreditam. E, ainda que pudessem, não quero ensinar ninguém a fazê-lo. Portanto, se é isso que você busca, está lendo o livro errado.

Da mesma forma, você não pode vender uma habilidade que não possui. Vez por outra as pessoas pensam, de maneira equivocada, que estou afirmando que podemos aprender a simular competência.[16] Presença não significa fingir ser competente. Significa acreditar nas habilidades que você realmente possui e revelá-las. Significa livrar-se do que o impede de expressar quem é. Significa induzir-se a aceitar que você é de fato capaz.

Às vezes você precisa parar de *se sabotar* para poder *ser* você mesmo.

Recentemente, junto com os estudantes de pós-graduação Caroline Wilmuth e Nico Thornley, realizei um estudo em que voluntários tiveram de participar de intensas entrevistas de emprego simuladas.[17] Pedimos aos voluntários que imaginassem que estavam sendo entrevistados para o emprego dos sonhos e os instruímos a preparar um discurso de cinco minutos para responder àquela que pode ser a pergunta mais frequente (e certamente mais desconcertante) nessas ocasiões: "Por que deveríamos contratar você?" Eles foram informados de que não poderiam fingir – tinham de ser honestos.

Então, diante de dois entrevistadores durões, eles fizeram seus discursos, explicando por que deveriam ser contratados. A fim de aumentar a tensão, os entrevistadores foram treinados a não reagir aos entrevistados, não oferecer qualquer incentivo nem auxiliá-los em nenhum momento durante os discursos. Absolutamente nenhum feedback. Durante cinco minutos inteiros. Isso pode não parecer muito intimidante, mas imagine tentar convencer duas pessoas a contratá-lo enquanto elas apenas o observam silenciosamente, tomam notas e julgam – mantendo as expressões neutras o tempo todo. Além disso, os voluntários foram informados de que suas entrevistas seriam filmadas e avaliadas mais tarde por outro grupo de examinadores treinados.

Seis avaliaram os vídeos. Dois classificaram os entrevistados numa escala de cinco pontos que media quanto cada um havia deixado transparecer de sua presença – quão cativantes, tranquilos, confiantes e empolgados se mostraram. Um segundo par classificou os entrevistados numa escala de credibilidade – quão autênticos, convincentes e genuínos foram. E um terceiro par classificou os entrevistados pelo desempenho geral e a possibilidade de contratação – a qualidade do desempenho em si e se deveriam ou não obter a vaga.

Em conformidade com as descobertas das apresentações para os capitalistas de risco, quanto mais presença nossos entrevistados exibiram, melhor foi sua avaliação individual e mais firme foi a recomendação de contratação por parte dos examinadores – e esse efeito da presença foi substancial. Mas existe uma sutileza. A presença foi relevante para os avaliadores por indicar autenticidade, credibilidade e sinceridade, significando que podiam confiar naquela pessoa, que o que estavam observando era verdadeiro. Em suma: as qualidades manifestas da presença – confiança, entusiasmo, tranquilidade, capacidade de cativar – são tomadas como sinais de autenticidade, e por um bom motivo: quanto mais somos capazes de ser nós mesmos, maior é nossa capacidade de nos fazermos presentes. E isso nos torna convincentes.

Além disso, perguntamos aos participantes, após as entrevistas, se eles sentiam que tinham dado o melhor de si. Os entrevistados que mostraram mais presença estavam mais satisfeitos com o próprio desempenho. Pareciam sentir que haviam representado a si mesmos da melhor forma possível. Saíram da entrevista com uma sensação de satisfação, e não arrependimento, independentemente do resultado.

Antes de prosseguir, quero esclarecer um mal-entendido frequente sobre a presença: a crença de que ela está reservada aos extrovertidos. Vamos deixar claro: a presença nada tem a ver com extroversão. Não apenas os introvertidos têm a mesma capacidade que os extrovertidos de demonstrar sua presença ressonante, como pesquisas realizadas na última década também demonstraram que os introvertidos costumam a possuir qualidades que facilitam efetivamente a liderança e o empreendedorismo, tais como capacidade de se concentrar durante longos períodos, maior resistência a preconceitos na tomada de decisões capazes de condenar empresas inteiras, menos necessidade de aprovação externa e mais habilidade para ouvir, observar e sintetizar.

Susan Cain, advogada formada pela Escola de Direito de Harvard e autora do livro de enfoque inovador *O poder dos quietos – Como os tímidos e introvertidos podem mudar um mundo que não para de falar*, explica: "Por sua natureza, os introvertidos tendem a se empolgar com uma, duas ou três coisas na vida [...] e, a serviço de sua paixão por uma ideia, irão à luta e forjarão alianças e redes de contato, e adquirirão conhecimento e farão o que for preciso para transformar aquilo em realidade." Não é preciso ser ruidoso ou gregário para ser empolgado e eficiente. Na verdade, um pouco de silêncio parece ajudar muito a se fazer presente.[18]

Eles se esforçam demais para passar uma boa impressão quando deveriam estar me mostrando a importância que dão à ideia que estão me vendendo.

Quando tentamos controlar a impressão que passamos aos outros, agimos de forma antinatural. É uma tarefa difícil, e não temos energia cognitiva nem emocional para cumpri-la direito. O resultado é que ficamos parecendo impostores.

Mesmo assim, muitas pessoas tentam controlar a impressão que estão passando aos outros seguindo um roteiro e planejando minuciosamente sua comunicação verbal e não verbal. Essa abordagem superestima nossa capacidade de controlar qualquer situação. Mas será que tentar manipular a impressão que causamos funciona?

A ciência abordou essa questão, principalmente no contexto do desempenho em entrevistas de emprego e em decisões de contratação. Por exemplo, as pessoas podem tentar impor uma imagem positiva de si aos entrevistadores aproveitando todas as oportunidades para declamar uma história sobre suas realizações ou sorrindo e fazendo contato visual frequente. O retorno dessas abordagens de controle da impressão costuma ser baixo, especialmente em entrevistas longas ou estruturadas e com entrevistadores bem treinados. Quanto mais os candidatos tentam controlar a impressão que passam – quanto mais táticas empregam –, mais os entrevistadores começam a enxergá-los como falsos e manipuladores, o que, em última análise, não ajuda a obter o emprego.[19]

Mas isso não se aplica apenas à pessoa que está ali para ser avaliada. Lembre-se de que em todas as interações ambas as partes estão julgando e ambas estão sendo julgadas. Em entrevistas de emprego, a maioria de nós pensa no candidato como único objeto de avaliação, mas candidatos também avaliam seus entrevistadores. Isso ocorre em parte porque automaticamente formamos uma impressão de cada pessoa com quem interagimos. Mas existe também um motivo prático: o entrevistador representa a empresa, portanto o candidato o examina em busca de informações úteis.

Como resultado, os entrevistadores com frequência "vendem" a si e suas empresas num esforço de se adaptarem ao que pensam que os candidatos querem ouvir. Em um estudo recente, os professores de comportamento organizacional Carson Marr e Dan Cable quiseram saber se o desejo dos entrevistadores de tornar suas empresas e eles mesmos atraentes aos candidatos a emprego – em oposição ao desejo de avaliar objetivamente e contratar – afetaria a qualidade das avaliações e dos processos seletivos. Numa combinação de estudos de laboratório e de campo, eles descobriram que quanto mais os entrevistadores se concentravam em atrair candidatos (ou seja, quanto mais queriam ser "apreciados"), menos cuidadosos eram em selecionar profissionais que se saíam bem depois de contratados, em termos de desempenho, comportamento e adequação aos valores básicos.[20]

A lição é: *concentre-se menos na impressão que está passando aos outros e mais na impressão que está dando a si mesmo*. Essa última serve à primeira, um fenômeno que deverá ficar cada vez mais nítido ao longo deste livro.

Eles são agressivos e enérgicos demais, talvez um pouco impositivos. Isso demonstra uma postura defensiva. Não espero que tenham todas as respostas. Na verdade, não quero que tenham todas as respostas.

Infelizmente, confiança costuma ser confundida com petulância. Como os investidores com quem conversei deixaram claro: confiança verdadeira não equivale a fé cega numa ideia. Se as pessoas realmente acreditam no valor e no potencial de um projeto, vão querer corrigir suas falhas e torná-lo ainda melhor. Elas o enxergam de maneira precisa, reconhecendo suas virtudes e fraquezas. Seu objetivo não é impô-lo a ninguém, mas ajudar os outros a vê-lo com clareza, de modo que também possam desenvolvê-lo. A confiança genuína advém de um amor verdadeiro e leva ao comprometimento de longo prazo com o crescimento. A falsa confiança advém da paixão desesperada e leva a relacionamentos anômalos, decepção e frustração.

A literatura complexa sobre autoestima poderia lançar mais luz sobre essa ideia. Antes consideradas o antídoto para todos os males da sociedade, as intervenções que visam melhorar a autoestima perderam popularidade nos últimos anos. Um dos motivos é a dificuldade de medir a autoestima com precisão. Algumas pessoas que alegam possuir uma autoimagem positiva de fato a têm. Mas outras expressam algo conhecido como autoestima elevada frágil – sua visão aparentemente positiva de si depende da contínua validação externa, uma autoimagem baseada menos na realidade e mais na autoilusão. Elas são intolerantes com pessoas e feedbacks que possam desafiar sua frágil opinião positiva de si mesmas. Embora pareçam confiantes em determinados aspectos, pessoas com autoestima elevada frágil logo se tornam defensivas e desdenhosas diante de situações e pessoas que consideram ameaçadoras.[21]

Por outro lado, a fonte da autoestima elevada segura é interior. Não necessita de validação externa para prosperar nem desmorona ao primeiro sinal de ameaça. Pessoas com uma firme noção de valor próprio refletem tal sensação mediante maneiras saudáveis e eficazes de lidar com desafios e relacionamentos, tornando-os mais resistentes e mais abertos.

Embora autoestima e autoconfiança não sejam sinônimos, com certeza compartilham características. Uma pessoa realmente confiante não demonstra arrogância, que não passa de uma cortina de fumaça para a insegurança. Uma pessoa confiante – que conhece a própria identidade e acredita nela – carrega ferramentas, não armas. Uma pessoa confiante não precisa superar ninguém. Ela pode estar presente para os outros, ouvir seus pontos de vista e integrá-los de modo a criar valor para todos.

A verdadeira crença em si mesmo e nas próprias ideias dá firmeza e afasta as ameaças.

Não me importo se estão um pouco tensos. Eles estão fazendo algo grandioso, algo que é importante para eles, por isso faz sentido estarem nervosos.

Quando nos importamos profundamente com algo, apresentá-lo a uma pessoa cujo feedback valorizamos pode nos deixar apreensivos. Podemos estar confiantes e ao mesmo tempo um pouco ansiosos. Em situações desafiadoras, uma dose moderada e controlável de nervosismo talvez até seja adaptativa, no sentido evolucionário: mantém-nos alertas ao perigo real e indica respeito. Um pouco de preocupação nos deixa alertas para as coisas reais que estão dando errado e nos ajuda a impedir desastres. Certo nervosismo pode até sinalizar paixão para os outros. Afinal, você não ficaria apreensivo se o que expõe não fosse importante, e não dá para vender facilmente sua ideia a um investidor ou cliente se não estiver claro que você se preocupa profundamente com seu sucesso.[22]

Portanto, não se deixe iludir pela ideia de que precisa dar um jeito de apagar magicamente todos os sinais de nervosismo. Tentar se forçar a ficar calmo não o ajudará a se tornar presente. Dito isso, a ansiedade persistente pode nos desgastar e interferir na concentração. O que você precisa fazer é evitar se apegar à sua apreensão; apenas tenha ciência dela e vá em frente. A ansiedade se instala e se torna destrutiva quando começamos a ficar ansiosos com o próprio estado de ansiedade. Paradoxalmente, a ansiedade também nos torna mais autocentrados, já que, quando estamos muito ansiosos, ficamos obcecados conosco e com o que os outros pensam de nós.[23]

A presença se manifesta como confiança sem arrogância.

O eu sincrônico

Presença é quando todos os seus sentidos coincidem.
– Majid, Emirados Árabes Unidos

Praticamente todas as teorias sobre o eu autêntico e, por extensão, sobre a presença requerem certo grau de alinhamento – sincronia, como chamarei. Para você sentir-se realmente presente, os diferentes elementos do eu – emoções, pensamentos, expressões físicas e faciais, comportamentos – precisam estar em harmonia. Se nossas atitudes não forem coerentes com nossos valores, não nos sentiremos fiéis a nós mesmos. Se nossas emoções não se refletirem em nossas expressões físicas, não nos sentiremos genuínos.

Carl Jung acreditava que o processo mais importante no desenvolvimento humano era integrar as diferentes partes do eu: o consciente com o inconsciente, o disposicional com o experimental, o congruente com o incongruente. Ele chamou esse processo constante de *individuação*. Em última análise, demonstrou Jung, a individuação pode colocá-lo cara a cara com sua "verdadeira personalidade", um processo que ele acreditava possuir "um profundo efeito terapêutico", tanto psicológica quanto fisicamente. Através da individuação, disse ele, "as pessoas se tornam harmoniosas, calmas, maduras e responsáveis".[24] Na psicoterapia analítica junguiana, a individuação é a meta. Quando atingimos esse alinhamento psicológico interno, aproximamo-nos do estado de presença – essa é a nossa meta.

Quando estamos realmente presentes num momento desafiador, nossa comunicação verbal e não verbal flui. Não estamos num estado mental confuso – tal como eu, naquela malfadada viagem de elevador –, analisando simultaneamente o que achamos que os outros pensam de nós, o que dissemos um minuto atrás e o que achamos que pensarão de nós quando partirmos, tudo isso enquanto tentamos freneticamente ajustar o que estamos dizendo e fazendo para aparentar o que achamos que os outros querem ver em nós.

Em geral, nossas palavras são relativamente fáceis de controlar. Conseguimos evocar as expressões e os termos que estudamos e ensaiamos no espelho. É bem mais difícil, e talvez impossível, controlar o restante de nosso maquinário de comunicação – o que nosso rosto, corpo e nossa conduta em geral informam ao mundo. E esses outros aspectos – não verbais – importam. E muito.

"Estou convencida de que não foi a palavra que veio primeiro, mas o gesto", declarou a grande bailarina Maya Plisetskaya. "Um gesto é compreendido por todos [...]. Você não precisa de mais nada, de nenhuma palavra."

Embora alguns gestos sejam característicos de determinada cultura, Plisetskaya estava certa: muitos são de fato universalmente reconhecidos, independentemente do idioma falado. Quando estamos exprimindo uma emoção genuína, nossos sinais não verbais tendem a seguir padrões previsíveis.

Os principais testes da universalidade das expressões das emoções foram conduzidos pelo pesquisador pioneiro Paul Ekman, que vem estudando as emoções por mais de 50 anos juntamente com os psicólogos Carroll Izard e Wallace Friesen. Viajando ao redor do mundo e visitando lugares como Bornéu e Papua-Nova Guiné, eles descobriram que pessoas em toda parte, de culturas letradas ou semiletradas, mostravam um alto grau de reconhecimento de expressões faciais. Em outras palavras, não precisamos da linguagem verbal para interpretar as expressões do outro.

De fato, existe agora um forte consenso quanto à universalidade de ao menos nove emoções: raiva, medo, repulsa, felicidade, tristeza, surpresa, desprezo, vergonha e orgulho. Nossas expressões faciais, vocalizações e até postura e movimentos tendem a se harmonizar, comunicando assim informações sociais importantes sobre quem e o que merece nossa confiança, o que deve ser evitado e assim por diante. Essas expressões emocionais são universais. Em praticamente todas as sociedades no mundo, parecem iguais.

Imagine que certo dia você pergunta a uma amiga como foi o trabalho e ela lhe relata algo que a deixou bem zangada. A expressão corporal dela vai acompanhar as palavras. Sua testa vai ficar franzida, seus olhos talvez ganhem um brilho ardente, seus lábios ficarão contraídos, sua voz ganhará um tom mais grave e poderá aumentar de intensidade, a parte superior do corpo tenderá a se inclinar para a frente e seus gestos se tornarão bruscos e tensos.

Alguém que está cantando uma cantiga de ninar deve parecer e soar bem diferente. Do contrário, estará inadvertidamente sinalizando algum tipo de conflito interno (ou seja, há uma grande chance de a pessoa não estar totalmente feliz ao cantar aquela cantiga). Negativa ou positiva, a emoção é autêntica, e assim suas manifestações pelos canais não verbais e verbais estão sincronizadas.

Outra forma de entender a sincronia que ocorre quando somos autênticos é olhar a *assincronia* que se manifesta quando não somos. A mentira tem o potencial de nos revelar muita coisa sobre por que a presença leva ao comportamento sincrônico.

Comecemos pela pergunta: como você sabe se um indivíduo está mentindo? Se você for como a maioria das pessoas, sua primeira resposta será algo como "Mentirosos não fazem contato visual". Numa pesquisa com 2.520 adultos em 63 países, 70% dos entrevistados deram essa resposta.[25] As pessoas também costumam listar outros sinais supostamente reveladores da mentira, tais como inquietude, nervosismo e divagação.

Em entrevista ao *The New York Times*, o psicólogo Charles Bond, que estuda a dissimulação, disse que o estereótipo do comportamento dos mentirosos "seria menos intrigante se tivéssemos mais razões para imaginar que era verdadeiro".[26] Acontece que não existe um "efeito Pinóquio",[27] uma pista não verbal única que denuncie um mentiroso. Julgar a honestidade de uma pessoa não envolve identificar um "sinal" estereotipado, como inquietude ou desvio do olhar. Pelo contrário, envolve quão bem ou mal nossos vários canais de comunicação – expressões faciais, postura, movimentos, qualidades vocais, discurso – conseguem cooperar uns com os outros.

Quando estamos sendo inautênticos – demonstrando uma falsa emoção ou ocultando uma verdadeira –, nossos comportamentos verbais e não verbais começam a se desalinhar. Nossas expressões faciais não correspondem às palavras que estamos dizendo. Nossa postura fica dessincronizada com nossa voz. Os movimentos não se dão mais em harmonia mútua; desintegram-se em cacofonia.

Essa ideia não é exatamente nova. Na verdade, Darwin a propôs: "Um homem, quando moderadamente zangado ou mesmo furioso, consegue controlar os movimentos de seu corpo, mas [...] aqueles músculos do rosto menos obedientes à vontade trairão, por si sós, uma emoção ligeira e passageira."[28]

Quando as pessoas mentem, manipulam várias narrativas: o que sabem ser verdade, o que querem que seja verdade, o que estão apresentando como verdade e todas as emoções que acompanham cada uma delas – medo, raiva, culpa, esperança. Ao mesmo tempo, tentam projetar uma imagem confiável de si mesmas, o que de repente se torna muito, muito difícil. Suas crenças e seus sentimentos entram em conflito com suas emoções e entre si.[29] Gerenciar todo esse conflito – consciente e inconsciente, psicológico e fisiológico – afasta as pessoas do momento.

Em termos simples, mentir – ou ser inautêntico – é uma tarefa difícil. Estamos contando uma história enquanto suprimimos outra, e, como se isso já não fosse suficientemente complicado, a maioria de nós sente culpa por fazê-lo, a qual também tentamos suprimir. Simplesmente não temos a capacidade mental de controlar tudo isso sem deixar algum furo – sem "vazamento". Mentira e vazamento andam de mãos dadas. Na verdade, um meio de entender os indicadores clássicos da mentira é que eles são simplesmente sinais comuns de vazamento. Conforme explica a psicóloga social e especialista em detecção de mentiras Leanne ten Brinke:

> Os indivíduos impostores precisam sustentar sua duplicidade adulterando as expressões emocionais em concordância com a mentira e suprimindo o "vazamento" de suas emoções verdadeiras. Por exemplo, um funcionário mentiroso precisa expressar tristeza de maneira convincente ao explicar ao chefe que precisará faltar ao trabalho para ir ao funeral da tia em outra cidade, suprimindo simultaneamente a empolgação com seus planos reais de prolongar um feriado com amigos.[30]

Em seu popular livro *Telling Lies* (Contando mentiras), o especialista em emoções Paul Ekman afirma que as mentiras inevitavelmente vazam e que é possível aprender, mediante amplo treinamento, a detectar tais vazamentos observando as expressões faciais e outros comportamentos não verbais. Ele aponta que deveríamos procurar especificamente incongruências entre o que as pessoas estão fazendo e o que estão dizendo.[31]

Para estudar isso, Ten Brinke e seus colegas analisaram quase 300 mil *frames* de vídeo mostrando pessoas que expressavam remorso verdadeiro ou falso por transgressões reais. Aquelas que expressaram remorso verdadeiro apresentaram reações emocionais fluidas em seus comportamentos não verbais e verbais. Já o remorso simulado pareceu instável e caótico: as pessoas expressaram uma variedade mais ampla de emoções conflitantes, além de interrupções e hesitações bem menos naturais. Os pesquisadores descreveram essas demonstrações inautênticas como "emocionalmente turbulentas".[32]

Um dos estudos mais fascinantes sobre a psicologia da dissimulação foi realizado pela psicóloga de Harvard Nancy Etcoff e seus colegas. Eles descobriram que não somos muito melhores que o acaso em detectar mentiras corretamente, embora a maioria se julgue exímia nisso.[33] Etcoff levantou a hipótese de que isso talvez ocorra porque, quando tentamos detectar a dissimulação, prestamos demasiada atenção à linguagem – ao conteúdo do que alguém está dizendo. Etcoff decidiu examinar um grupo de pessoas *incapazes* de atentar para a linguagem: pessoas com afasia, um distúrbio de processamento da linguagem que prejudica profundamente a capacidade do cérebro de compreender palavras.[34]

Nesse estudo específico, todos os afásicos tinham lesões extensas no hemisfério cerebral esquerdo, região fortemente associada à linguagem, à compreensão e à produção da fala. Etcoff comparou aquelas pessoas com outras com lesões extensas no hemisfério cerebral direito (não associado a linguagem, compreensão e produção da fala) e também com participantes saudáveis, que não sofreram nenhuma lesão.

Todos eles assistiram a um vídeo de 10 desconhecidos falando. Os desconhecidos falaram duas vezes: em um vídeo, mentiram; no outro, contaram a verdade. Os afásicos, incapazes de processar com eficácia as palavras ditas nas confissões, saíram-se bem melhor do que os dois outros grupos na hora de detectar os mentirosos, um indício de que atentar para palavras poderia, paradoxalmente, prejudicar nossa capacidade de detectar mentiras.

Validando essas descobertas, Ten Brinke e seus colegas mostraram em dois experimentos recentes que os seres humanos, assim como seus companheiros primatas, são melhores na detecção de mentiras quando recorrem a regiões inconscientes da mente.[35] As partes conscientes, compreensivelmente, se concentram na linguagem – e são enganadas por mentiras. Essas descobertas sugerem que quanto mais conscientemente nos concentramos nas pistas verbais que supomos sinalizarem inautenticidade, menores as nossas chances de percebermos os sinais não verbais que de fato a revelam.

Está claro que é bem mais fácil mentir com palavras do que com sinais físicos que acompanham o que estamos dizendo. Por outro lado, quando estamos conscientemente em busca de sinais de mentira ou verdade, prestamos muita atenção às palavras e pouca atenção à *gestalt* não verbal do que ocorre. Fazemos o mesmo quando escolhemos como nos apresentar: prestamos atenção exagerada nas palavras que estamos dizendo e perdemos de vista o que o restante do nosso corpo está fazendo, o que por si só já nos coloca fora de sincronia. Quando paramos de tentar controlar todos os detalhes, a *gestalt* entra em cena. Funciona. Parece paradoxal sugerir que precisamos estar atentos ao nosso corpo para conseguirmos agir naturalmente, mas, conforme veremos, as duas coisas, na realidade, andam de mãos dadas.

A verdade se revela mais claramente por nossas atitudes do que por nossas palavras. Como afirmou a grande dançarina americana Martha Graham: "O corpo expressa o que as palavras não conseguem [...]. Ele nunca mente." Claro que ser inautêntico não é o mesmo que enganar intencionalmente, mas os resultados parecem semelhantes. Apresentar uma versão inautêntica de si mesmo atinge o observador da mesma forma que a dissimulação intencional, graças a seus comportamentos não verbais fora de sincronia. Quanto menos presentes estivermos, pior será nosso desempenho. As duas coisas se reforçam mutuamente.

Na verdade, podemos até ser induzidos a perder a confiança e a nos apresentarmos mal diante de um público pela introdução de uma falsa assincronia, fato que pesquisadores atestaram em estudos.[36] Os músicos recorrem fortemente ao feedback auditivo sincrônico de suas apresentações – ouvindo a música que tocam ao mesmo tempo que a tocam. Quando essa sincronia é artificialmente manipulada via fones de ouvido, os músicos perdem a confiança em suas habilidades e se atrapalham tentando entender a assincronia, o que, por sua vez, prejudica o espetáculo.

Assim, como escreveu Majid, a presença é "quando todos os seus sentidos coincidem". *Ela se manifesta como sincronia ressonante.*

O que sabemos até agora? A presença tem origem na crença em nossas próprias histórias. Quando não acreditamos em nossas histórias, somos inautênticos – de certa forma, estamos enganando tanto a nós quanto aos outros. E essa autodissimulação é, ao que se revela, observável pelos outros à medida que nossa confiança diminui e nossos comportamentos verbais e não verbais se tornam dissonantes. Não é que as pessoas estejam pensando: "Ele é um mentiroso." Elas estão pensando: "Há alguma coisa errada. Não posso depositar minha confiança nessa pessoa." Como disse Walt Whitman: "Convencemos por nossa presença", e, para convencer os outros, precisamos convencer a nós mesmos.

Sendo assim, como aprendemos a acreditar em nossas histórias?

2

Acreditando na própria história e assumindo o controle dela

Presença é o eu interior se manifestando.
— Padi, Espanha

O DESEJO DE SENTIR-SE E SER CONSIDERADO "autêntico" parece uma necessidade humana básica, e talvez por isso o termo "eu autêntico" seja tão popular hoje em dia. Na verdade, às vezes acho que se abusa dele.

Mas eis uma pergunta: em que *consiste* o eu autêntico? O que exatamente significa ser fiel a si mesmo? Será que é o que seus amigos têm em mente quando o incentivam a "ser você mesmo"? Será a sensação que temos quando estamos "sendo genuínos"? Será possível sermos a mesma pessoa em todas as circunstâncias e todos os momentos? Quantos eus existem aí, e como descobrir qual deles expressamos?

Antes de respondermos a isso, vamos falar sobre uma questão mais ampla: o que é o eu?

Um grande número de psicólogos já abordou essa questão em mais de uma centena de anos de teorias e pesquisas – e isso no encalço de filósofos que já tentavam responder a essa pergunta há milhares de anos. Não dá para condensar todo esse trabalho anterior aqui, mas estas são, na minha opinião, as três coisas mais importantes a entender sobre o eu, particularmente em relação à presença.[1]

O eu:

1. É multifacetado, não singular.

2. Expressa-se através de nossos pensamentos, sentimentos, valores e comportamentos.
3. É dinâmico e flexível, não estático nem rígido. Reflete e reage à situação – não como um camaleão, mas de modo a nos tornar reativos e também abertos ao crescimento. Não significa que nossos valores básicos mudam, mas às vezes existe um processo que envolve adaptar nosso verdadeiro eu à situação ou ao papel em que nos encontramos, escolhendo quais valores básicos e traços tornar visíveis.

Se o eu é multifacetado e dinâmico, será que ao menos *possuímos* um eu autêntico único e estático? Em eras passadas, pensadores defenderam a ideia romântica de que possuímos, sim, mas a maioria dos psicólogos e filósofos atuais concorda que não somos dotados de um eu autêntico permanente e plenamente integrado.[2]

Adoto uma visão pragmática: o eu autêntico é uma experiência – um estado, não um atributo. Esse fenômeno transitório foi descrito pelo psicólogo Alison Lenton como "a sensação subjetiva de ser seu próprio eu verdadeiro"[3] e como "a sensação momentânea de alinhamento ao seu 'eu real'".[4] Penso nele como a experiência de *saber* e *sentir* que você está sendo seu eu mais sincero e corajoso. É expressar seus valores com autonomia e honestidade por meio de suas atitudes. Ele vem e vai, mas o reconhecemos porque "parece certo".

Praticamente todos conseguem recordar um momento em que sentiram fiéis a si mesmos, mas poucos podem dizer que se sentem assim o tempo todo. Adotamos visões flexíveis de nós mesmos baseados no papel que estamos representando em um momento e um contexto específicos (por exemplo: pai, cônjuge, professor).[5] Assim, mesmo quando você sente que está sendo fiel a si, os detalhes desse eu – as partes que são ativadas – mudam de uma situação para outra.

Mas será que nosso *melhor* eu autêntico é a mesma coisa que nosso *verdadeiro* eu autêntico? Naturalmente, existem certos aspectos de nós (e das pessoas que nos conhecem) de que não gostamos tanto assim – alguns dos quais poderiam até ser considerados destrutivos. Muitos de nós estamos nos esforçando para modificar tais aspectos – um medo irracional, um gênio explosivo. Existem também aspectos de nós que não revelamos, não porque sejam prejudiciais, mas porque não somos obrigados a compartilhar todos os nossos detalhes pessoais com o restante do mundo.

E existem também aspectos que não são destrutivos para os outros mas que tentamos mudar ou ocultar porque nos sentimos injustamente envergonhados deles, conforme relatado neste e-mail:

> Atualmente sou estudante de medicina na Turquia. Tenho notas bem altas e adoro aprender meu ofício, "pensar" em ciência, ter ideias. Conheço meu potencial, sei que carrego algo grandioso dentro de mim. Mas o problema é que...
> Sofro de gagueira.
> Por causa disso, não consigo participar das aulas, não consigo discutir nada e, pior, não consigo fazer perguntas. [...] Durante quatro anos, tive de escondê-las.

Recebo muitas cartas e mensagens de pessoas lutando contra obstáculos que as impedem de acreditar plenamente, de confiar em seus eus mais ousados. Todos temos características que sentimos que deveríamos superar ou esconder, que sentimos não fazer parte de quem queremos ser.

Esses obstáculos são reais. São dolorosos. São coisas com as quais seria melhor não conviver? Com frequência a resposta é sim. O que eu gostaria de sugerir, porém, é que, embora possamos não querer incluir tais obstáculos quando imaginamos nossos eus ideais, eles podem representar uma dimensão importante de nossos melhores eus *autênticos*: eles nos desafiam, mas inegavelmente fazem parte de nós. A lesão cerebral que sofri na época da faculdade não me tolhe muito hoje, mas sempre será parte essencial de quem sou – não apenas por seu impacto físico sobre meu cérebro e sistema nervoso, mas também por seus inúmeros efeitos sobre minhas experiências desde então: relacionamentos; decisões; formas de pensar, aprender e sentir; minha visão de mundo. Durante muito tempo, foi uma parte de mim que eu tinha vergonha de compartilhar, e isso me assombrou e me dominou.

A adversidade física e psicológica nos molda. Nossos desafios nos dão vislumbres e experiências que só nós vivenciamos. E – não quero ser simplista sobre isso – existem coisas que precisamos não apenas aceitar, mas também adotar e até mesmo enxergar como pontos fortes. Embora possamos não ter optado por incluí-las em nosso conceito de eu, elas estão ali. E que mais podemos fazer senão assumi-las?

★ ★ ★

Estamos nos aproximando, mas ainda não respondemos à pergunta: quem ou o que exatamente é nosso melhor eu autêntico, e como fazemos para encontrá-lo quando precisamos? Talvez os pesquisadores que estudam o que deixa as pessoas felizes e eficientes no trabalho possam oferecer algum vislumbre disso. Eles tentam descobrir o seguinte: como trazer à tona o eu mais feliz e eficiente dos funcionários no local de trabalho?

Laura Morgan Roberts, professora de comportamento organizacional e especialista na forma como as pessoas desenvolvem identidades positivas e autênticas no trabalho, explica que todos tivemos momentos em que nos sentimos inteiramente vivos, fiéis a nós mesmos e agindo com nosso pleno potencial, e que nossas lembranças desses momentos são particularmente vívidas. "Ao longo do tempo", ela e seus colegas escrevem, "reunimos essas experiências num retrato de quem somos quando estamos em nossa melhor forma pessoal."[6]

Roberts orienta as pessoas no processo de criação desse retrato, ajudando-as a identificar *capacitadores* e *bloqueadores* – posturas, crenças e comportamentos que ajudam ou que prejudicam sua capacidade de evocar seus melhores eus.[7] Por exemplo, eu poderia listar como capacitador: "Sou craque em identificar temas em meio a ideias bem divergentes"; como bloqueador, eu diria: "Sou bem fraca em estimar quanto tempo será preciso para completar um projeto." Eis algumas das perguntas que Roberts e outros pesquisadores desenvolveram para ajudar a identificar nossos melhores aspectos. Recomendo que você anote suas respostas agora – e que observe que não precisa limitá-las ao local de trabalho.[8]

- Quais são as três palavras que melhor descrevem você como indivíduo?
- O que você tem de singular que leva aos seus momentos mais felizes e ao seu melhor desempenho?
- Reflita sobre um momento em especial – no trabalho ou em casa – em que você agiu de uma forma que lhe pareceu "natural" ou "certa". Como você pode repetir esse comportamento hoje?
- Quais pontos fortes são sua marca registrada e como você pode fazer uso deles?

Mas não basta identificar os valores, atributos e forças que representam seu melhor eu autêntico – você precisa sustentar e confiar nas respostas. Precisa acreditar nelas. Elas contam uma parte importante de sua história pessoal, e, se você não acreditar em sua história, por que outra pessoa haveria de acreditar?

Nós interpretamos os maiores desafios da vida como ameaças a essa história – ou, mais precisamente, como questionamentos à adequação da pessoa que a história descreve. Momentos que ameaçam o eu tendem a se basear em sentimentos de reprovação ou rejeição social: não ser aprovado numa universidade, perder um emprego, romper um namoro, cometer um erro diante de uma plateia, abrir o coração para alguém que reage criticamente. Quando somos abalados dessa forma, nosso instinto costuma se concentrar completamente na ameaça, empenhando todos os nossos recursos psicológicos em nossa defesa. Os psicólogos Geoffrey Cohen e David Sherman descrevem nossa reação a essas ameaças como "um alarme interno que desperta a vigilância e o incentivo para reafirmar o eu".[9]

O professor Claude Steele, conhecido psicólogo social da Universidade de Stanford, definiu um processo pelo qual tentamos vencer a ameaça antes que esta venha a existir: afirmamos nossos valores mais profundos – as melhores partes de nós – antes de adentrarmos uma situação potencialmente ameaçadora. Ele chamou isso de *teoria da autoafirmação*.

O tipo de autoafirmação ao qual me refiro – o tipo cujos efeitos Steele e outros estudaram – nada tem a ver com recitar frases genéricas diante do espelho nem envolve se vangloriar e se autopromover. Em vez disso, consiste em nos lembrarmos do que mais importa para nós e, por extensão, de quem somos. Na verdade, é um meio de nos ancorarmos na verdade de nossas histórias. Faz com que nos sintamos menos dependentes da aprovação alheia e até à vontade com a reprovação, se for isso que obtivermos.

Centenas de estudos examinaram os efeitos da declamação de autoafirmações, muitos utilizando exercícios simples. Em um deles, pessoas examinam uma lista de valores básicos comuns – por exemplo, família, amigos, saúde e aptidão física, criatividade, esforço no trabalho, sucesso profissional, religião, bondade, caridade e assim por diante. Elas escolhem um ou dois com que mais se identificam. Depois escrevem uma breve redação explicando por que aqueles valores são importantes para elas e citam uma época específica em que se mostraram importantes.[10]

Por exemplo, uma pessoa que valorize profundamente a caridade poderia escrever: "Servir os outros é a coisa mais importante para mim. Sou apaixonado por isso e acredito que todos estaríamos melhores se nos concentrássemos em cuidar uns dos outros. Também me satisfaz profundamente e me preenche. Adoro fazer isso e sinto que é fácil para mim. Quando cursava o ensino médio, eu passava muito tempo num lar de idosos onde, em sua maioria, os moradores estavam solitários por terem perdido os cônjuges. Eu me sentava com eles por um bom tempo, ouvia suas histórias e até segurava suas mãos. Aqueles dias eram os mais satisfatórios para mim, porque eu estava fazendo algo em que realmente acreditava."

Para entender como a autoafirmação realmente funciona, vejamos um estudo conduzido por David Creswell, David Sherman e seus colaboradores no qual se pediu aos participantes que fizessem um discurso improvisado diante de um grupo de juízes.[11] Como se falar em público já não fosse tenso o suficiente, os juízes foram orientados a parecer carrancudos e inacessíveis, e, após fazerem seus discursos, os participantes foram instruídos a passar os cinco minutos seguintes fazendo uma contagem regressiva em voz alta, a partir do número 2.083, em intervalos de 13, enquanto os juízes vociferavam repetidamente: "Mais rápido!"

Se você for parecido comigo, só de imaginar que está nessa situação seus batimentos cardíacos se aceleram, e esse é precisamente o objetivo. Essa tarefa específica – conhecida como Teste de Estresse Social (TSST – Trier Social Stress Test)[12] – foi concebida para maximizar o estresse de modo que psicólogos pudessem estudar as reações das pessoas. É um pesadelo de ansiedade social.

Mas o que isso tem a ver com autoafirmação? Bem, antes dos discursos, os pesquisadores designaram aleatoriamente aos participantes uma das seguintes tarefas: escrever sobre um valor básico pessoal (o exercício que acabei de descrever) ou escrever sobre um valor que não fosse particularmente importante para eles – que não contribuísse para sua autodefinição.

Após os discursos e a tortura da contagem regressiva, os pesquisadores mediram o estado emocional dos voluntários. Para isso, testaram sua saliva em busca de cortisol, um hormônio que liberamos quando estamos sob estresse, especialmente aquele que envolve o julgamento social.[13] A experiência do TSST em geral, de acordo com inúmeros estudos, comprovadamente causa um pico de cortisol. Mas, no estudo de Creswell e Sherman, as pessoas que haviam escrito sobre valores pessoais importantes para elas liberaram níveis bem menores do hormônio do que o outro grupo. Na verdade, o grupo da autoafirmação não experimentou nenhum aumento no cortisol. Afirmar o que poderíamos chamar de seus melhores eus autênticos – lembrando-os de seus pontos fortes mais valorizados – protegeu os membros daquele grupo da ansiedade.

Vários anos depois, a equipe de Creswell e Sherman replicou esses resultados a partir de uma fonte de estresse do mundo real: as provas universitárias semestrais. Dessa vez selecionaram alguns estudantes e, antes e depois das provas, mediram seus níveis de epinefrina, também conhecida como adrenalina, um hormônio que sinaliza o estímulo do sistema nervoso simpático (a reação de lutar ou fugir).[14] Os estudantes que haviam realizado exercícios de autoafirmação semanas antes dos exames não mostraram nenhuma mudança nos níveis de epinefrina, mas os outros não tiveram a mesma sorte. Seus níveis subiram substancialmente nas semanas que culminaram nas provas.

Além disso, no início do experimento todos os estudantes foram examinados para medir quanto cada um deles se preocupava com julgamentos sociais negativos (avaliando seu grau de concordância com afirmações como "Na faculdade, temo que as pessoas me achem pouco inteligente se meu desempenho for ruim" e "Muitas vezes tenho medo de que as pessoas não gostem de mim"). Os estudantes mais preocupados foram os que mais se beneficiaram da afirmação de seus valores básicos.

Dezenas de outros experimentos examinaram a autoafirmação dentro e fora do laboratório, mostrando que ela contribui para o aumento das notas e a redução do *bullying* nas escolas, para o abandono do tabagismo e o consumo de alimentos mais saudáveis, para a redução do estresse e a melhoria da eficácia da terapia de casais, além de aguçar as habilidades e o desempenho em negociações, dentre outras coisas. Na verdade, a autoafirmação parece funcionar melhor quando existe pressão e as apostas são altas.[15]

Juntos, esses estudos mostram algo importante: antes de adentrarmos uma situação em que existe a possibilidade de sermos desafiados, podemos reduzir nossa ansiedade reafirmando as partes de nossos melhores eus autênticos que mais valorizamos. Quando nos sentimos seguros, tornamo-nos bem menos defensivos e mais abertos a feedback, o que também acaba nos tornando melhores solucionadores de problemas.[16]

Observe o que é surpreendente nessas descobertas: os participantes afirmavam seus valores *básicos* pessoais – não valores ou habilidades pertinentes às tarefas estressantes à frente. As pessoas não precisaram se convencer de que eram boas oradoras para ter confiança ao proferir um discurso. Bastava que tivessem reforçado uma parte importante de seus melhores eus – tal como "Valorizo ser criativo e produzir arte".

Além de melhorar a confiança e o desempenho em tarefas específicas, saber quem somos também pode elevar nossa percepção de sentido da vida.[17] Num conjunto de estudos, os participantes observaram atributos que haviam selecionado previamente como representativos de seus "verdadeiros" eus ou dos eus que apresentam aos outros (por exemplo, espirituoso, afável, disciplinado, inteligente, paciente, aventureiro) e depois foi pedido que os julgassem rapidamente como "eu" ou "não eu". Quanto mais rápido julgavam traços do eu verdadeiro como seu "eu" – presumivelmente, quanto maior o contato com seus eus autênticos –, melhor avaliavam o sentido e o propósito de suas vidas.

Em estudos associados, expor inconscientemente pessoas a palavras que elas imaginavam descrever seus eus interiores verdadeiros, em contraste com seus eus públicos – os quais diferem um pouco na maioria de nós –, também aumentou sua avaliação de sentido e propósito da vida.

Todos esses estudos sugerem que você pode tornar seu eu mais profundo acessível simplesmente ao passar algum tempo refletindo – e talvez escrevendo – sobre quem você pensa que é. A chave da autoafirmação eficaz é que ela se ancora na verdade.

Seu melhor eu autêntico – seu eu mais ousado – não resulta de se preparar psicologicamente ou dizer "Sou o melhor nesta tarefa" ou "Sou um vencedor". Seu eu mais ousado emerge da experiência de ter pleno acesso a seus valores, atributos e pontos fortes, e saber que você pode, de forma autônoma e sincera, expressá-los por suas atitudes e interações. É isso que significa acreditar na própria história. Essencialmente, autoafirmação é a prática de esclarecer sua história para si, dotando você da confiança de que quem você é se manifestará naturalmente no que diz e faz.

E a *forma* como conta sua história para si faz diferença. Em um estudo recente sobre identidade narrativa – a maneira como entendemos os acontecimentos de nossas vidas –, pesquisadores entrevistaram pessoas com idades entre 50 e 60 anos, um período da vida que tende a ser marcado por transições na família, no trabalho e na saúde, e no qual refletimos profundamente sobre nossas vidas. Além de entrevistar os participantes, os pesquisadores monitoraram a saúde física e psicológica desses voluntários por um período de quatro anos.

Nessas entrevistas, quatro temas emergiram em meio ao modo como as pessoas contavam as histórias de suas vidas: diligência (as pessoas sentiam que estavam no controle de suas vidas), comunhão (as pessoas consideravam os relacionamentos o centro de suas vidas), redenção (as pessoas sentiam que os desafios haviam de certa forma melhorado sua postura ou lhes concedido sabedoria) e contaminação (as pessoas sentiam que inícios positivos haviam se transformado em finais negativos).

Aqueles cujas narrativas se enquadravam nas três categorias positivas – diligência, comunhão e redenção – experimentaram trajetórias de saúde mental positivas nos anos seguintes. Mas os que descreveram suas vidas em termos de contaminação experimentaram uma saúde mental piorada. A correlação entre as narrativas e os resultados de saúde foi ainda maior para pessoas que vinham enfrentando desafios significativos, como doenças graves, divórcio ou a perda de um ente querido.[18]

Tornar-se presente não consiste apenas em conhecer e afirmar sua história, envolve também a forma como você a narra. Identificar o que é relevante nela é fundamental, mas igualmente importante é assumir o controle dessa narrativa – para si e para os outros.

Expressando seu melhor eu autêntico

Encontrar nossos melhores eus autênticos e acreditar neles pode nos ajudar a superar ameaças que poderiam nos derrubar durante grandes desafios. Mas só isso ainda não é suficiente para nos tornar presentes durante períodos difíceis. Após encontrar seu melhor eu autêntico, você precisa descobrir como expressá-lo.

Mariko, uma jovem japonesa que trabalhava em uma grande empresa, vinha se preparando para dar uma palestra numa conferência patrocinada pelas Nações Unidas. Ela relatou que estava "muito tensa e com o coração batendo muito forte, o que era incomum em mim", uma vez que geralmente sente-se bem confiante. Mariko achou que precisava ensaiar mais seu discurso. Foi o que fez. E ensaiou, ensaiou, ensaiou. Mas aquilo não serviu de antídoto para seu surto de ansiedade. Desesperada, recorreu a um conselheiro de confiança, que lhe disse: "Por que você insiste em se preparar para essa apresentação? Você deve saber que a coisa mais importante na apresentação é a presença." Ela percebeu que havia atingido seu limite na preparação. Além de não estar ajudando mais, também estava desviando sua energia psicológica da intenção de estar presente.

– Percebi que estava me preparando para nada – disse. – E entendi *como* ser quem eu sou é a mensagem mais poderosa para as outras pessoas e para mim.

Para estar presente, não basta saber quem você é e expressá-lo aos outros. Você precisa agir de acordo. Em 1992, o psicólogo William Kahn estudou a presença psicológica no local de trabalho, identificando quatro dimensões críticas: a pessoa precisa estar atenta, conectada, integrada e focada.[19]

"Essas dimensões coletivamente definem o que significa estar vivo, *presente* no sentido mais pleno e acessível no papel profissional", escreveu ele. "O resultado é a acessibilidade pessoal ao trabalho (contribuir com ideias e esforços), aos outros (estar aberto e empático) e ao próprio crescimento (desenvolvimento e aprendizado). Essa presença se manifesta como comportamentos pessoalmente empenhados."[20] Ele exemplifica:

> Vejamos o caso de uma gerente de projeto em um escritório de arquitetura trabalhando com um desenhista projetista. A gerente percebeu que o desenhista vinha quebrando a cabeça com o que parecia ser um aspecto relativamente simples do desenho. O prazo estava se aproximando e ela foi conversar com ele. Ao fazê-lo, percebeu o próprio punho cerrado, o que entendeu como sintoma de seu aborrecimento e sua frustração não apenas com o desenhista, mas com o prazo apertado e o vice-presidente que o havia fixado. Ela perguntou ao desenhista sobre o trabalho e o ouviu relatar suas lutas e frustrações com a falta de informações sobre a tarefa. Ela fez mais perguntas para elucidar a experiência dele e, para descontrair, contou uma piadinha sobre a carência de informações em todo o sistema (modelado pelo cliente e o vice-presidente). Observou que ele estava certo até determinado ponto, mas que havia informações relevantes que ele ignorara, então sugeriu um meio de resolver o problema e deu

feedback sobre seu progresso. Durante a conversa, ela se mostrou relaxada, direta e preocupada.[21]

Quando traz à tona seu melhor eu autêntico, você obtém ótimos resultados, e as empresas podem desempenhar um papel crucial para que os funcionários se sintam seguros para fazer exatamente isso. Em um estudo realizado pelos professores Dan Cable, Francesca Gino e Bradley Staats, os participantes foram estimulados a iniciar uma série de tarefas pensando sobre suas individualidades (por exemplo, lembravam-se de uma época em que tiveram uma "atitude natural" e depois desenhavam um logotipo pessoal). Ao fazê-lo, sentiram mais fortemente que podiam "ser quem realmente são".[22] Como consequência, obtiveram mais satisfação com as tarefas, maior eficiência e cometeram menos erros.

Algumas empresas sociabilizam os funcionários novos priorizando a identidade e as necessidades do grupo e deixando de lado o enfoque individual. Os funcionários chegam a ser desencorajados a expressar suas características pessoais. Mas estudos mostram que, quando exercem suas qualidades singulares em seus empregos, as pessoas ficam mais contentes e têm melhor desempenho.

O benefício de sentir-se genuinamente comprometido com uma situação existe além das culturas ocidentais individualistas. Num estudo realizado por Cable e seus colegas num call center indiano, todos os funcionários novos passavam por um workshop de treinamento de meio período. Algumas sessões enfatizavam os melhores eus autênticos dos novatos – pedia-se que pensassem e escrevessem sobre o que poderiam trazer de singular para o trabalho, depois eles passavam 15 minutos compartilhando suas respostas. Posteriormente recebiam casacos com seus nomes. O treinamento de outro grupo de funcionários enfatizava o orgulho a ser cultivado por se filiarem àquela organização – aprendiam sobre a cultura da empresa e depois deveriam pensar e escrever sobre as partes da empresa de que mais se orgulhariam, e por fim eles passavam 15 minutos compartilhando suas respostas. Ao fim, recebiam casacos com o nome da empresa. Um terceiro grupo de funcionários foi colocado numa condição de controle em que recebiam orientações básicas.

Os funcionários estimulados a expressar e envolver seus melhores eus autênticos realizaram o trabalho de maneira mais eficiente do que os funcionários dos outros dois grupos, de acordo com as notas de satisfação dos clientes, e também permaneceram no emprego por mais tempo, um fator relevante num setor de alta rotatividade.

Estamos nos aproximando de uma definição consciente e funcional do que é a presença e de como ela funciona no mundo real. Ao descobrir, abonar, expressar e envolver nossos melhores eus autênticos, especialmente pouco antes de grandes desafios, reduzimos nossa ansiedade com a rejeição social e aumentamos nossa abertura a terceiros. E isso nos permite estar plenamente presentes.

"Atuando" com presença

Em algum momento em sua vida, ao se preparar para um encontro romântico ou uma situação de vital importância, você provavelmente recebeu o conselho de "ser apenas você mesmo". Intuitivamente todos sabemos que isso faz sentido. Nosso desempenho melhorará e os outros reagirão melhor se conseguirmos atuar com naturalidade. Mas a palavra-chave aqui é *atuar* – afinal, se outros estão presentes, "ser apenas você mesmo" ainda é um tipo de atuação. Costumamos associar atuação a artifício, o que aparentemente seria contrário à presença. Mas não se pode negar que um grande artista em atuação está espetacularmente presente, a ponto de emanar uma energia quase elétrica. O que os grandes artistas podem nos ensinar sobre a presença?

Adoro música ao vivo. Não acredito que exista algo que eu considere mais prazeroso do que um momento de conexão perfeita durante um show. Mas o que torna isso um momento de conexão perfeita? Quando os músicos estão plenamente imersos naquela apresentação, tudo que fazem – inclusive movimentos sutis das cabeças e dos corpos – está em harmonia não apenas com o ritmo e a melodia, mas também com a essência da música. Eles não ficam pensando no que estão fazendo de forma fragmentária – "tocar a nota sol, inclinar a cabeça levemente para a esquerda, requebrar apoiado no pé esquerdo, esperar quatro segundos" e assim por diante. Quando um músico está presente, somos inspirados, transportados e convencidos. Eles nos trazem consigo ao presente.

Certa vez um amigo músico, Jason Webley, me contou que uma boa apresentação é aquela que não se parece com um filme que poderia ser repetido várias vezes, mas com algo que está se desenrolando pela primeira vez à sua frente. "Não me importa se o artista parece um pouco ansioso", disse ele. "Quero saber que estou assistindo a algo genuíno de alguém que adora o que está fazendo. Isso me faz crer que o que estou vendo e ouvindo é verdadeiro. Faz com que eu acredite no músico."

Vemos a mesma coisa nos espetáculos de dança. O domínio da técnica não é suficiente para levar dançarinos à posição mais alta no corpo de baile de uma companhia. Um profissional pode apresentar uma lista impressionante de atuações como primeiro ou segundo solista. Mas uma primeira bailarina vai além da perfeição técnica e une-se à música, ao seu personagem, ao seu parceiro, aos outros dançarinos no palco e à plateia. Ela não está apenas executando os passos ou entretendo os espectadores. E um público sente isso – embora talvez não seja capaz de explicar por que e possa até atribuí-lo erroneamente apenas à superioridade técnica. O primeiro bailarino é aquele que precisa *convencer* todos, inclusive seus colegas dançarinos e o público.

Mikko Nissinen é diretor artístico do Balé de Boston. Nascido e criado na Finlândia, dançou em muitas companhias, inclusive o Balé de São Francisco, onde foi primeiro bailarino durante nove anos. Como ex-dançarina de balé, fiquei especialmente curiosa para indagá-lo sobre a presença. "Qualquer experiência nova pode criar perguntas, dúvidas, e isso o afasta do estado de fluxo. Quando você encontra sua verdadeira presença, sente a força de *estar* ali. Alcança um estado de equilíbrio, porque você não está tentando se proteger. Você simplesmente é. Portanto, é *seu* estado verdadeiro."

Como exemplo, ele descreveu a ocasião em que assistiu a Mikhail Baryshnikov dançando uma peça que havia sido coreografada para ele pelo lendário coreógrafo da Broadway Jerome Robbins. Mikko havia visto Baryshnikov representar a mesma peça de Robbins um ano antes, quando era nova para ele – e foi tecnicamente perfeito. Mas, na segunda vez, foi mais que isso: "Devo dizer que foi quase como um momento transformador. Ele dançou a peça bem, tal como tinha feito no ano anterior, mas dessa vez – devido à sua presença, à energia que vinha fluindo – e conseguiu nos conectar a... a *tudo*! Ergueu uma ponte para o céu! Foi inacreditável. Meu Deus, aquilo foi o domínio absoluto de estar presente."

Recentemente conversei com uma atriz que me impressionou como uma expert intuitiva em presença. Embora os passos específicos para a presença possam ter sido intuitivos para ela, isso não significa que sempre foram fáceis. Pela experiência, realmente tornaram-se mais fáceis. E são passos que todos podemos aprender.

Na época, eu já vinha estudando e pensando no assunto havia alguns anos, e discuti-lo com aquela atriz pareceu uma personificação de todas as pesquisas que eu tinha coletado. Incisiva e calorosa, ela parecia se iluminar enquanto conversávamos, inclinando-se para mim, olhos sinceramente envolvidos, assentindo e sorrindo numa empolgação compartilhada. Tínhamos uma compreensão em comum, mas ela era capaz de destilar a essência da presença de uma forma que eu não era.

Estávamos sentadas na cozinha dela, com membros da família entrando e saindo, pratos sendo lavados, sobras sendo comidas, um cão latindo porque desejava passear, vizinhos aparecendo. A cena era tão completamente normal que, não fosse o tema da conversa, eu poderia facilmente ter me esquecido de que estava conversando com uma das maiores atrizes de Hollywood de todos os tempos.

Não sou a única a reconhecer o domínio completo da presença por Julianne Moore – uns dois meses após nossa conversa, ela recebeu o Oscar de melhor atriz pelo papel principal de uma mulher diagnosticada com a doença de Alzheimer precoce no filme *Para sempre Alice*.[23]

Em sua resenha do filme para a revista *Time*, Richard Corliss escreveu o seguinte sobre Moore: "Uma das grandes atrizes dos Estados Unidos transforma essa história de esquecimento trágico numa luta heroica. [...] Alice achou o receptáculo perfeito em Moore, que quase sempre consegue ser destemida e perfeita no tom."[24] David Siegel, que a dirigiu no filme *Pelos olhos de Maisie*, de 2012, disse: "Ela acredita muito em estar presente no momento da atuação [...] mas não carrega isso consigo quando vai embora."[25] Ela entra sem medo, atua sem ansiedade e vai embora sem arrependimentos.

Julianne e eu acabamos tendo uma conversa de quatro horas. Eu estava ali para conversar sobre a presença em sua vida profissional, mas não levei muito tempo para perceber que ela havia descoberto a mesma presença em sua vida pessoal. Trajando camisa de flanela, calça legging e meias de lã – e linda como sempre –, ela estava lavando as dezenas de castiçais usados durante a festa de fim de ano que promovera na noite anterior, ao mesmo tempo que se divertia com o marido e a filha discutindo sobre comer ou não cupcakes antes do café da manhã, conversando sobre quais faculdades visitar com o filho, que estava prestes a terminar o ensino médio, e rindo comigo enquanto contávamos histórias sobre momentos constrangedores da criação de filhos.

Quando li a transcrição da entrevista, fiquei horrorizada: havíamos levado duas das quatro horas batendo papo sobre as coisas mais triviais – e eu tinha falado quase tanto quanto ela. Meu primeiro pensamento foi: como conseguimos nos desviar tanto do assunto? E como consegui desperdiçar tanto do tempo dela? Mas aí percebi que permitir que a conversa fluísse naturalmente foi mais uma manifestação da capacidade de Julianne de estar no momento – e de trazer os outros consigo para esse momento.

Quando começamos a falar sobre presença, às vezes era difícil saber qual de nós duas estava escrevendo um livro a respeito.

Perguntei a ela:

– O que você acha que nos impede de estar presentes com as pessoas mais importantes de nossa vida?

– As pessoas se sentem menos presentes quando não se sentem vistas – disse ela. – É impossível estar presente quando ninguém mais enxerga você. E o processo se torna autoperpetuante, porque quanto mais as pessoas não o reconhecem, mais você sente que não existe. Não há lugar para você [...]. Inversamente, você está mais presente quando é mais visto e aí as pessoas estão sempre corroborando sua noção do eu.

Quando criança, Julianne não queria ser o centro das atenções, mas, como o restante de nós, ansiava por ser vista e compreendida. Sua família se mudava com frequência, e ela disse que em cada ambiente novo inevitavelmente sentia-se despercebida – pelos colegas, pelos professores. Toda vez que isso acontecia, explicou ela, era preciso admitir para si: "Não sei quem sou nesta situação. Tenho de descobrir."

Cada mudança representava um desafio. E, em cada desafio, Julianne tinha de identificar e afirmar seu melhor eu autêntico. Se não fizesse isso, ninguém *conseguiria* enxergá-la.

Eu perguntei:

– Além de ser visto, o que é presença para um ator? Como um ator aprende a estar presente?

– O segredo da presença é relaxar – diz ela. – Mas, quando se tem 18 anos e começou a escola de teatro e dizem que você precisa estar relaxado para fazer isso, você pensa: "Mas todos os meus sentimentos vêm de tensão e ansiedade... todas aquelas grandes explosões de raiva, medo, lágrimas..." Então, somente anos depois, você percebe que o segredo para facilitar a emoção, o sentimento, a nuance e a presença... é de fato relaxar.

Também perguntei sobre preparação. É nítido que ela leva isso muito a sério e, quando se prepara para um papel, exercita muitos dos gestos e pequenos comportamentos particulares de seu personagem – coisas que, graças ao estudo da psicologia, ela sabe serem compatíveis com a personalidade e o estado emocional do personagem.

– Fico suficientemente preparada para me permitir uma experiência diante da câmera – diz. – Se não estou preparada, fico em pânico. Não consigo estar presente.

No entanto, preparação, reconhece ela, é apenas parte da coisa toda. Conforme já explicou no programa *Inside the Actors Studio*, ela deixa "95% da atuação para serem descobertos no set de filmagem. [...] Quero ter uma ideia de quem é o personagem, e então quero chegar lá e experimentá-lo diante da câmera".[26]

Vamos abordar mais amplamente a questão da preparação. Às vezes as pessoas pensam de maneira equivocada que estou sugerindo que eliminemos totalmente a preparação e que, em vez disso, apenas improvisemos. Não estou. Claro que não podemos nos sentir suficientemente seguros para estar presentes se não refletimos sobre o teor do que gostaríamos de transmitir. Numa reportagem para a *Harvard Business Review* sobre a preparação para uma entrevista de emprego, Karen Dillon, coautora de *Como avaliar sua vida?*, informa em que devemos nos concentrar.[27] Por exemplo, Dillon sugere desenvolver "pequenas narrativas" para as cerca de 10 perguntas de entrevistas de emprego mais frequentes (e enlouquecedoramente vagas), como "Por que deveríamos contratar você?" e "Por que você se encaixa neste cargo?". Ela também recomenda preparar respostas para perguntas que não queremos enfrentar, por segurança. Não se trata de ter um roteiro memorizado, mas de ter acesso cognitivo facilitado ao conteúdo, o que o libera para se concentrar não no que teme que vá acontecer, mas no que está realmente acontecendo.

Eis o que quero dizer: a preparação obviamente é importante, mas, em determinado ponto, você precisa parar de preparar conteúdo e começar a preparar sua mentalidade. Tem de passar do *que* você dirá a *como* dirá.

Com frequência, porém, enfrentamos grandes desafios para os quais temos pouca orientação acerca do que será esperado de nós, o que pode ser perturbador. Fica quase impossível se preparar para algo assim, especialmente quando é algo que queremos fazer bem. Como deveríamos nos portar nesses casos?

Julianne pensou por um momento, depois disse:

– Isso me lembra de quando fiz um teste para o filme *A salvo* com o diretor Todd Haynes. Li o roteiro, e conseguia ouvi-lo claramente na minha cabeça. Eu queria muito o papel.

Mas ela não sabia como Haynes via o personagem – não podia preparar um personagem segundo as preferências dele.

– Lembro-me de andar pela Broadway a caminho do teste. Vestia calça jeans branca e uma camiseta branca. Queria parecer essa coisa vazia. E pensei: "Se ele [Haynes] não gostar do que vou fazer, então estou equivocada... Não é a voz que ele escreveu. Se ele ouvir a mesma coisa, vai me contratar. Mas se quiser algo diferente, sei que não posso fazer."

Ela explicou isso com muita aceitação – nenhuma frustração. (No final, e se você já assistiu ao filme *A salvo* deve saber, ela e Haynes ouviram a mesma voz.)

Assim, mesmo ao servir de receptáculo para um personagem, Julianne só consegue realizar bem seu trabalho quando o faz de forma autêntica e honesta para si.

Quanto aos tipos de desafio para os quais é impossível se preparar, ela diz:

– As pessoas podem achar paralisante aquela grande máxima que diz "Dê o melhor de si". Que diabo isso significa? "Simplesmente seja *o melhor*", é isso? Se você não sabe o que esperam de você, como pode ser o melhor? Na verdade – acrescentou Julianne –, acho que significa ser o mais autêntico possível, estar o mais presente possível. *Preencha-o*. Traga o seu eu.

– Mas o que acontece quando você traz o seu eu e não dá certo? – perguntei.

Numa das cenas finais do filme *Fim de caso*, de 1999, Julianne deveria se lançar, soluçante, sobre o corpo do amante.

– Eu não conseguia fazer aquilo. Simplesmente não conseguia. Fiquei tentando, tentando, e não conseguia fazer. Havíamos filmado quase tudo e aquela era minha penúltima cena.

O diretor, Neil Jordan, a incentivou a voltar ao seu trailer para relaxar. Ele lhe disse:

– Você já gravou o filme inteiro. Ainda que não consiga fazer, isso não vai afetar sua atuação.

Julianne disse que aprendeu então "que às vezes você simplesmente atinge uma barreira. E tudo bem. Ainda que traga uma sensação ruim, tudo bem se você se permitir sentir-se mal. Afinal, os sentimentos não duram tanto tempo assim".

Nenhum arrependimento, nenhuma ruminação de pensamentos. Nenhuma vergonha. Nenhum medo de não acertar da próxima vez. E é claro que depois ela conseguiu fazer a cena.

Quase ao final do nosso período juntas, Julianne disse:

– Às vezes é como se você estivesse se arrastando pela lama, sem chegar a lugar algum. Outras vezes você simplesmente decola. E isso faz com que você se sinta muito viva. Por isso nós fazemos. Por isso todo ator faz. Para que esses momentos não sejam artificiais, mas pareçam transcendentes.

Ela continuou:

– A sensação de impotência e o desgaste tornam a pessoas tensa demais para estar presente. Caso haja uma proteção contra o dano emocional ou a humilhação, a pessoa também não consegue estar presente, porque existe um comportamento defensivo.

Após uma pausa, ela disse:

– É o poder. Trata-se sempre de poder, não é?

Será? Será que no final *presença* é apenas mais uma palavra para "poder"? Isso explicaria muita coisa.

– O que você faz quando está presente e pronta para se envolver, mas o outro ator na cena não está? – perguntei.

– Algumas pessoas já decidiram o que irão e o que não irão fazer com você, e vão lá e fazem. Mas aí você não consegue se conectar com elas através do olhar e não consegue se conectar fisicamente. E a coisa toda na atuação é parte de uma enorme troca, entende? O mais empolgante é quando duas pessoas presentes estão conectadas e, mesmo sem saber o que vai acontecer, trazem algo juntas... É aí que é transcendente.

Mas, se o outro ator não está envolvido, o poder da presença às vezes é capaz de superar até mesmo esse obstáculo, ressaltou Julianne.

– Quando você está presente e disponível, as pessoas têm um desejo de lhe oferecer seu eu autêntico. Você só precisa pedir. Elas podem resistir a se abrir de início, mas acabarão oferecendo toda sua história de vida – disse Julianne. – E isso se deve ao desejo que as pessoas têm de serem notadas.

Então eu falei:

– Parece que quando *você* se torna presente, permite que os *outros* estejam presentes. A presença não torna você dominante no sentido alfa. Na verdade, permite que você ouça as outras pessoas. E que elas se sintam ouvidas e se tornem presentes. Você pode ajudar as pessoas a se sentirem mais poderosas, ainda que não consiga lhes dar poder formal.

Ela fez uma pausa e seu rosto se iluminou.

– Isso! E quando isso acontece, quando sua presença consegue evocar a presença delas, você eleva *tudo* – concluiu.

3

Pare de pregar, comece a ouvir: como a presença gera presença

*Ao deixarmos nossa própria luz brilhar [...]
permitimos que outras pessoas façam o mesmo.
Ao nos libertarmos de nosso próprio medo, nossa
presença automaticamente liberta os outros.*
— Marianne Williamson

Numa noite de primavera em 1992, membros do clero se espremeram numa igreja minúscula em Boston. Eles haviam se reunido para reagir ao aumento assustador da violência e dos homicídios entre gangues – 73 jovens assassinados em um ano, um aumento de 230% em relação a apenas três anos antes. As pessoas estavam desesperadas. Viviam com medo de perder seus filhos na guerra aberta que engolira a cidade. Nada do que haviam tentado – atividades extracurriculares após as aulas, confinamentos em casa, aumento do policiamento – conseguia deter a carnificina. Uma semana antes do encontro, durante uma cerimônia fúnebre para um adolescente assassinado, naquela mesma igreja, 14 membros de uma gangue apareceram e esfaquearam um jovem.

O pastor batista Jeffrey Brown participava daquela reunião da igreja em Boston. Ele era relativamente novo na comunidade e ainda estava conhecendo os problemas do lugar. Nascido no Alasca, filho de um oficial do Exército, ele passou a infância mudando de uma base a outra. Fez faculdade na Pensilvânia antes de ir para Boston cursar teologia. Foi à igreja naquela noite, com mais de 300 pastores, porque sua comunidade – assim como grande parte da cidade – estava sofrendo. Mas ele não tinha nenhuma experiência com gangues ou crimes, ou com as razões pelas quais floresciam.

Deixarei que ele descreva o que houve após aquele encontro.

– O que aconteceu foi o que sempre acontece quando você enche um salão com pastores – disse Jeffrey. – Eles conversaram. E aí marcaram uma reunião para conversarem de novo na terça-feira seguinte, e na terça-feira depois daquela... E começaram a trazer membros da comunidade, professores, pais, policiais, para falarem sobre o que vinha ocorrendo. Após dois meses, queriam se dividir em comitês! E eu soube que aquele era o fim... Quando você se divide em comitês porque nada vem funcionando, está na hora de tentar algo diferente. Assim, o reverendo Eugene Rivers disse: "Sabem com quem não conversamos? Não trouxemos nenhum jovem aqui para conversar sobre o que vem ocorrendo." Todos disseram: "Tudo bem, Eugene, nós o nomeamos líder do comitê de rua." A intenção foi constrangê-lo, mas não conseguiram. Eugene disse: "Ótimo! Na próxima sexta, na minha casa." Naquela sexta-feira, 13 pessoas apareceram. Eugene morava em Four Corners, que naquela época era o marco zero, um dos bairros mais violentos da cidade. Nós aparecemos e ele apenas disse: "Certo, vamos nessa!" Perguntamos: "Vamos aonde?" E ele disse: "Lá fora."

"Lá fora" não era exatamente onde Jeffrey Brown esperava estar naquele ponto de sua carreira. Na faculdade, especializara-se em comunicação e depois de se tornar clérigo seu objetivo era ser pastor de uma megaigreja – uma das grandes congregações suburbanas que vinham se espalhando pelo país, pregando o evangelho do sucesso e da prosperidade. Se você lhe indagasse alguns anos antes sobre suas ambições, ele teria dito que queria uma igreja com milhares de membros e um programa na TV: o pacote completo. Guerras entre gangues não estavam em seus planos.

Claro que aos domingos, na igreja, ele precisava ao menos reconhecer o que vinha ocorrendo nas ruas.

– Eu subia ao púlpito e pregava contra a violência – relatou. – Então, depois do sermão, entrava no meu carro e ia direto para minha bela casa no meu belo bairro.

Mas o derramamento de sangue e o desespero continuavam se aproximando. Jeffrey se viu presidindo os funerais de jovens de 16 e 17 anos, esforçando-se para dizer algo significativo, algo que criasse impacto.

— Aquilo estava além do meu treinamento como um jovem pastor – disse ele. – Você pega seus cursos sobre morte e agonia, aprende sobre o valor do ritual, o que dizer para reconfortar. Mas nada daquilo se aplica ao que acontece quando um adolescente é morto a tiros. Para agravar a situação, eu via jovens sentados ali que já tinham passado por uma série de homicídios. Era perturbador tentar conversar e se conectar com eles. A impressão era de que nem sequer ouviam o que era dito nos funerais. Alguns pareciam ausentes, ainda atordoados com o que havia ocorrido. Outros estavam zangados; dava para ver que a raiva se acumulava, que eles iriam retaliar.

Pastores amigos que enfrentavam os mesmos problemas pediram ajuda a Jeffrey: ele era jovem, não muito mais velho do que muitos dos perpetradores e vítimas da violência que vinha destruindo a comunidade. Será que ele era capaz de criar algum vínculo com aqueles jovens? De encontrar um meio de se fazer entender por eles?

— Mas eu não conseguia – disse ele. – Era um ambiente tão desconhecido para mim quanto para meus amigos.

Foi mais ou menos naquela época que Jeffrey teve um sonho. Nele, Jesus aparecia para ele na igreja trajando um terno laranja, camisa vermelha e gravata púrpura. Ele mostrou a Jeffrey seu escritório suntuoso, depois o embarcou em um grande Mercedes-Benz e o conduziu a uma mansão. Ali Jesus voltou-se para Jeffrey e perguntou: "O que você acha?" Jeffrey respondeu: "É muita coisa." E Jesus olhou para Jeffrey e perguntou: "Este sou Eu de verdade?" E aí Jeffrey acordou.

— Sonhei com aquilo mais de uma vez – contou Jeffrey –, de modo que pensei: "Tem algo errado aqui." Eu sabia que era uma mensagem informando que aquele não era o rumo certo. Mas aquilo era muito intimidante para mim, porque não sabia como me conectar, não sabia o que estava fazendo.

Jeffrey percebeu que precisava se esforçar mais para atacar os problemas da comunidade. Criou em sua igreja projetos que visavam ajudar jovens em situação de risco.

— Tentei até um sermão em forma de rap certa vez – disse ele, rindo.

Ele também se reuniu com jovens da escola local, mas os membros das gangues e traficantes de crack não frequentavam a escola, de modo que permaneciam fora do seu alcance. Não tinha ideia do que fazer em seguida.

Pouco depois daquele primeiro encontro de pastores, um rapaz de 21 anos chamado Jesse McKie foi assassinado na rua próximo da igreja de Jeffrey. Alguns membros de uma gangue detiveram o jovem para roubar sua jaqueta de couro e, quando ele resistiu, o esfaquearam e levaram a jaqueta. A poucos metros da porta da igreja, Jesse sangrou até morrer.

– Eu não conheci Jesse – contou Jeffrey. – Encontrei seus pais pela primeira vez no funeral. Acho que me chamaram porque eu era jovem e conhecido por lidar com os garotos e coisa e tal. Eles perguntaram: "Você pode ir à nossa casa e conduzir uma vigília com orações à luz de velas?" Aceitei o convite, mas estava nervoso.

Jeffrey achava que conhecia quase todo mundo na região, mas ao se postar no frio congelante, conduzindo a vigília para Jesse, viu rostos de pessoas que jamais encontrara, ainda que muitos deles morassem nos conjuntos habitacionais perto de sua rua.

O que aconteceu depois da vigília confundiu Jeffrey. As pessoas começaram a se aproximar e a apertar sua mão, "embora eu não tivesse feito nada além de orar. Eu não tinha um projeto para eles, não lhes prestava um serviço, eu só rezei e fiquei ali, e eles começaram a apertar minha mão". Ele não conseguia parar de pensar naquilo. Refletiu a respeito no carro, a caminho de casa e antes de dormir. Uma ideia era recorrente: "O que fiz esta noite foi sacerdócio de verdade."

Logo depois a polícia capturou três dos sujeitos que mataram Jesse. Tinham em torno de 25 anos, só um pouco mais jovens do que Jeffrey.

– Pensei: eles têm mais ou menos minha idade, mas são membros de uma gangue barra-pesada. Por que pensam de forma tão diferente? Sou negro, eles são negros. Moro nesta cidade, eles moram nesta cidade. Eu não conseguia entender. Tudo aquilo estava se revolvendo dentro de mim. E eu não tinha ninguém com quem conversar, porque meus colegas estavam empenhados em construir as megaigrejas. Estavam interessados em saber quantas pessoas tinham aderido à sua crença naquele mês, enquanto eu retrucava: "Que diferença faz?! Um jovem foi morto! Não deveríamos reagir?"

O assassinato de Jesse marcou um momento decisivo para Jeffrey. Ele viu a falha intrínseca – o paradoxo – de sua abordagem ao problema.

– Eu vinha tratando aqueles jovens das gangues como o "outro" – contou ele. – Eu estava tentando construir uma comunidade, mas não estava lhes dando nenhuma via de acesso à minha definição de comunidade. Então pensei: "Se quero desenvolver uma comunidade, preciso desenvolvê-la com todos, o que inclui os sujeitos que outras pessoas *não querem* por perto, o que inclui esses jovens."

Jeffrey apareceu na casa de Eugene naquela noite de sexta-feira após a reunião dos pastores, porque sabia que o chefe do "comitê de rua" estava certo. Estava na hora de buscar uma solução *lá fora*.

– Então nós saímos para uma caminhada – recordou Jeffrey. – Caminhamos das 10 da noite até as duas da madrugada. Havia sons de tiros o tempo todo.

Na sexta-feira seguinte, menos de metade dos 13 pastores iniciais retornou. Logo aquele número caiu para quatro: Jeffrey, Eugene e mais dois. Mas eles estavam empenhados.

– Eu sabia que percorrer as ruas e conversar com os jovens era a chave para algo importante – disse Jeffrey –, mas não sabia o quê.

Marcando presença

Foi preciso reunir coragem para Jeffrey e os outros pastores saírem noite após noite, indesejados e desprotegidos. E, como você talvez tenha adivinhado, eles não foram bem recebidos de início como salvadores. Mas persistiram e acabaram encontrando um meio não apenas de se conectar com os jovens da região, mas também de se associar a eles a fim de reduzir drasticamente a violência juvenil em Boston.

A presença junto aos outros consiste, em primeiro lugar, em aparecer fisicamente, chegar junto. Ninguém tinha ido conversar com aqueles jovens em seu território. Mais especificamente, a presença consiste no modo *como* aparecemos – como nos aproximamos das pessoas com quem esperamos nos conectar e as quais esperamos influenciar.

Jeffrey sabia que estava adentrando o bairro mais barra-pesada de Boston em um horário perigoso. Os jovens que encontrava eram durões e ousados – pelo menos aparentemente. O instinto normal poderia ter feito Jeffrey mostrar àqueles jovens que conseguia ser tão durão quanto eles – um adversário à altura. Claro que aquele teria sido o pior caminho possível. Aqueles jovens haviam enfrentado resistência a vida inteira; não seria nenhuma novidade.

Jeffrey e os outros pastores fizeram o inverso. Retribuíram a brutalidade com gentileza, bondade e interesse genuíno pelos sentimentos e ideias daqueles jovens. Foi surpreendente – provavelmente a última coisa que qualquer um daqueles garotos esperava. Foi perturbador. Jeffrey sabia que, de início, aquilo poderia fazer com que ele parecesse um fracote aos olhos deles. Mas não se importou. Fez aquilo porque sabia que nunca tinha sido tentado e pensava que de repente pudesse funcionar.

Você deve estar pensando "Bem, claro que se dirigir aos outros com gentileza, abertura e curiosidade é a melhor estratégia", mas não imagina como é comum adotarmos instintivamente uma abordagem diferente, que consiste em demonstrar poder e controle. Durante mais de 15 anos, os psicólogos Susan Fiske, Peter Glick e eu estudamos como as pessoas julgam as outras em primeiros encontros. Em pesquisas realizadas em mais de 20 países, identificamos os mesmos padrões.[1]

Quando conhecemos alguém, rapidamente respondemos a duas perguntas: "Posso confiar nesta pessoa?" e "Posso respeitar esta pessoa?". Em nossas pesquisas, meus colegas e eu temos nos referido a tais dimensões como *cordialidade* e *competência*, respectivamente.

Em geral achamos que uma pessoa que acabamos de conhecer é mais cordial do que competente, ou mais competente do que cordial, mas não ambos na mesma proporção. Gostamos de ter clareza em nossas distinções – é uma propensão humana. Assim, classificamos novos conhecidos em tipos. Em sua pesquisa em empresas, Tiziana Casciaro refere-se a esses tipos como bobos adoráveis ou idiotas competentes.[2]

De vez em quando vemos as pessoas como incompetentes *e* frias – idiotas totais – ou como cordiais *e* competentes – astros adoráveis. Este último é o quadrante de ouro, porque receber confiança e respeito de outras pessoas lhe permite interagir bem e fazer as coisas acontecerem.

Mas não valorizamos os dois traços igualmente. Primeiro julgamos a cordialidade e a confiabilidade, que consideramos os traços mais importantes das duas dimensões. Oscar Ybarra e seus colegas descobriram, por exemplo, que as pessoas processam palavras ligadas a cordialidade e moralidade (*amigável, honesto* e outras) com mais rapidez do que palavras ligadas a competência (*criativo, habilidoso* e outras).[3]

Por que priorizamos a cordialidade em vez da competência? Porque, de uma perspectiva evolucionária, é mais crucial à nossa sobrevivência saber se uma pessoa merece nossa confiança. Caso não mereça, convém manter distância, pois ela é potencialmente perigosa, sobretudo se for competente. Valorizamos pessoas que sejam capazes especialmente em circunstâncias em que esse traço é necessário, mas só percebemos isso *após* termos julgado sua confiabilidade.

Recordando aquelas primeiras caminhadas nas noites de sexta-feira, quando pastores e membros de gangues se estranhavam no mesmo terreno tenso, Jeffrey disse:

– O que percebemos foi que, enquanto estávamos caminhando, eles só ficavam nos observando. E queriam se certificar de uma série de coisas. Primeiro: que teríamos uma conduta consistente, que continuaríamos indo até lá. E segundo: eles queriam ter certeza de que não estávamos lá para explorá-los. Forasteiros que adentram bairros perigosos vangloriando-se de que "resgatarão as ruas" podem trazer consigo uma câmera de TV, um repórter ou apenas uma sensação inflada de autoimportância. Os jovens estavam se indagando, segundo Jeffrey: "Será que isso não é só mais uma fraude? Será que isso não é movido pelo ego e vocês estão fazendo mais por vocês do que por nós?" Antes que qualquer diálogo pudesse começar, antes que as duas partes pudessem estar presentes ao mesmo tempo, era preciso ter confiança.

Após estabelecer a confiança, eles quiseram avaliar a força. Como relatou Jeffrey, eles quiseram saber: "Vocês estão preparados para enfrentar o que ocorre aqui fora?" Os diálogos iniciais podem ser intimidadores, porque você depara com jovens tendo conversas agressivas e defensivas e precisa abrir caminho em meio àquilo. E tem de fazê-lo de forma que o caminho permaneça aberto.

Ocorre algo curioso quando pergunto às pessoas – alunos, amigos, executivos, artistas – se preferem ser vistas como confiáveis ou competentes: a maioria escolhe a segunda opção. É perfeitamente compreensível, por dois motivos. A competência é mais facilmente mensurável de forma concreta e prática: pode ser exibida num currículo ou boletim de desempenho ou na nota de uma prova, de modo que temos uma sensação de medida de quão competentes parecemos. Além disso, ao passo que nossa confiabilidade e nossa cordialidade beneficiam terceiros, acreditamos que nossa competência e nossa força beneficiam diretamente a nós mesmos.[4]

Assim, queremos que os outros sejam cordiais e confiáveis, mas que *nos* vejam como competentes e fortes. Enquanto o primeiro desejo nos ajuda a permanecer seguros, o segundo pode levar a erros custosos.[5]

Vi muitos estudantes de MBA aprenderem isso a duras penas durante seus estágios. O objetivo deles é fazer com que a empresa em que estão estagiando os efetive depois da formatura, e têm umas 10 semanas para provar que são dignos da contratação.

Com frequência esses estudantes estão tão determinados a mostrar a todos que são os mais inteligentes e mais competentes do grupo que ignoram os custos de sua estratégia. Ela pode fazer com que pareçam frios e indiferentes. Pode impedir que participem de eventos sociais com colegas e gestores. Pode levá-los à crença equivocada de que pedir ajuda fará com que pareçam fracos e incompetentes, quando na verdade pedir feedback a um gerente ou aos colegas lhes daria a oportunidade de interagir, de mostrar respeito e, assim, se tornar parte do grupo.

A grande surpresa vem ao final do estágio, quando os estudantes com desempenho excepcional são chamados para conversar com seus supervisores e descobrem que não receberão ofertas de emprego – porque ninguém conseguiu conhecê-los direito. Eles não pareciam "interagir bem com os outros". Sua competência não estava em discussão, mas não criaram qualquer colaboração ou relacionamento produtivo de *confiança*.

Não está convencido? Vejamos um estudo de 2013 com 51.836 líderes cujos funcionários os avaliaram primeiro numa grande variedade de comportamentos e atributos e depois em sua eficácia de liderança em geral. Apenas 27 foram classificados no quartil inferior (abaixo do 25º percentil) em comportamentos e atributos que refletiam simpatia *e também* no quartil superior (acima do 75º percentil) em eficiência de liderança em geral. Em outras palavras, sua chance de ser visto como um líder antipático porém eficaz é de cerca de uma em 2 mil.[6] Outros pesquisadores constataram que a principal característica associada ao fracasso de um executivo é um estilo insensível, ofensivo ou intimidador – o oposto exato de cordialidade e confiabilidade.[7]

Antes de prosseguir, gostaria de concluir, caso você esteja se perguntando por que estou falando sobre o reverendo Jeffrey Brown, violência das gangues, cordialidade e competência...

A influência só ocorre quando há confiança, e o único jeito de criar confiança de verdade é estando presente. A presença é o meio pelo qual a confiança se desenvolve e as ideias viajam. Se alguém que você está tentando influenciar não confia em você, você não irá muito longe. Na verdade, pode até despertar desconfiança por parecer manipulador. Talvez tenha ótimas ideias, mas, sem confiança, essas ideias são impotentes. Uma pessoa cordial e confiável que também é forte desperta admiração, mas somente depois de estabelecer laços de confiança sua força se torna uma vantagem em vez de uma ameaça.

Espero também lhe mostrar que aprender a encontrar presença nos momentos mais desafiadores não é bom apenas para você. Pode trazer grandes benefícios para os outros também. A presença lhe dá o poder de ajudar as pessoas nos momentos mais desafiadores *delas*.

Não seja "seda"

Voltemos a Jeffrey. O assassinato de Jesse foi um ponto crucial para ele. Não facilitou automaticamente sua comunicação com os jovens que vinha tentando ajudar, mas foi o elemento catalisador. Logo depois chegou um momento em que Jeffrey enfim entendeu a realidade de como estava sendo percebido na rua. Foi também quando os membros da gangue obtiveram um vislumbre do Jeffrey de verdade.

– Eu estava lidando com um rapaz chamado Tyler, que já me abordou perguntando o que eu estava fazendo lá fora. Lembro-me de uma vez em que eu estava usando um casaco e Tyler começou a apalpá-lo, dizendo: "Cara, isto é *seda*." Eu respondi "Não, não é", mas ele insistiu: "Olhem este cara aqui com casaco de seda." E toda vez que eu ia lá ele tinha algo a dizer sobre o tal casaco, até que finalmente me cansei e disse: "Cara, pare de falar das minhas coisas. Este casaco não é de seda!" E ele disse: "Ah, agora você está sendo real. Antes estava sendo seda." Retruquei: "Ok, agora acho que entendo o que está acontecendo aqui." E foi aí que começamos a conversar, porque o que ele realmente desejava era poder falar sobre como seria difícil mudar a mentalidade de muitos dos jovens que o cercavam. Ele pensava: "Você não pode vir aqui achando que vai ter uma conversa e aí, de repente, tudo vai mudar." Então eu soube que aquilo não ia ser como um passeio no parque. Ia ser uma dura jornada.

Jeffrey teve de ser verdadeiro com aqueles jovens antes que pudessem ser verdadeiros com ele. Por meio de suas ações, contou sua história real – aquela na qual ele de fato acreditava, não aquela na qual queria que os outros acreditassem. Teve de ser seu eu mais sincero – sem fachadas, sem barreiras – para comunicar que eles poderiam fazer o mesmo. Revelar seu eu verdadeiro libera os outros para revelar os deles. Temos de parar de ser como seda.

Calar-se

*Ouvir a outra pessoa é o ato mais
profundo de respeito humano.*
– William Ury

William Ury é um dos fundadores do Programa Harvard de Negociação e coautor de *Como chegar ao sim*. Ury não apenas está entre os negociadores mais experientes e bem-sucedidos que já conheci, como também é o mais gentil e paciente. Com tato e delicadeza, ele ajuda a resolver conflitos ao redor do mundo – em empresas, governos e comunidades –, superando divergências que outros foram incapazes de resolver. Durante a década de 1980, ele auxiliou os governos americano e soviético na criação de centros de crise nuclear visando evitar uma guerra nuclear acidental. Também contribuiu para encerrar uma batalha bilionária pelo controle do maior varejista da América Latina e aconselhou o presidente da Colômbia em sua tentativa de encerrar uma guerra civil de 50 anos. No momento em que as partes em conflito estão ouvindo uma à outra pela primeira vez – ou seja, quando a questão progrediu substancialmente rumo à resolução –, elas acreditam que Ury é um tipo de mago. Claro que ele jura que não é. Alega que faz algo bastante simples.

Em 2003, Ury recebeu uma ligação do ex-presidente Jimmy Carter pedindo que se encontrasse com o presidente venezuelano Hugo Chávez. Com as ruas de Caracas lotadas de manifestantes exigindo o fim da presidência de Chávez e outros apoiando-o fervorosamente, o país parecia à beira da guerra civil. Carter tinha esperanças de que Ury fosse capaz de ajudar a encontrar um caminho. Em seu outro livro, *Como chegar ao sim com você mesmo*, ele recorda a preparação para a reunião:

Como de costume, saí para um passeio no parque em busca de inspiração. Eu achava que teria apenas poucos minutos com o presidente, por isso estava esboçando mentalmente um breve conjunto de recomendações. O que me ocorreu, porém, durante a caminhada, foi fazer exatamente o *oposto* do que eu planejara: eu não daria conselhos a não ser que ele me pedisse. Apenas ouviria, me concentraria no momento presente e buscaria abertura. O risco, obviamente, era que a reunião terminasse muito cedo e eu perdesse a oportunidade de influenciá-lo com minhas recomendações, mas resolvi assumi-lo.[8]

Durante sua reunião com Chávez, Ury ateve-se a essa estratégia incomum – ouviu atentamente, "tentando entender como era estar na pele dele". Chávez contou a Ury sobre sua vida, sobre sua experiência nas forças armadas, sobre sua indignação com os "traidores" que tentavam derrubá-lo.

Eu estava focado no momento presente, buscando uma abertura, quando me ocorreu uma pergunta: "Como o senhor não confia neles, o que é bastante compreensível pelo que já aconteceu, deixe-me perguntar uma coisa: o que eles poderiam fazer, digamos, amanhã de manhã para enviar um sinal confiável de que estariam prontos para a mudança?"
"Um sinal?", indagou ele, ficando em silêncio por alguns instantes para pensar na questão inesperada.

Igualmente inesperado foi o fato de Chávez ter uma resposta.

Em poucos minutos, o presidente concordou em designar seu ministro do Interior para trabalhar com [meu colega] Francisco e comigo no desenvolvimento de uma lista de possíveis iniciativas práticas que cada parte poderia tomar para aumentar a confiança e amenizar o conflito.

Fazendo um retrospecto, Ury escreve:

Estou convencido de que, se eu tivesse seguido minha primeira ideia de iniciar a reunião apresentando recomendações, o presidente teria nos despachado em alguns minutos. Em vez disso, como eu deliberadamente desistira de lhe dar conselhos e procurei me manter atento a uma possível abertura, o encontro se tornara altamente produtivo.

Por que é tão difícil para nós nos calarmos e ouvirmos?

Existe uma resposta simples. Quando encontramos alguém que nunca vimos, de imediato tememos não ser levados a sério, parecer "inferiores". Assim, falamos primeiro, para dominar o momento, para assumir o controle, para exibir nossa capacidade. Queremos mostrar o que sabemos, o que pensamos, o que já realizamos. Falar primeiro indica: sei mais do que você, sou mais inteligente, eu deveria falar enquanto você ouve. Falar primeiro permite definir a pauta: eis o que iremos fazer e eis como faremos.

Ao passo que, se eu deixo você falar primeiro, não dá para prever o que dirá. Estou abrindo mão do controle sobre a situação, e quem sabe aonde isso me levará? Abrir mão do controle é assustador. É dar um passo rumo ao desconhecido. Quem faz isso? Somente os tolos. Ou os corajosos.

Tal como Jeffrey em sua patrulha noturna nas ruas, Ury chegou à reunião com Chávez sabendo que estava adentrando uma situação tensa onde posições tinham sido estabelecidas, resoluções haviam sido tomadas e limites haviam sido fixados. Em momentos assim é difícil ouvir e a ânsia por atingir uma solução rápida costuma nos dominar. O segredo, diz Ury, é "buscar *oportunidades no presente*".

Na maioria das situações, se ficarmos bastante atentos, encontraremos uma abertura. Mas saiba que também é algo muito fácil de não ser notado. Participei de muitas negociações em que uma das partes sinaliza aberturas ou até faz concessões que passam despercebidas pela outra parte. Seja em conflitos conjugais ou em disputas orçamentárias, é muito comum dispersar o foco, recordando-se do passado ou preocupando-se com o futuro. Só no presente, no entanto, podemos mudar intencionalmente a direção da conversa para um acordo.

Escutar é crucial para a presença. E os desafios que surgem quando realmente precisamos ouvir são os mesmos que dificultam estar suficientemente presente para fazê-lo.

Só é possível escutar de verdade quando temos um desejo sincero de entender o que estamos ouvindo. E isso não é fácil, pois requer a suspensão do julgamento – mesmo quando estamos frustrados, assustados, impacientes, entediados, ou quando nos sentimos ameaçados ou ansiosos com o que vamos ouvir (ou por achar que já sabemos ou por não sabermos). Precisamos dar à outra pessoa espaço e segurança para ser honesta – e não devemos reagir defensivamente quando estamos ouvindo. Para alguns de nós, isso também significa superar o medo do silêncio.

A determinação de ouvir – escutar de fato – estava no núcleo do esforço de Jeffrey e dos outros pastores. Eles tiveram de admitir que líderes comunitários e agentes da lei eram impotentes para deter a violência sem o consentimento e a cooperação dos próprios delinquentes. Os membros das gangues e os traficantes de crack teriam de ser ouvidos e até mesmo atendidos em suas solicitações. Seus conhecimentos e opiniões precisariam ser reconhecidos e então ser levados a sério. Considerando a forma como líderes políticos, autoridades policiais e outros costumam abordar as gangues de jovens transgressores – isto é, *sem* ouvidos voltados à escuta colaborativa –, fica claro que os pastores estavam tentando algo radical, para não dizer arriscado.

Escutar significou resistir ao impulso de colocar em prática o que faziam melhor: pregar. Pregar a não violência teria sido tão ineficaz como ostentar uma postura rígida do tipo "Estou no controle". Em vez disso, os pastores fizeram perguntas: "Como é o tráfico de drogas? O que significa ficar num beco atirando pedras? Como você evita a polícia? Como evita membros de gangues rivais? Como vê o fato de que não existem traficantes de drogas aposentados, de que esta é uma vida curta?"

Ouvir significou abrir mão do que Jeffrey achava que sabia.

– Havia tanta coisa para eu aprender sobre a vida nas ruas – contou Jeffrey. – Ficou claro que minha percepção estava moldada pelo noticiário e pelo senso comum, e a realidade era bem diferente.

Quando ele e os demais pastores passaram a escutar em vez de pregar, ele percebeu que "os jovens deixaram de ser o problema e começaram a ser nossos parceiros naquele esforço. Eles se tornaram valiosos. [...] Perguntamos: como vocês veem a igreja ajudando nesta situação? O que podemos fazer juntos?".

O paradoxo de ouvir é que, ao abrirmos mão do poder – o poder temporário de falar, afirmar, saber –, ficamos mais poderosos. Quando você para de falar ou de pregar e ouve, eis o que acontece:

- **As pessoas podem confiar em você.** Como vimos, sem a confiança dos demais envolvidos, você vai achar bem difícil influenciá-los de forma profunda e duradoura.
- **Você adquire informações úteis,** que facilitam a solução de qualquer problema que venha a enfrentar. Você pode achar que sabe a resposta, mas, antes de ouvir o que a outra pessoa pensa e sente – o que realmente a motiva –, jamais terá certeza.
- **Você começa a enxergar as outras pessoas como seus semelhantes – e talvez até aliados.** Deixa de ver as outras pessoas como estereótipos. Passa do "nós contra eles" para simplesmente "nós". Os objetivos passam a ser compartilhados, não conflitantes.[9]
- **Você desenvolve soluções que outras pessoas se mostram dispostas a aceitar e até adotar.** Quando as pessoas contribuem para as soluções – quando participam delas –, tendem a se comprometer mais com elas e a adotá-las. Também ficam mais propensas a aceitar até mesmo um resultado negativo quando sentem que o procedimento que as levou até ele foi justo. Para que isso aconteça, as partes afetadas precisam acreditar que foram ouvidas, compreendidas e tratadas com dignidade, e que o processo e seus fatores essenciais são confiáveis. Por exemplo, funcionários podem aceitar ficar sem uma promoção se tiverem ajudado a desenvolver as diretrizes e expectativas que levaram à decisão.[10]
- **Quando as pessoas se sentem ouvidas, ficam mais dispostas a ouvir.** Isso é surpreendentemente intuitivo e difícil: se as pessoas não sentirem que você as compreende, não estarão inclinadas a investir seu tempo e sua energia em atividades – como escutar – que as ajudarão a entender você. E essa é uma dica importante sobretudo para os líderes, que afinal precisam servir de modelos da boa escuta.[11]

Como resultado do que ouviram, quatro dos membros da igreja, inclusive Jeffrey, redigiram um documento que era em parte um manifesto, em parte uma declaração de missão. Consistia em 10 pontos: princípios e posturas que, eles esperavam, encerrariam os assassinatos e melhorariam as condições nos bairros mais pobres da cidade, principalmente através da atuação de clérigos e das igrejas nas ruas – e não do alto ou de uma distância cômoda –, buscando soluções junto aos membros das gangues, contando com a participação deles.

A Boston TenPoint Coalition (Coalizão dos 10 Pontos de Boston) tornou-se um movimento cujo sucesso surpreendeu a cidade e chamou a atenção do povo americano e além: os assassinatos de jovens em Boston caíram de um pico de 72 em 1990 para 15 em 1999, o menor nível de todos os tempos. A mudança ficou conhecida como o Milagre de Boston, e acadêmicos e profissionais a atribuem em grande parte à formação da coalizão e aos esforços de Jeffrey e seus colegas pastores. Cidades do mundo inteiro buscaram os conselhos de sacerdotes no combate a drogas, crimes e assassinatos.[12]

Outro grande triunfo da coalizão – que veio mais tarde, em 2006 – dá uma ideia da radicalização das estratégias pioneiras. Ainda tentando deter o ciclo incessante de ataques de gangues e retaliações, os clérigos decidiram propor uma trégua.

– E os jovens reagiram dizendo que não íamos conseguir que eles fizessem aquilo bruscamente – disse Jeffrey. – Então surgiu a ideia de começar com um período de tempo, como um cessar-fogo. Então determinamos que seria entre o Dia de Ação de Graças e o Ano-Novo e chamamos de temporada de paz. Eles nos deram as instruções sobre o que fazer. Reuni todos numa sala, vendi a ideia da temporada de paz e pedi a aprovação geral. Foi aí que recebi a primeira indicação de que aquilo poderia funcionar, porque um jovem se levantou e disse: "Tudo bem, então paramos de atirar na meia-noite da quarta-feira? Ou paramos na manhã de Ação de Graças? E recomeçamos a atirar no dia 31 de dezembro ou em 1º de janeiro?" Aquilo foi um conflito para mim, porque pensei: "Eu desejo que vocês *jamais* voltem a atirar." Mas eu disse: "Ok, vocês param de atirar na noite da quarta-feira e podem recomeçar após o dia do Ano-Novo." Eticamente, porém, eu estava pensando: "Não acredito que eu disse que poderiam recomeçar a atirar após o primeiro dia do ano." Mas estávamos tentando fazer com que instituíssem a paz e dar uma ideia do que é poder entrar num bairro sem precisar olhar para trás a cada cinco segundos.

Como você pode imaginar, em Boston, naquela época tensa, havia pouca confiança em que um grupo de pastores pudesse iniciar um período no qual membros de gangues de repente parassem de atirar uns nos outros.

– Na primeira vez que estabelecemos aquela temporada de paz, os policiais diziam "Boa sorte!", quase com uma piscadela e um riso de escárnio abafado – recordou Jeffrey. – Porque as coisas estavam pegando fogo antes do Dia de Ação de Graças de 2006. E aí, nos primeiros 22 dias depois daquilo, não houve tiroteios, nenhum tiro disparado, nada. Gary French, que estava à frente da unidade de gangues da polícia de Boston, ficou ligando todos os dias, para dizer: "Não aconteceu nada ontem." E ele queria saber: "O que vocês fizeram? Com quem vocês conversaram?" A polícia queria que fornecêssemos todas essas informações, mas eu disse: "Bem, em primeiro lugar, vocês não podem ter esses dados. Mas não é nada mais do que já lhe contei: é olhar para os jovens não como o problema, mas como parceiros."

Isso não quer dizer que ouvir a outra parte garanta um resultado favorável todas as vezes. Na verdade, a presença também implica aceitar a possibilidade de decepção e não permitir que isso o desvie do rumo ou o faça duvidar. O que inicialmente parece um fracasso pode ser na verdade algo bem diferente – uma oportunidade de crescer de forma inesperada.

Deixando a presença falar por si

Nessa época, Jeffrey vinha conversando com um rapaz chamado James, o líder de uma gangue em Roxbury e um dos artífices da trégua que a coalizão havia planejado junto a outra grande gangue. Jeffrey descreveu James como "um rapaz realmente especial com uma preocupação não apenas consigo, mas com todos com quem se relacionava. Então ele queria mesmo que aquela paz se espalhasse pela cidade".

Dois dias após um encontro com James, Jeffrey recebeu uma ligação.

– Eu estava em casa preparando o jantar – contou – e tive de parar, entrar no carro e sair correndo.

James tinha sido morto com um tiro.

Chegando ao hospital, Jeffrey fez o possível para consolar os membros consternados da família de James, alguns histéricos de dor e outros incapazes de acreditar que ele estava morto. A sala de espera da emergência estava repleta de amigos de James, que já tramavam a vingança.

– E eu pensando: "Vocês não podem fazer isso." Logicamente, não era o que os companheiros enfurecidos de James queriam ouvir. Eu estava lutando para encontrar as palavras certas, porque da minha mente vinha a mensagem: preciso dizer *alguma coisa*, certo? Mas quanto mais eu pensava em algo para dizer, menos conseguia achar tais palavras. Finalmente os médicos me abordaram e disseram: "Precisamos botar ordem nesta sala de emergência. Você poderia conduzi-los para fora?" Respondi: "Não sei, mas posso tentar." Assim, comecei a me aproximar das pessoas e dizer: "Venham, vamos lá fora para rezarmos juntos. Vocês querem rezar?" Então fiz com que todos saíssem e começamos a rezar. E quanto mais eu rezava, mais as pessoas começavam a chorar e se lamentar. Então eu disse: "Certo, agora abracem alguém. Apenas abracem alguém. Abracem forte." Foi uma daquelas ocasiões em que eu estava tão atônito que não sabia o que dizer ou fazer. Mas, ao não dizer nada, abri espaço para ouvir as pessoas.

Ali, naquela sala de espera caótica e tomada de angústia do hospital, Jeffrey aprendeu uma lição importante: em determinadas situações, não existe algo como vitória. Não havia nada que alguém pudesse ter dito ou feito para amenizar o sofrimento e atenuar a raiva daqueles que James havia deixado. Jeffrey se esforçou, mas não tinha as respostas. Não havia palavras. Em todo caso, pensar que você será capaz de evocar uma frase mágica ou uma ação impressionantemente ousada é superestimar a si mesmo. Em momentos como aquele, apenas estar ali e ouvir pode ser suficiente. A longo prazo, pode ser melhor do que nada.

– As pessoas têm chamado isso de sacerdócio da presença – definiu Jeffrey –, e acho que é uma das formas mais eficazes de sacerdócio: calar-se e simplesmente fazer-se presente.

Às vezes nos expressamos com mais eloquência não expressando nada – permitindo que nossa presença, inexplicada e despojada, fale por si só.

A primeira reunião do "comitê de rua" aconteceu mais de 20 anos atrás. Hoje o resultado daquilo tudo tornou-se um estudo de caso utilizado na Harvard Business School. Sempre convido Jeffrey a participar das minhas aulas em que cito o trabalho dele. Ele comparece e responde a perguntas dos alunos. Muitos protagonistas de estudos de caso visitam turmas quando seus casos são apresentados, mas com certeza nenhum tem um histórico como o de Jeffrey – em termos de frequência e impacto.

    Quando Jeffrey se apresenta, meus alunos o reconhecem, pois já leram o caso e desenvolveram respeito e admiração por ele. Mas nada consegue prepará-los para Jeffrey em pessoa. Quando ele adentra a sala, a turma faz silêncio – por respeito, reverência, curiosidade. Ele não chega usando o traje completo de reverendo. Usa calça jeans, uma camisa impecável e um blazer vistoso. Fala num tom grave, calmo. É honesto e humilde, mas confiante e forte. Jamais se apressa. Não teme as pausas, e, por não temê-las, nós tampouco as tememos. É assim que sua presença gera presença.

4

Eu não mereço estar aqui

Todo mundo quer ser Cary Grant.
Até eu quero ser Cary Grant.
— Cary Grant

Quando Pauline Rose Clance cursava o doutorado em psicologia clínica no final da década de 1960, foi assombrada por temores de que talvez não fosse competente o suficiente para ser bem-sucedida.

Todos os outros são mais inteligentes do que eu. Tive sorte desta vez, mas da próxima fracassarei. Eu nem sequer deveria estar aqui. Ela estava perdendo o sono, sentindo pavor antes e pesar depois de todas as avaliações, todas as provas, todas as suas apresentações. Sabia que seus amigos estavam fartos de ouvi-la falar constantemente das preocupações que a atormentavam. E ninguém mais parecia sentir-se daquele jeito. *Minha admissão aqui deve ter sido um erro. Vou acabar sendo desmascarada.*

– Eu realmente acreditava naquilo – explicou Pauline – e ficava notoriamente ansiosa. Pensava: preciso aprender a conviver com isso. É assim que eu sou.

Quando criança, Pauline nunca imaginou que cursaria uma faculdade.

– Cresci nas montanhas de Appalachia, no estado da Virgínia. Frequentei escolas pequenas até chegar ao ensino médio. Não tínhamos livros em casa, mas meu pai sempre nos incentivava a pegar livros da biblioteca. Meus pais se interessavam pelo mundo. Embora eu tivesse professores que se preocupavam comigo de verdade, que me transmitiam a mensagem de que eu poderia cursar uma faculdade, minha instrução deixou muito a desejar, portanto eu tinha dúvidas sobre minha educação. Meu orientador no ensino médio me disse: "Você precisa estar preparada para tirar notas médias. Não espere notas máximas. Não seja rigorosa demais consigo mesma." Fui para a faculdade esperando ser uma aluna mediana. Mas não era. Na verdade, era ótima aluna. Eu tinha certo temor de fazer provas. Será que vou continuar me saindo bem? Será que vou conseguir fazer isso? Mas era uma faculdade pequena, de modo que meus temores pareciam controláveis.

As dúvidas de Pauline se agravaram quando ela iniciou a pós-graduação. Ela queria ir para uma universidade famosa, de prestígio. Ela disse:
– Fui informada em termos inequívocos pelo departamento de psicologia de que, como mulher, teria de ser três vezes melhor do que qualquer um dos homens. O entrevistador disse: "Temos uma vaga de secretária." Assim, acabei indo para a Universidade de Kentucky, onde o comitê de ingresso para o doutorado em psicologia clínica, que era bem competitivo, aceitava mais pessoas do que pretendia manter em seu quadro. Ouvimos explicitamente: "Olhem à sua volta. Muitos de vocês não vão chegar ao fim." Todos os anos havia provas para eliminar os alunos com baixo desempenho.

Mesmo se saindo bem naquelas provas, Pauline continuava se sentindo na berlinda, certa de que seria a próxima alma desafortunada expulsa do curso.

Embora os detalhes da história de Pauline sejam exclusivamente dela, a sensação geral de que não pertencemos a determinado lugar – de que enganamos as pessoas para nos acharem mais competentes e talentosos do que realmente somos – não é tão incomum. A maioria de nós já a experimentou, pelo menos até certo ponto. Não é o simples medo do palco ou a ansiedade antes de uma apresentação. É a crença profunda e às vezes paralisante de que nos deram algo que não conquistamos nem merecemos e que em determinado momento seremos desmascarados. Os psicólogos referem-se a isso como a *síndrome do impostor, o fenômeno do impostor, temores de impostor* ou mesmo *impostorismo*.

Se a presença requer que estejamos totalmente sintonizados com nossos sentimentos, crenças, habilidades e valores mais verdadeiros, certamente não podemos estar presentes quando nos sentimos uma fraude. Pelo contrário, nos tornamos contraditórios, estressados, não convencemos. E, assim como a presença é autorreforçadora, sentir-se uma fraude também é.

A síndrome do impostor nos leva a analisar demais e a hesitar. Faz com que nos fixemos em como achamos que os outros estão nos julgando e depois nos fixemos um pouco mais em como esses julgamentos poderiam envenenar nossas interações. Ficamos dispersos, acreditando que não nos preparamos direito, obcecados com o que *deveríamos* estar fazendo, analisando mentalmente o que dissemos cinco segundos antes, preocupados com o que as pessoas pensam de nós e o que isso significará para nós amanhã.

A síndrome do impostor rouba nosso poder e sufoca nossa presença. Se nem *você* acredita que deveria estar aqui, como convencerá qualquer outra pessoa disso?

Presença e síndrome do impostor são lados opostos da mesma moeda – e essa moeda somos nós.

Sentindo-se um impostor

Apesar de sua insegurança, Pauline perseverou e completou seu doutorado. Na verdade, devido ao ótimo desempenho, depois de obter o título ela recebeu uma oferta para ingressar no corpo docente da Oberlin College, renomada faculdade de artes liberais de Ohio.

Na Oberlin, Pauline passava metade do tempo lecionando no departamento de psicologia e metade trabalhando no centro de orientação psicológica.

– Quando eu orientava – recordou ela –, via aquelas pessoas que haviam frequentado as melhores faculdades, que tinham pais altamente instruídos e resultados excelentes nos testes de nivelamento de turmas, além de boas notas e cartas de recomendação. Mas ali estavam elas dizendo coisas do tipo "Tenho medo de falhar nessa prova"; "De algum modo, o comitê de admissão cometeu um erro"; "Foi só porque meu professor de inglês escreveu uma carta de recomendação fantástica"; "Sou um erro da Oberlin". Elas estavam menosprezando tudo que já haviam feito.

Pauline descreveu uma conversa particularmente memorável com uma aluna chamada Lisa, que tinha planejado fazer um curso avançado e naquele momento estava hesitando.

— Não vou fazer o curso avançado — anunciou a moça.

Pauline ficou surpresa. Lisa era uma aluna muito boa. Por que havia mudado de ideia?, quis saber Pauline. De que tinha medo?

Lisa prosseguiu:

— Eles vão descobrir *de fato* que não mereço estar aqui.

O medo soou familiar a Pauline, mas Lisa e seus colegas eram excepcionais. Como podiam sentir-se daquela forma? Estava claro que, por algum motivo, tinham visões distorcidas de si. Na verdade, observou, aquela sensação parecia predominar entre mulheres com alto desempenho: apesar de suas conquistas externas, elas temiam estar enganando as pessoas. Acreditavam que suas realizações fossem atribuíveis não às próprias habilidades, mas à sorte ou a "habilidades interpessoais". Cada um daqueles estudantes excelentes sentia *não merecer estar ali*. E cada um sentia-se solitário em sua experiência.

Pauline se perguntou se aquela ansiedade específica poderia ser compartilhada por outros. Será que ela e o punhado de alunos que aconselhara seriam os únicos a sofrer daquilo? Era algo que dava para ser medido?

Ela decidiu direcionar sua pesquisa para encontrar respostas a tais perguntas. Pauline e uma colaboradora, Suzanne Imes, começaram a investigar sistematicamente o que então denominavam *fenômeno do impostor*, que definiram como "uma experiência interior de falsidade intelectual"[1] na qual mulheres temem que desmascarem o que acreditam serem suas verdadeiras habilidades (ou a ausência delas). Como disse Natalie Portman — vencedora do Oscar e graduada pela Universidade Harvard — durante seu discurso para a turma de formandos de 2015:

— Hoje me sinto quase como no dia em que entrei para Harvard em 1999. Eu achava que tinha havido algum erro, que eu não era suficientemente inteligente para estar aqui e que toda vez que eu abrisse minha boca teria de provar que não era apenas uma atriz burra.[2]

Pauline, com ajuda da matemática Nancy Zumoff, desenvolveu uma escala para medir o grau de sofrimento com a síndrome do impostor. Ao aplicá-la, pede-se aos entrevistados que avaliem como verdadeira ou falsa uma série de afirmações tais como:

Temo que pessoas importantes para mim descubram que não sou tão capaz quanto pensam que sou.

Às vezes sinto ou acredito que meu sucesso na vida ou no meu emprego foi resultado de algum tipo de erro.

Quando tenho sucesso em algo e minha realização é reconhecida, fico em dúvida se conseguirei repetir aquele sucesso.

Frequentemente comparo minha habilidade com as daqueles à minha volta e acho que eles podem ser mais inteligentes do que eu.

Se recebo uma grande quantidade de elogios e reconhecimento por algo que realizei, tendo a desconsiderar a importância do que fiz.[3]

Em 1978, Pauline e Suzanne publicaram o primeiro artigo acadêmico sobre o fenômeno do impostor. Nele descreviam o conceito geral da síndrome, enfocando as experiências de mulheres que pareciam estar sofrendo desse fenômeno, e discutiam tratamentos possíveis. O fenômeno do impostor era visto na época como um problema de saúde mental, uma neurose "particularmente preponderante e intensa entre uma amostra seleta de mulheres de alto desempenho".[4] As voluntárias naquele primeiro estudo foram 178 mulheres bem-sucedidas, inclusive estudantes universitárias e candidatas a doutorado, além de mulheres de uma série de profissões, como advogadas, médicas e professoras universitárias. A maioria era constituída de brancas, de classe média para alta, com idades entre 20 e 45 anos. Como dizem Clance e Imes no artigo:

> Apesar de realizações acadêmicas e profissionais excelentes, as mulheres que experimentam o fenômeno do impostor persistem em acreditar que não são realmente brilhantes e que enganaram todos que pensam diferente. Numerosas realizações, que deveriam fornecer amplos indícios objetivos de desempenho intelectual superior, parecem não afetar essa crença.[5]

Isso é bem maior do que pensávamos...

Pauline e muitos outros que estudaram a síndrome do impostor de início acreditavam que o distúrbio era exclusivo de mulheres de alto desempenho, considerando que, "já que o sucesso das mulheres é contraindicado pelas expectativas sociais e pelas próprias autoavaliações internalizadas, não surpreende que mulheres em nossa amostra precisem achar uma explicação para suas realizações além da própria inteligência".[6] Mas não demorou muito para Pauline começar a se perguntar se a síndrome do impostor poderia ser mais generalizada. "Depois das palestras", relatou ela durante nossa conversa, "homens costumavam me abordar e dizer: 'Sabe, eu também me sinto assim.' Em 1985, concluí que era uma questão também enfrentada pelos homens. E [em minha atividade clínica] certamente tenho lidado com homens que a experimentam dolorosamente."

Nos últimos anos, tem crescido o interesse popular pela síndrome do impostor. Ela é citada no mundo empresarial por líderes como Sheryl Sandberg, diretora do Facebook, e publicações como *Slate* e *Fast Company*. Mas é mais frequente no contexto do autoaperfeiçoamento feminino: o que as mulheres podem fazer para conquistar suas maiores ambições? Afora o machismo bem documentado,[7] quais outros fatores podem intimidá-las? Eu também acreditava que se tratava de um problema feminino – e então, depois que minha palestra no TED foi postada na internet, comecei a receber e-mails sobre a síndrome do impostor, e montes deles vinham de homens. Na verdade, dos milhares de e-mails que recebi, cerca de metade daqueles com relatos sobre sentir-se uma fraude vinha do público masculino.

Pauline e outros pesquisadores logo descobriram a mesma coisa: mulheres e homens vinham experimentando a síndrome com a mesma intensidade.[8]

Por que, então, de início pareceu um problema exclusivamente feminino?

Primeiro, algumas pessoas têm dificuldade em reconhecer o problema em si mesmas, algo que Pauline e Suzanne notaram desde o princípio. Posteriormente outros estudos produziram descobertas semelhantes. Talvez os homens investigados nos estudos não estivessem identificando seus sentimentos de forma tão clara quanto as mulheres.[9]

Mas havia uma possibilidade mais preocupante e provável.

– Nos atendimentos clínicos, não era tão comum homens falarem sobre o problema – explicou Pauline. – Mas quando [a pesquisa] foi anônima, os homens se expressaram no mesmo grau que as mulheres. Eles não discutiam o problema com seus amigos ou com membros da família, tampouco buscavam apoio emocional, porque tinham vergonha.

Homens que divergem do estereótipo do assertivo forte – em outras palavras, homens capazes de expressar insegurança – arriscam-se a experimentar o que os psicólogos denominam "reação do estereótipo": punição, geralmente em forma de assédio ou mesmo ostracismo, por não corresponderem às expectativas sociais.[10] (A reação do estereótipo não se limita aos homens – pode ocorrer com todos que divirjam de estereótipos culturalmente prescritos sobre raça, gênero e diversas outras "categorias" sociais às quais pertencem. Por exemplo, as mulheres costumam experimentar a reação do estereótipo no local de trabalho por serem "masculinas demais".[11]) Embora os homens experimentem a síndrome do impostor no mesmo grau que as mulheres, podem até ser mais oprimidos por ela por não conseguirem admiti-la. Eles a carregam silenciosa, secreta e dolorosamente.

Portanto, a síndrome do impostor aflige igualmente homens e mulheres. Mas será limitada a certas categorias – profissionais, raciais, culturais? Após o trabalho pioneiro de Pauline e Suzanne, as décadas seguintes de pesquisas forneceram uma resposta clara. Pesquisadores detectaram a síndrome em dezenas de grupos demográficos, como professores, contadores, médicos, enfermeiros, estudantes de engenharia, de odontologia, de medicina, de enfermagem, de farmácia, de direito, doutorandos, empresários cursando graduação, alunos do ensino médio, pessoas novatas em internet, afro-americanos, coreanos, japoneses, canadenses, adolescentes problemáticos, adolescentes "normais", pré-adolescentes, idosos, filhos adultos de alcoólatras, filhos adultos de pessoas altamente bem-sucedidas, pessoas com distúrbios alimentares, pessoas sem distúrbios alimentares, pessoas que sofreram fracassos recentes, pessoas que vivenciaram sucesso recente... e assim por diante.[12]

Em 1985, Pauline e uma colaboradora, Gail Matthews, publicaram uma pesquisa sobre seus clientes de psicologia clínica na qual observavam que entre 41 homens e mulheres, cerca de 70% haviam sofrido da síndrome do impostor.[13] Ao menos dois terços dos estudantes da Harvard Business School experimentam a síndrome[14] – e mais de 60% dos estudantes da HBS são homens.

Quando eu me preparava para deixar nossa reunião, Pauline disse:

– Mais uma coisa: se pudesse começar tudo de novo, eu a chamaria de experiência do impostor, porque não é uma síndrome, ou um complexo, ou uma doença mental. É algo que quase todos experimentam.

Dada a prevalência da síndrome do impostor, é impossível identificar a causa principal de cada caso. No jargão das ciências sociais, parece que ela é *superdeterminada* – o que significa que existem tantas variáveis possíveis que ninguém consegue descobrir qual delas é determinante. Experiências da infância remota foram associadas à síndrome do impostor, mas também foram associadas a ela a dinâmica familiar, as expectativas sociais, os preconceitos, a personalidade e as experiências na escola e no local de trabalho.[15]

Isso não quer dizer que algumas pessoas não sejam mais suscetíveis do que outras. Descobriu-se que certos traços e experiências andam de mãos dadas com a síndrome do impostor.[16] Os níveis de perfeccionismo e ansiedade de desempenho são altos entre as vítimas da síndrome do impostor, bem como a baixa autoaceitação e a pouca noção de domínio sobre o ambiente. O alto neuroticismo também foi associado à síndrome do impostor, juntamente com a baixa autoestima e a introversão. Mas um dos fatores predominantes é o medo do fracasso, que foi citado como o problema básico em muitos estudos.[17]

Quem teme mais o fracasso? Pessoas que conquistaram alguma coisa – pessoas que comprovadamente estão *longe* de se apresentar como fraudes.

Um dia recebi este e-mail de um homem chamado David, que trabalha como gestor numa universidade:

> Tenho sofrido da síndrome do impostor desde a faculdade. É como se o mundo vivesse me dizendo que eu era um 90 quando eu sabia que não passava de um 50. Por exemplo, tenho um monte de prêmios de excelência na minha escrivaninha. E sempre que ganhava mais um eu pensava: "Ai, droga! Agora eles pensam que sou um 92! Vão ficar muito chateados quando descobrirem que sou apenas um 50." Os prêmios não melhoraram meu conceito sobre mim mesmo, só fizeram exacerbar a disparidade entre o que "eles" pensam e o que eu sinto.

Como é possível? Suas realizações concretas – a conquista de prêmios de excelência, a obtenção de diplomas avançados, a conquista de um emprego desejável – não deveriam ter "curado" a síndrome do impostor de David? A certa altura, depois de conquistarmos coisas excepcionais, não deveríamos ser capazes de escapar dessa sensação? Como é possível que pessoas como Denzel Washington, Tina Fey, Maya Angelou e Mahatma Gandhi podem ter sofrido de temores do impostor?

Neil Gaiman escreveu numerosos romances, *graphic novels* e contos de sucesso, entre os quais *Sandman, Coraline, Os filhos de Anansi, Deuses americanos* e *O oceano no fim do caminho*, além de mais de uma dezena de roteiros para o cinema e a televisão. Ele conquistou prêmios literários importantes e foi o primeiro escritor a receber as medalhas Newbery e Carnegie pelo mesmo livro (*O livro do cemitério*). Segundo praticamente qualquer indicador profissional imaginável, Neil é *espetacularmente* bem-sucedido.

No entanto, é notório o seu sofrimento por sentir-se uma fraude. Na verdade, a Wikipedia lista Neil como uma dentre seis pessoas famosas que discutiram publicamente suas batalhas contra a síndrome do impostor. Sua situação com certeza dá credibilidade à ideia de que ninguém está imune. Perguntei-lhe se estaria disposto a conversar comigo a respeito disso e ele gentilmente concordou.

Neil Gaiman tem olhos tristes, um punhado de cabelos castanhos e grisalhos encaracolados e o tipo de voz com sotaque britânico delicado que você gostaria de ouvir antes de dormir. Mesmo na conversa informal, é um contador de histórias – não no sentido de que inventa coisas, mas de que evoca as próprias lembranças na forma de narrativas. Quando faz uma pausa, isso não causa desconforto e não parece roteirizado – isso lhe assegura que ele se importa com o que está dizendo. No momento em que conversa com você, ele está presente.

Sobre a fase anterior à publicação de seus dois primeiros livros, Neil contou:

> Eu estava fingindo totalmente, porque as pessoas me davam dinheiro para escrever livros e não havia garantia de que eu de fato entregaria algo publicável. Para ser sincero, eu não sabia o que estava fazendo. [...] Durante aqueles primeiros 18 meses, se alguém tivesse surgido e me dito "O senhor é uma fraude", eu teria respondido: "Sim, tem razão."

Então ele virou um escritor publicado, atraindo atenção (o sonho de qualquer escritor), "com renda suficiente" para se sustentar. Logo estava na lista dos mais vendidos e ganhando prêmios literários importantes. Era convidado a assistir a filmes de graça, como crítico de cinema, sendo pago para fazer exatamente o que queria, em vez de acordar de manhã sabendo que precisava se levantar para trabalhar. Para ele, aquilo era muito estranho e incomum. Observei que, tal como convém a um autodenominado "impostor", Neil tinha dificuldade até de descrever a experiência de ganhar dinheiro, reconhecimento e elogios. Contou sua história num tom acelerado, com um riso constrangido.

A respeito daquela primeira década, Neil disse o seguinte:

Eu tinha essa fantasia recorrente de que alguém batia na porta, eu descia e havia uma pessoa trajando terno – não um terno caro, apenas o tipo de paletó que mostrava que a pessoa tinha um emprego – e segurando uma prancheta com um papel. Eu abria a porta e ele dizia: "Oi, desculpe, mas estou aqui em missão oficial. Você é Neil Gaiman?" E eu respondia que sim. "Bem, está escrito aqui que você é escritor e que não precisa acordar em determinado horário da manhã, que apenas escreve diariamente quanto desejar." E eu respondia: "Está certo." "E que *gosta* de escrever. E diz aqui que todos os livros que você deseja lhe são enviados sem que precise comprá-los. E sobre filmes: diz aqui que você pode assistir a todos os filmes. Se quiser vê-los, é só ligar para a pessoa que os faz." Eu voltava a falar: "Sim, está certo." "E que as pessoas gostam do que você faz e lhe dão dinheiro só para escrever coisas." E eu confirmava mais uma vez. E ele dizia: "Bem, temo que o desmascaramos. Agora você não escapa. Sinto muito, mas vai ter que ir à luta e conseguir um emprego de verdade." A essa altura da fantasia eu sentia um aperto no peito, dizia "Ok" e aí ia comprar um terno barato e começava a me candidatar a empregos de verdade. Porque, uma vez que eles o desmascaram, não dá para contestar. Então era isso que se passava na minha cabeça.

A síndrome do impostor acaba com nossa capacidade de nos sentir à vontade com as coisas nas quais somos exímios, particularmente quando estamos sendo remunerados por elas. Uns três anos atrás, ao levar meu filho Jonah, então com 9 anos, de carro para o colégio, tivemos a seguinte conversa (eu a anotei, como os pais costumam fazer quando as crianças dizem algo especialmente sábio):

Jonah: Você é a pessoa mais sortuda do mundo.
Eu: Por que você diz isso?

Jonah: Porque você é paga para fazer exatamente o que estaria fazendo se não estivesse sendo paga.
Eu: Como assim?
Jonah: Você analisa por que as pessoas fazem o que fazem e depois usa o que aprende para tentar ajudá-las a serem melhores.

E meu primeiro pensamento – do qual recordo tão bem não por tê-lo anotado, mas porque foi simplesmente visceral – foi este: "Uau. Ele está certo. *Não* dá para manter essa situação. Logo eles irão me desmascarar." Aquilo me encheu de pavor.

Neil sentia que o homem com a prancheta chegaria a qualquer momento para levar sua identidade – uma sensação intensificada pelo fato de que Neil gostava do que estava fazendo. Pensamos: "Há algo errado aqui, porque não é possível que eu goste do que estou fazendo *e* seja recompensado por isso." Como reação, costumamos desprezar o que fazemos – não é realmente valioso – ou rejeitar os motivos pelos quais somos capazes de fazê-lo: somos fraudes que conseguiram escapar do radar e não merecemos nosso destino afortunado.

E, assim como subestimamos nossos sucessos, exageramos nossos fracassos. Uma decepção nos dá todos os sinais necessários para reforçar nossa crença de que somos impostores. Presumimos que uma nota baixa isolada numa prova reflita nossa ausência geral de inteligência e habilidade.[18] Exageramos na generalização porque nos agarramos a qualquer coisa que reforce nosso conhecimento secreto de que somos indignos. Se temos sucesso, foi sorte. Se fracassamos, somos incompetentes. É um jeito bem complicado de viver.

Eis a ironia cruel: realizações não eliminam os temores de impostor. Na verdade, o sucesso pode até agravá-los. Não conseguimos conciliar uma visão sublime de nós mesmos quando carregamos uma noção secreta de que não merecemos os louros. O sucesso mundano nos apresenta a outros que nos apresentarão um padrão impossível de alcançar, revelando assim nossos verdadeiros eus fracos e incompetentes. As realizações nos mostram situações e oportunidades que só fazem exacerbar os temores de impostor, já que cada situação inédita é um novo campo de provas.

Aprisionado pelo impostor

Obter um Ph.D. em física num dos cursos de ciência mais competitivos e difíceis do mundo não foi suficiente para fazer Elena acreditar no próprio valor.[19] Ela era, em suas próprias palavras, "uma hispânica pobre de South Bronx, filha de pais trabalhadores, porém pouco instruídos". Foi difícil para Elena lidar com sua admissão numa universidade de elite. Ela temia que tivessem precisado preencher a cota de minorias e estava apavorada e intimidada com a perspectiva de ir para lá. Mas, corajosamente, ela foi. Logo seus temores e dúvidas foram agravados por outros obstáculos. Em suas palavras:

> Nunca esquecerei o dia em que aquele professor me disse claramente que eu não era bem-vinda por causa de minha posição social e que eu deveria cogitar sair. Eu me formei, mas com um golpe fatal na minha autoestima. Prossegui para obter meu Ph.D. e fui aceita em outra universidade por um professor de renome que alegou estar "me fazendo um favor" ao permitir que eu realizasse pesquisas de pós-doutorado e lecionasse para sua turma de física avançada. Morri de medo de que os alunos descobrissem que eu era uma fraude, mas fui em frente.

Embora Elena conduzisse a pesquisa e lecionasse com extrema competência, no final, explicou ela, o professor lhe informara que "só queria que eu fizesse companhia à esposa dele" e realizasse o trabalho de física no laboratório. Ele alertou Elena de que ela provavelmente fracassaria.

> Isso foi há mais de 30 anos, e somente agora percebo que minha vida poderia ter tomado um rumo bastante diferente. Abandonei o mundo da física totalmente desmoralizada. Nunca me fixei numa carreira, embora saiba que possuo talento para tal.

Quando nos sentimos impostores, não atribuímos nossas realizações a algo interior e constante, como talento ou habilidade. Em vez disso, atribuímos a algo além do nosso controle, como sorte.[20] Em vez de reconhecermos nosso sucesso, distanciamo-nos dele. Negamos a nós mesmos exatamente o apoio do qual necessitamos para prosperar. A história de Elena é um lembrete comovente de quão vulneráveis ficamos quando nos tornamos vítimas da experiência do impostor. Duvidando do próprio valor, ela prontamente internalizava as vozes daqueles que duvidavam dela.

Pesquisas identificaram muitos dos comportamentos autoderrotistas nos "impostores"; por exemplo, eles esperam se dar mal em provas, mesmo com um histórico de bom desempenho, e superestimam o número de erros cometidos quando concluem uma avaliação.[21] Esses comportamentos reforçam a ideia de que não somos tão exímios, tão inteligentes, tão talentosos ou capazes como o mundo pensa que somos. Fazem com que nos critiquemos implacavelmente, percamos tempo, soframos bloqueio nos piores momentos possíveis, paremos de lutar – assegurando assim praticamente que nos daremos mal justo naquilo que fazemos de melhor e de que mais gostamos. Em sua forma mais extrema, a síndrome do impostor pode se tornar um caminho autopavimentado para o fracasso.[22]

Os professores de Elena falharam com ela. Eles alimentaram seus piores temores sobre si em vez de estimular seus pontos fortes. Inevitavelmente, existem pessoas por aí que nos negarão sua aprovação, afirmarão sua superioridade em relação a nós e até tentarão nos diminuir ativamente, e temos de nos proteger dessas vozes negativas. Mas com frequência projetamos críticas e julgamentos onde não existem, o que também pode prejudicar nosso desempenho. Enquanto nos preocupamos com o que imaginamos que outras pessoas estão pensando, não ouvimos quando elas expõem o que *realmente* pensam. E, se não conseguimos dar ouvidos a elas, não conseguimos reagir com eficácia.

A experiência do impostor nos impede de reagir no momento – impede-nos de reagir ao mundo como ele realmente é. Pelo contrário, ficamos hipervigilantes atrás de pistas de que estamos prestes a ser desmascarados. Examinamos a dinâmica de todas as situações sociais lutando para decifrar como as pessoas nos veem e nos julgam, depois tentamos adaptar nosso comportamento de forma correspondente. Com tudo isso ocorrendo, por acaso é surpresa que não estejamos mais conectados com o que pensamos, valorizamos ou sentimos?

Pesquisas mostram que, em situações de alta pressão, quando nos perturbamos com pensamentos sobre os possíveis resultados de nosso desempenho, nossas habilidades ficam visivelmente reduzidas. Quando nos monitoramos de forma explícita, segundo após segundo, qualquer tarefa que requeira memória e atenção concentrada será prejudicada.[23] Não temos capacidade intelectual suficiente para atingir nosso melhor desempenho e, ao mesmo tempo, criticá-lo. Em vez disso, somos arrebatados por um circuito maligno de tentar prever, interpretar e reinterpretar como as outras pessoas estão nos julgando, o que nos impede de observar e interpretar o que realmente está ocorrendo. Essa dinâmica, que os psicólogos denominam *automonitoramento*, é bem mais forte em pessoas que sofrem de temores de impostor. Ela nos retira de nós mesmos. Obstrui nossa presença.

Temores de que seremos desmascarados como fraudes podem nos derrotar mesmo antes de começarmos qualquer coisa. Jessica Collett, professora de sociologia da Universidade de Notre Dame, interessou-se em estudar os efeitos da síndrome do impostor nas ambições profissionais e acadêmicas. Em especial, ela e sua colaboradora, Jade Avelis, quiseram saber se os temores de impostor eram uma causa da redução das ambições profissionais. Elas pesquisaram a trajetória de centenas de doutorandos, a maioria em campos científicos, investigando se haviam mudado seus objetivos de se tornar pesquisadores e professores titulares para cargos menos competitivos na área de ensino ou administrativa.

– Vimos que os impostores estão super-representados no grupo que cogitava seriamente em mudar e entre aqueles que de fato mudaram – disse Collett.

Eu mesma fui uma impostora

Além de estudar a síndrome do impostor, eu a vivenciei. E não apenas a vivenciei, mas a *habitei*. Era como uma casinha onde eu morava. Claro que ninguém mais sabia que eu estava ali. Era meu segredo. Quase sempre é. É assim que a síndrome do impostor adquire tamanho domínio: ela o induz a ficar calado. Se você não conta a ninguém sobre seus sentimentos, as pessoas ficam menos propensas a pensar: "Hum, talvez ela realmente *não* mereça estar aqui." Você não vai ficar dando ideias para elas, certo?

Em minha palestra no TED em 2012, contei uma história sobre minhas experiências como impostora. Após a lesão cerebral, por várias vezes tentei voltar à faculdade, apenas para sair logo em seguida porque não conseguia processar as informações. Não há sensação pior do que perder parte de sua identidade. Você pode perder qualquer outra coisa e continuar sentindo parte de seu antigo poder. Mas eu perdera minha capacidade de pensar – uma parte bem importante de mim – e me sentia totalmente impotente.

Eu reagi – devagar – e por fim consegui concluir a faculdade e persuadir alguém a me aceitar como estudante de pós-graduação em Princeton. Mas, por anos, fui assolada pelos temores de impostor. Cada realização aumentava ainda mais meu medo enquanto a mínima falha confirmava minha crença de que eu estava deslocada. "Eu não deveria estar aqui" era uma frase que passava repetidamente pela minha cabeça.

Durante o primeiro ano na pós-graduação, todo aluno de doutorado no departamento de psicologia deveria ministrar uma palestra de 20 minutos a um grupo de umas 20 pessoas. Na noite anterior à palestra, eu estava tão dominada pelo medo que informei à minha orientadora que iria abandonar o curso – só para não ter de dar a palestra.

– Não, você não vai abandonar – disse ela. – Você vai fazer sua palestra. E continue agindo assim, ainda que precise fingir, até surgir o momento em que você vai perceber que é capaz.

Minha palestra no dia seguinte não foi exatamente um sucesso. Acho que não movi nenhuma parte do corpo a não ser a boca. Sentia que ia ter um branco a qualquer momento. E o que eu mais desejava era que aquilo terminasse. No final, quando alguém levantou a mão para fazer uma pergunta, achei que fosse desmaiar. Mas sobrevivi, e parece que meu público não achou a palestra tão ruim quanto eu imaginara. Então continuei a dar palestras – praticamente todas que fui convidada a fazer. Cheguei a convidar a mim mesma a ministrar palestras. Tudo para conseguir mais prática.

Foi necessário certo tempo, mas depois da pós-graduação em Princeton, de um ano lecionando psicologia em Rutgers, de dois anos lecionando na Kellogg School of Management na Northwestern e de um ano em Harvard – um lugar onde alguém como eu definitivamente não deveria estar –, vi que minha orientadora estava certa: percebi que eu era capaz.

Eis como esse momento chegou: uma aluna minha em Harvard, uma mulher que mal proferira uma palavra durante todo o semestre, veio ao meu gabinete antes da aula final. Eu havia lhe mandado um bilhete informando que ela ainda não tinha participado de nada e que aquela era sua última chance. Ela parou na minha frente numa postura totalmente derrotada e, após um longo silêncio, enfim disse:

– Eu não deveria estar aqui. – E quase chorou ao dizer isso.

Contou-me sobre seu histórico – tinha vindo de uma cidade pequena, não era de família abastada, sentia-se uma forasteira e achava que sua aprovação fora um erro do processo de admissão.

Ela se parecia com o que eu fui no passado.

E naquele momento me ocorreu: *Eu deixei de me sentir assim. Não sou uma farsante. Não serei desmascarada.* Mas eu só percebi que aqueles velhos sentimentos ruins haviam ido embora depois de ouvir as palavras da minha aluna.

Meu pensamento seguinte foi: *Ela tampouco é uma impostora. Ela merece estar aqui.*

Quando dei a palestra no TED, jamais teria adivinhado que minha história sobre a síndrome do impostor repercutiria em tantos ouvintes. Na verdade, quase a omiti totalmente da palestra, achando que estava muito distante do tema principal – e que era pessoal demais.

Assim que desci do palco, no entanto, vários desconhecidos se aproximaram e me abraçaram – a maioria com lágrimas nos olhos. De uma forma ou de outra, todos disseram a mesma coisa: "Senti como se você estivesse contando minha história." Um homem bem trajado, provavelmente de 50 e poucos anos, disse: "Sou um empresário bem-sucedido de acordo com os padrões convencionais e sei que você jamais perceberá ao olhar para mim, mas me sinto um impostor todos os dias quando entro no meu escritório." Eu não poderia ter imaginado que ouviria as mesmas palavras de milhares de outras pessoas, em e-mails que recebo até hoje, todas contando uma história sobre se sentir um farsante.

Minha formação me tornou uma pesquisadora de preconceitos. Minha dissertação em psicologia social abordou como os estereótipos prognosticam padrões singulares de discriminação. Sempre me preocupei com as pessoas que se sentem marginalizadas. Como podemos melhorar as coisas para elas? O preconceito, infelizmente, não desaparecerá da noite para o dia. Esse não é um pretexto para ignorar o problema, é claro, mas não iremos eliminá-lo amanhã. Leciono pesquisa psicológica sobre machismo e racismo, mas tenho poucas novidades para compartilhar a respeito de soluções.

Continuo estudando ativamente as origens e os efeitos do preconceito, mas agora mais da metade das minhas pesquisas se concentra na identificação de mini-intervenções cientificamente fundamentadas – coisas que as pessoas podem fazer para se saírem bem, mesmo enfrentando julgamentos negativos e preconceitos. Inclusive quando os julgamentos negativos e preconceitos vêm de si mesmas.

Podemos romper com nossos eus impostores?

Passei grande parte de minha vida convencida de que estou deslocada, sou sortuda ou uma fraude. Nunca, jamais me ocorreu que outras pessoas se sentissem assim.
– Chris, uma executiva bem-sucedida de 40 anos

Em 2011, a musicista e escritora Amanda Palmer (que também é esposa de Neil Gaiman) proferiu um discurso para os formandos do New England Institute of Art (NEIA) em Brookline, Massachusetts.

– Ela falou sobre a polícia da fraude – recordou Neil – e de como temia que os fiscais da fraude aparecessem. E pediu às pessoas que levantassem as mãos caso também temessem os fiscais da fraude. Olhei ao redor, para todas aquelas mãos levantadas, talvez umas mil, e pensei: "Ai, meu Deus, é... todo mundo."

Quando analiso as pesquisas e converso com pessoas como Pauline e Neil, que vivenciaram os mesmos temores, vejo a característica da síndrome do impostor que se destaca das demais: ela faz com que nos sintamos *solitários* na experiência, e, mesmo ao sabermos que outras pessoas têm temores semelhantes, não nos animamos. Pelo contrário, dizemos: "Ótimo, só que seu medo é infundado, enquanto eu sou *mesmo* uma fraude." Pauline enxergava o fato de não ter vindo de uma família ilustre e a ausência de cartas de recomendação entusiasmadas como provas de seu desmerecimento. Enquanto isso, para ela, os temores de impostor dos outros eram distorções. Em sua cabeça, Neil não tinha o tipo de experiência literária certa – nem sequer havia cursado uma faculdade. Mas os graduados pelo NEIA eram estudantes de grande talento que haviam mostrado sua capacidade.

Assim, se a maioria de nós anda por aí se sentindo um impostor, como é possível que nenhum de nós saiba disso? É porque temos vergonha e medo de conversar a respeito. Elena, que abandonou sua carreira de cientista apesar do Ph.D. em física numa das universidades mais concorridas do mundo, escreveu: "Ninguém, nem mesmo meu marido, entende a dolorosa perda que vivenciei durante a faculdade, passando de aluna destacada a 'fracasso'."

Se todos soubéssemos quantas pessoas se sentem impostoras, teríamos de concluir que (1) somos *todos* impostores e não sabemos o que estamos fazendo ou (2) nossas autoavaliações estão equivocadas. Emocionalmente, carregar esses temores secretos achando que ninguém mais sente o mesmo apenas nos oprime ainda mais. Sentir-se isolado é, para a maioria de nós, pior do que sentir-se molestado.[24] Na verdade, sentir-se isolado ativa as mesmas regiões do cérebro que a dor física.[25]

Dado que todos parecem sentir o mesmo, haverá esperança de que alguém consiga escapar inteiramente das garras dos temores de impostor? Neil disse que sim. Ele lembra o momento em que parou de alimentar a fantasia do homem com a prancheta batendo à sua porta. Foi quando ganhou a Medalha Newbery, perguntei, ou alguma das outras distinções que lhe foram concedidas? Não, respondeu ele, e me contou isto:

> Meu amigo Gene Wolfe realmente me ajudou. Eu estava escrevendo um livro chamado *Deuses americanos*. Era um grande livro de síndrome do impostor, porque era um inglês querendo escrever aquele livro imenso sobre os Estados Unidos e falar sobre deuses, religiões e formas de enxergar o mundo. Depois de 18 meses, terminei a obra. E fiquei muito satisfeito. Aí fui correndo até Gene e disse – e lembre-se de que aquele era meu terceiro ou quarto romance: "Terminei a versão preliminar do meu livro *Deuses americanos* e acho que descobri como escrever um romance." Gene olhou para mim com infinita compaixão e sabedoria nos olhos e disse: "Neil, você nunca descobre como se escreve um romance. Você apenas aprende como escrever o romance no qual está trabalhando no momento."

Você nunca descobre como se escreve um romance. Você apenas aprende como escrever o romance no qual está trabalhando no momento. Talvez essa seja uma verdade crucial sobre a síndrome do impostor. A maioria de nós provavelmente jamais vai se livrar por completo dos temores de ser uma fraude. Nós simplesmente os enfrentaremos à medida que surgirem, um por um. Assim como não posso prometer que aprender sobre presença lhe proporcionará uma vida de mestre zen no "eterno agora", também não posso dizer que você em breve se livrará para sempre de suas ansiedades de impostor.

Situações novas podem atiçar velhos temores. Sensações futuras de inadequação podem redespertar ansiedades há muito esquecidas. Mas quanto mais conscientes estivermos de nossas ansiedades, mais falaremos a respeito delas,[26] e quanto mais perspicazes formos sobre seu funcionamento, mais fácil será nos livrar delas na próxima vez que surgirem. Esse é um jogo que podemos vencer.

5

Como a sensação de impotência reprime o eu (e como o poder o liberta)

O mais poderoso é aquele que tem poder sobre si mesmo.
— SÊNECA (4 a.C.-65 d.C.)

CASSIDY, UMA MULHER QUE TENTA INGRESSAR no setor imobiliário, enviou-me o seguinte e-mail:[1]

> Durante 15 anos, fui campeã universitária e nacional de atletismo, e por toda a minha vida foi assim que me identifiquei. Desde minha formatura na faculdade e meu afastamento dos esportes, no entanto, venho batalhando contra o fato de não poder me considerar mais uma atleta de elite. Passei então a refletir: "Bem, agora que me aposentei e me juntei ao 'mundo real', o que e quem eu sou?"
> Vejo-me embarcando em novas carreiras e logo me desestimulando, sem conseguir me enxergar nesses novos papéis. Sinto que sou inteligente e tenho potencial, mas não existe mais nada em que eu seja *realmente* exímia, em que eu me considere uma expert. Costumo ser consumida por sensações de derrota, ansiedade e insegurança. Minha linguagem corporal é quase cem por cento impotente: curvada sobre a minha escrivaninha. Não tenho confiança. Tenho muito medo de correr os riscos que sei que preciso correr para recuperar a autoconfiança, certa de que falharei, de que serei julgada como incompetente. Assim, evito situações desafiadoras e deixo escaparem oportunidades que me parecem ameaçadoras.

Ouço ou leio histórias de impotência pessoal todos os dias – em e-mails de desconhecidos, em conversas com alunos e durante reuniões com empresários de todos os níveis em diversas companhias. Embora os detalhes variem, a descrição básica costuma ser a mesma: uma mudança é acompanhada por uma perda autoconsciente de poder e força e seguida por sensações de insegurança, ansiedade, desânimo e derrota. Depois vêm as manifestações físicas de impotência juntamente com a perda de confiança e ambição.

Esse estado de desgaste, que pode resultar de um pequeno revés ou das meras mudanças normais da vida pelas quais todos passamos, nos convence de que carecemos de poder para controlar as situações em que nos encontramos. Depois, como disse Cassidy, as oportunidades assumem o aspecto de ameaças a serem evitadas, e o medo reforça ainda mais nossa sensação de impotência, mantendo-nos presos num ciclo exaustivo.

O psicólogo social Dacher Keltner e seus colegas lançaram luz sobre como esse ciclo funciona: de acordo com a proposta deles, o poder ativa um *sistema de abordagem* psicológico e comportamental. Quando nos sentimos poderosos, sentimo-nos livres – no controle, livres de ameaças e em segurança.[2] Como resultado, ficamos mais sintonizados com as oportunidades do que com as ameaças. Sentimo-nos positivos e otimistas e nosso comportamento é muito pouco restringido por pressões sociais.

Por outro lado, a impotência ativa um *sistema de inibição* psicológico e comportamental, o "equivalente a um sistema de alarme contra ameaças".[3] Ficamos mais sintonizados com as ameaças do que com as oportunidades. Sentimo-nos geralmente ansiosos e pessimistas e ficamos suscetíveis a pressões sociais que nos inibem e tornam nosso comportamento não representativo de nossos eus sinceros.

Ao decidir se faremos ou não alguma coisa – como convidar alguém para um encontro romântico, levantar o braço em sala de aula ou mesmo nos oferecer para ajudar alguém que necessite –, concentramo-nos em uma destas duas coisas: nos benefícios possíveis da ação (um namoro novo, nossa expressão pessoal ou a gratificação por ter ajudado alguém) ou nos possíveis custos (levar um fora ou parecer um idiota). Se estamos concentrados nos benefícios potenciais, tendemos a entrar em ação e fazer uma abordagem positiva. Mas, se nos concentramos nos custos potenciais, tendemos a não agir, evitando assim os perigos possíveis.[4]

O poder faz com que nos aproximemos. A impotência faz com que recuemos.

O poder afeta nossos pensamentos, sentimentos, comportamentos e até nossa fisiologia de maneiras fundamentais que facilitam ou obstruem nossa presença, nosso desempenho e o próprio curso de nossas vidas. Quando nos sentimos impotentes, não conseguimos estar presentes. De certa forma, presença é poder – uma forma especial de poder que concedemos a nós mesmos. (Lembre-se da observação de Julianne Moore quando lhe perguntei sobre presença: "É o poder. Trata-se sempre de poder, não é?")

Devemos nos preocupar com a ligação presença-poder? Quer dizer, o poder corrompe, certo?

Talvez, mas o poder também tem a capacidade de libertar. Na verdade, farei uma afirmação ousada: *a impotência é tão passível de nos corromper quanto o poder.*

O importante é compreender como a falta de poder nos distorce e desfigura. Igualmente crítico é saber como a posse de poder – determinado tipo de poder – pode revelar nossos eus mais verdadeiros. Adoro o que Howard Thurman, escritor e líder da luta pelos direitos civis, escreveu sobre o tema: "Existe algo em cada um que aguarda e tenta ouvir o som do que há de genuíno em você. É o único guia verdadeiro que você terá. E, se você não consegue ouvi-lo, passará todos os dias de sua vida na extremidade de cordas manipuladas por outra pessoa."[5]

Você vai manipular suas próprias cordas ou vai deixar que outra pessoa as manipule?

Poder pessoal *versus* poder social

Existem dois tipos de poder que eu gostaria de discutir: poder social e poder pessoal. Eles estão associados, mas também são drasticamente diferentes.

O poder social se caracteriza pela capacidade de exercer domínio, de influenciar ou controlar os comportamentos alheios. Ele é conquistado e expresso por um controle desproporcional de recursos valorizados. Uma pessoa com acesso a recursos de que outras necessitam – comida, abrigo, dinheiro, utensílios, informações, status, atenção, afeto – está numa posição de poder. A lista de coisas que esse tipo de poder consegue conquistar é infinita, mas o poder social em si é um recurso limitado. A tônica é que necessita de certo tipo de controle sobre os outros.[6]

O poder pessoal se caracteriza pela liberdade da dominação pelos outros. Ele é infinito, ao contrário da soma zero – envolve acesso e controle de recursos *interiores* ilimitados, como nossas habilidades e capacidades, nossos valores mais profundos, nossa verdadeira personalidade ou nossos eus mais ousados. O poder pessoal – que não é totalmente diferente do poder social, conforme explicarei adiante – nos deixa mais abertos, otimistas, tolerantes ao risco e, portanto, mais passíveis de perceber e aproveitar as oportunidades.

Em suma, poder social é poder *sobre* [alguma coisa] – a capacidade de controlar os estados e comportamentos alheios. Poder pessoal é poder *para fazer* [alguma coisa] – a capacidade de controlar nossos estados e comportamentos. É o tipo do poder a que se referiu Elie Wiesel, sobrevivente do Holocausto e vencedor do Prêmio Nobel, quando escreveu o seguinte: "Em última análise, o único poder ao qual o homem deve aspirar é aquele que exerce sobre si mesmo."

Num mundo ideal, queremos os dois tipos de poder, mas, como sugere Wiesel, o poder pessoal – estar no comando de nossos recursos interiores mais preciosos e autênticos – é singularmente essencial. Se não nos sentirmos pessoalmente poderosos, não iremos adquirir presença, e todo poder social do mundo não compensará a inexistência desse atributo.

Stefan é um financista de sucesso que exerce grande poder social – ele toma decisões sobre investir ou não em empresas que o procuram em busca de financiamento. Mas isso não lhe garante a mesma medida de poder pessoal.

– Sou bem mais jovem do que a maioria dos CEOs com quem interajo – contou – e, nessas situações, me vejo sem confiança, adotando posturas corporais bem reservadas e submissas, o que é estranho, pois estou numa posição de poder. Sou eu quem dá as ordens. Mas não me sinto integrado ou merecedor do cargo que ocupo. Faz tempo que venho sentindo que minha vida e minha carreira não passaram de uma série de oportunidades casuais aleatórias das quais tive a sorte de me aproveitar.

Assim é o poder social sem poder pessoal. Nada invejável. Por outro lado, se já temos poder pessoal, podemos aumentar nosso poder social sem nos esforçarmos. Como explica Joe Magee, professor da Universidade de Nova York e especialista em poder: "O poder pessoal consiste em ter confiança para agir com base nas próprias crenças, posturas e valores, e ter a sensação de que suas ações serão eficazes." Eficaz, nesse contexto, não significa que sempre obteremos o resultado desejado. Em vez disso, significa que sairemos de cada interação sentindo que representamos plena e exatamente quem somos e o que queremos. Não podemos controlar o resultado porque não podemos controlar as muitas outras variáveis que o determinam, tais como as ações de terceiros. Mas podemos ter certeza de que apresentamos nossos eus mais arrojados e sinceros. Quando fazemos isso, temos mais chances de soar convincentes e até influentes, e de produzir o resultado desejado – poder social – exatamente porque *não* é nisso que estamos focados.

O poder pessoal permite que nos libertemos dos temores e inibições que nos impedem de nos conectar com nós mesmos – com nossas crenças, nossos sentimentos e nossas habilidades. A sensação de impotência enfraquece a capacidade de confiar em nós mesmos. E, se não conseguimos confiar em nós mesmos, não conseguimos inspirar confiança aos outros.

Num mundo ideal, nossa sensação de poder pessoal seria inexpugnável. Numa visão realista, tende a flutuar, especialmente quando o mundo nos maltrata. Como resultado de um golpe em nosso poder social, por exemplo, podemos perder a noção de poder pessoal. Recebi recentemente um e-mail de um estudante universitário do Irã. Orador da turma na festa de formatura e aluno nota 10, aquele jovem foi considerado forte candidato a ir para Harvard ou para o Instituto de Tecnologia de Massachusetts (MIT) no penúltimo ano do ensino médio. Mas não foi o que aconteceu: "Fui rejeitado por ambos", ele escreveu, "o que mudou minha perspectiva geral de poderoso a impotente. E com isso foi-se minha autoconfiança, pois comecei a não me considerar suficientemente inteligente, e também meu orgulho, pois passei a não me achar exímio o bastante. Acabei ficando na minha cidade, numa universidade local. Minhas notas caíram. Perdi meu **senso** de ambição."

Esse é um bom exemplo de quão precário e frágil consegue ser o poder pessoal – mesmo alguém que tenha alcançado certa dose de sucesso pode **ser** derrubado por uns poucos veredictos negativos de completos desconhecidos. E observe o efeito cascata que ocorre em seguida: a perda de poder em uma área da vida mudou toda a orientação daquele jovem em relação ao mundo. Sua noção do próprio potencial foi reduzida, juntamente com sua motivação, sua capacidade de manter os antigos padrões e suas perspectivas, tudo isso porque ele de súbito sentiu-se impotente.

Eis aonde quero chegar: o fato de nos *sentirmos* poderosos ou impotentes tem enormes consequências em nossas vidas. E, como estamos perto de descobrir, essas sensações podem ser desencadeadas bem mais facilmente do que seríamos capazes de imaginar. "O poder transforma a psicologia individual de modo que o poderoso pensa e age de formas que levam à retenção e à aquisição de poder", escreveu Adam Galinsky, professor da Universidade Magee e da Columbia Business School.[7] Junto com Pamela Smith, professora de administração da Rady School of Management da Universidade da Califórnia em San Diego, ele demonstrou que o poder costuma operar no nível inconsciente, o que significa que é capaz de ser ativado sem nosso conhecimento – ligado como um interruptor – e afetar nossos pensamentos, sentimentos e comportamentos de formas que nem sequer percebemos. Essa é uma boa notícia. Significa que não precisamos usar uma coroa para nos sentirmos poderosos nem precisamos planejar e criar estratégias para mobilizar nosso poder a fim de colher seus benefícios.[8]

Recorde um momento em que você se sentiu *pessoalmente* poderoso. Um momento em que se sentiu em pleno controle de seu estado psicológico – quando teve confiança para agir baseado em seu eu mais audacioso e sincero, com a sensação de que suas ações seriam eficazes. Talvez tenha sido no trabalho, na faculdade, em casa ou em algum outro setor de sua vida. Reserve alguns minutos agora mesmo para recordar e refletir sobre aquela experiência de poder pessoal e a sensação que ela trouxe.

Foi agradável, certo? Quer saiba ou não, você acabou de ser *preparado*. Graças a esse pequeno exercício, seu estado psicológico foi, e provavelmente ainda está, infundido de sentimentos de confiança e força. Com a mesma facilidade, eu poderia pedir que você se lembrasse de uma época em que se sentiu impotente e dominado pela tensão, mas claro que não quero deixá-lo para baixo. No entanto, se você tivesse feito isso, também teria mudado seu estado psicológico, ao menos temporariamente, para pior. Essa sensação desagradável de estar à mercê de outra pessoa voltaria a inundar os recessos ocultos de seu cérebro.

Esta é uma das formas através das quais os psicólogos sociais conduzem pesquisas sobre poder: utilizando vários dispositivos e exercícios para fazer seus voluntários se sentirem poderosos ou impotentes. Então, depois que os participantes estão devidamente preparados, o estudo é realizado, de modo a registrar as diferentes maneiras como pessoas poderosas e impotentes reagem.

Pode parecer um truque barato, mas funciona. Um pequeno exercício mental, tal como recordar um momento poderoso ou impotente, analisar brevemente palavras que conotam poder (*controle*, *comando*, *autoridade*) ou a ausência dele (*obedecer*, *submeter-se*, *subordinado*), ou desempenhar temporariamente o papel de chefe ou funcionário, pode fazer uma enorme diferença em nossos estados mental e emocional. Mesmo esses pequenos lembretes podem induzir sentimentos inconscientes genuínos.[9]

Destaco tudo isso para ajudá-lo a entender algumas das pesquisas que irei descrever neste capítulo. Mas também quero mostrar algo importante: a sensação de poder ou a ausência dele é capaz de ser evocada até por pequenas cutucadas numa ou outra direção. Somos seres facilmente manipuláveis. Isso nos deixa vulneráveis, sim, mas também pode nos favorecer, principalmente quando aprendemos a influenciar a nós mesmos.

O paradoxo da impotência

No início deste capítulo conhecemos Cassidy, a ex-campeã de atletismo que relatou a profunda sensação de impotência que vinha sentindo em sua vida. Ansiosa e insegura, ela evitava tentar uma nova carreira com medo de falhar, e temia que o fracasso fizesse com que a julgassem incompetente. Não é de admirar que enxergasse as oportunidades como ameaças. A mesma ameaça existe para todos nós, mas a impotência aumenta a sensação de perigo iminente, desencadeando uma reação em cadeia que, paradoxalmente, nos incapacita ainda mais. Uma sensação amplificada de perigo aumenta nossa ansiedade social de diversas maneiras.

Sentir-se impotente prejudica o pensamento

Você conhece aquela sensação tensa e sufocante que costuma acompanhar a ansiedade social – a sensação de que poderá "dar um branco" ou de que você não está agindo com plena eficiência? Bem, você não está sozinho. Uma teoria é que a ansiedade é causada por uma combinação de como avaliamos um momento crítico – será uma ameaça ou um desafio? – e como depois avaliamos nossa capacidade de encontrar os meios necessários para atender às exigências daquele momento. Quando avaliamos o momento como uma terrível ameaça em vez de um grande desafio, e quando sentimos que não temos acesso aos meios necessários para lidar com a ameaça em questão, nossa ansiedade chega ao ápice.[10] Trata-se da impotência pessoal – a sensação de que não conseguimos acessar nossos recursos mentais quando mais necessitamos deles. Tanto a ansiedade crônica como a aguda prejudicam algumas das funções cognitivas mais importantes, em parte interferindo na atividade do córtex pré-frontal (entre outras áreas), que desempenha um papel essencial em alinhar nossos pensamentos e ações a nossos objetivos e sentimentos internos.[11]

É realmente enlouquecedor: se a raiz de nossa ansiedade está no medo de causar uma impressão ruim, a pior coisa que podemos fazer é desativar justamente as faculdades que nos ajudariam a causar uma boa impressão – as ferramentas que nos permitem entender as outras pessoas com precisão e reagir de maneira apropriada.

Mas é exatamente isso que ocorre quando a sensação de impotência nos domina. A lucidez nos abandona e nosso cérebro torna-se incapaz de atender às exigências de situações complicadas ou tensas. A impotência e a ansiedade resultantes debilitam o que os psicólogos denominam funções executivas – ferramentas cognitivas de ordem superior, como raciocínio, flexibilidade nas tarefas e controle da atenção, todas cruciais para enfrentarmos bem as situações desafiadoras.[12] Com o funcionamento executivo prejudicado, somos menos eficazes na atualização das informações mentais, na inibição de impulsos indesejados e no planejamento de ações. A ansiedade também golpeia a memória operacional – nossa capacidade de recordar informações antigas e simultaneamente receber, integrar e reagir a dados novos –, que depende fortemente de funções executivas.

Vejamos os resultados de uma série de experimentos nos quais os voluntários foram preparados para se sentirem poderosos ou impotentes e depois instruídos a realizar tarefas simples – os tipos de desafios com que você está familiarizado se já visitou sites populares de "treinamento cerebral".[13] Em um estudo, voluntários foram informados de que fariam o papel de superior ou subordinado numa tarefa para duas pessoas usando o computador. Em seguida, antes da execução da tarefa em dupla (que nunca acontecia), ambos trabalharam sozinhos numa tarefa em que viam uma série de letras numa tela e tinham de julgar rapidamente se cada letra era igual à mostrada duas letras antes. Isso media a capacidade cognitiva dos voluntários no quesito "atualização": eles tinham de atualizar constantemente a série de letras que mantinham na cabeça. Os voluntários preparados para se sentirem impotentes cometeram mais erros do que aqueles preparados para se sentirem poderosos.

Num segundo estudo, os voluntários foram expostos a palavras relacionadas ao poder ou à ausência dele. Depois realizaram um dos testes mais populares da psicologia cognitiva, o teste de Stroop. Publicado pela primeira vez por John Ridley Stroop em 1935, esse teste mede essencialmente nossa agilidade cognitiva ao tentarmos bloquear sinais interferentes.[14] A tarefa é simples: uma série de palavras lhe são apresentadas, muitas delas sendo nomes de cores, como *vermelho* e *azul*, mas as palavras estão escritas em tinta de cor diferente (por exemplo, a palavra *vermelho* está escrita em tinta azul, e a palavra *azul*, em tinta vermelha). Sua tarefa é dizer, com rapidez e precisão, o nome da cor da tinta. Parece fácil, certo? Mas não é, porque achamos desafiador "inibir" o hábito de ler imediatamente palavras escritas em nossa língua nativa: se você vê a palavra *azul* impressa em tinta vermelha, ficará tentado a dizer "azul", quando deveria dizer "vermelho". Nos testes incongruentes (a palavra *vermelho* escrita em tinta azul e a palavra *azul* escrita em tinta vermelha), os voluntários que foram preparados para se sentirem impotentes cometeram mais erros do que aqueles preparados para se sentirem poderosos e do que aqueles no grupo de controle. Em suma, sentir-se impotente dificultou o bloqueio de informações desviantes e o controle dos impulsos cognitivos.

Em outro estudo, voluntários escreveram sobre uma destas três coisas: uma época em que tinham poder sobre outra pessoa, uma época em que outra pessoa tinha poder sobre eles e o que tinham feito no dia anterior. Depois jogaram no computador uma versão da chamada Torre de Hanói, que requer o movimento estratégico de discos de um pino a outro para levá-los todos a um pino alvo. O indicador da capacidade de "planejamento" dos voluntários era a quantidade de movimentos extras (além do número mínimo exigido) que eles faziam em testes que requeriam estratégias anti-intuitivas (nas quais um ou mais discos primeiro tinham de ser afastados do alvo). Os voluntários preparados para se sentirem impotentes precisaram de mais movimentos extras do que aqueles preparados para se sentirem poderosos e do que aqueles no grupo de controle. O estudo mostrou que a impotência prejudica o planejamento, uma função executiva crucial. Os mesmos autores também descobriram que a impotência induz a algo chamado de abandono da meta – o fenômeno geral de não permanecer concentrado numa meta, que nos impede de executar a tarefa necessária.

Todos esses estudos deixam claro que, sem acesso a nossas funções executivas, não podemos exercer nossas habilidades corretamente. A impotência as bloqueia e nos impede de mostrar o que sabemos.

A impotência nos deixa egocêntricos

Portanto aqui estamos nós, privados de razão, foco, memória operacional e lucidez, tentando desesperadamente encontrar uma saída para a impotência. Como se tudo isso não fosse ruim o suficiente, a ansiedade nos inflige outro golpe: ela nos isola dos outros. Algumas pesquisas indicam que a ansiedade social interfere em nossa capacidade de enxergar o mundo pelos olhos dos outros.

Em uma série de experimentos conduzidos pelo psicólogo social Andy Todd, os participantes tiveram de identificar a localização espacial de um objeto – de sua perspectiva ou da perspectiva de terceiros.[15] Os voluntários preparados para se sentirem ansiosos se saíram muito pior na identificação exata do local do objeto quando tiveram de fazer isso a partir da perspectiva de terceiros. Em outro experimento, participantes viram a foto de uma pessoa sentada a uma mesa e observando um livro à esquerda. Mais tarde, quando se pediu que lembrassem de que lado da mesa estava o livro, os participantes ansiosos tenderam mais a descrever a localização do livro a partir da própria perspectiva ("O livro estava do lado direito da mesa"), e não da perspectiva da pessoa na foto ("O livro estava do lado esquerdo da mesa"). Quanto mais ansiosos os participantes estavam, mais forte se mostrava essa tendência.

Em termos simples, os voluntários ansiosos foram incapazes de sair da própria cabeça e de enxergar as coisas do ponto de vista de outra pessoa.

Dá para imaginar como essa incapacidade momentânea poderia afetar seu desempenho durante interações de alta pressão que requerem capacidade de ouvir e processar o que outra pessoa está dizendo – como as interações do reverendo Jeffrey Brown com os jovens de Boston.

O vínculo entre ansiedade e o foco na própria pessoa é bidirecional: causam-se mutuamente. Em uma análise de mais de 200 estudos, pesquisadores concluíram que quanto mais autofocados formos, mais ansiosos ficaremos – e também mais deprimidos e negativos em geral.[16] O foco em nós mesmos nos deixa até mais sensíveis às dificuldades físicas, como problemas estomacais, congestão nasal e tensão muscular.[17]

Em certa ocasião, eu estava falando para um time de beisebol da liga principal e ouvindo os jogadores e treinadores citarem os fatores que atrapalhavam seu desempenho. Um jogador mencionou algo que é parte importante do jogo: a transmissão pública de estatísticas.

– Às vezes sua média de rebatidas não está boa – disse ele. E explicou como ela oscila, especialmente no início da temporada. – Quando você vai rebater, sai andando e vê o telão mostrando uma imagem enorme do seu rosto, seu nome, sua média de rebatidas e outras estatísticas.

Ele descreveu o sentimento como um grande peso: a sensação de que todos nas arquibancadas estão olhando para aquilo e pensando naquilo. Disse que não é só uma sensação ruim, mas também um fator de distração.

Isso é perfeitamente compreensível, mas eis a questão: quando você é um jogador de beisebol profissional e vai rebater, um monte de gente vai estar olhando para você. E algumas pessoas podem até mesmo estar fazendo comentários ferinos sobre sua capacidade de rebatida. Mas um monte de pessoas também está bebendo suas cervejas e tirando *selfies* com os amigos e nem está vendo sua jogada. A verdade é que os outros não estão pensando em você tanto quanto você pensa que estão – *mesmo quando você de fato é o centro das atenções*. E, se estão, não há nada que você possa fazer. Só lhe resta rebater a bola.

Isso se chama efeito holofote e é uma das tendências egocêntricas humanas mais duradouras e difundidas: achar que as pessoas estão prestando mais atenção em você do que realmente estão... e geralmente de forma negativa, não positiva. É muito difícil desativar isso.

O que estão pensando de mim? Será que essa pessoa me acha burro? Será que há alguma coisa nos meus dentes? Certa vez uma professora excepcionalmente eficiente me contou sobre o momento em que superou sua ansiedade ao lecionar:

– No meio de uma aula, observei que já não estava prestando atenção no que os alunos estavam pensando *de mim*. Estava apenas prestando atenção no que os alunos estavam *pensando*.

Ela conseguiu percebê-los em relação à aula, removendo sua pessoa da análise.

Dezenas de experimentos demonstraram o efeito holofote. Num estudo um tanto estranho numa turma grande de introdução à psicologia, um grupo aleatório de estudantes foi convidado a vestir camisetas de cores berrantes com os dizeres "Eu amo Barry Manilow". Pediu-se então que estimassem qual porcentagem de seus colegas havia notado os trajes. Os estudantes superestimaram fortemente os números – acharam que quase metade dos colegas havia percebido as camisetas, quando na realidade menos de um quarto deles notara. Num estudo de acompanhamento com camisetas menos espalhafatosas, a discrepância entre a porcentagem estimada e a real de estudantes que notaram foi ainda maior – os participantes acharam que quase metade da turma havia notado, quando o número real foi inferior a 10%.[18]

Nós não superestimamos a quantidade de atenção que estamos recebendo porque somos egoístas ou narcisistas. Fazemos isso porque cada um de nós está no centro do próprio universo e não consegue deixar de ver o mundo sob a própria perspectiva. Assim, somos levados a pensar que os outros nos veem da nossa perspectiva também. Isso ocorre especialmente quando estamos incomodados, num dia em que parece que nada dá certo ou quando falamos alguma besteira. Em todos esses casos, a maioria de nós superestimará o número de pessoas que nos observa.

A impotência impede a presença

Os efeitos colaterais prejudiciais da impotência não ficam por aqui: quanto mais ansiosos e autofocados ficamos durante uma interação, mais tempo passamos *processando o pós-evento* – remoendo sobre a interação –, até mesmo dias depois.[19] Já mencionei esse hábito infeliz de rememorar uma interação incessantemente depois que ela ocorre, mas o que sabemos agora sobre como a impotência e a ansiedade prejudicam nosso cérebro dá um novo sentido à informação: a coisa sobre a qual estamos remoendo *nem sequer é real* – é apenas uma lembrança bastante falha de uma interação. Ficamos tão ansiosamente absortos durante a interação que nossa lembrança dela se torna deformada e cheia de lacunas. Mesmo assim, continuamos obcecados. Pegamos aquela lembrança desfigurada e a desfiguramos ainda mais, passando-a sem parar por nossos filtros enferrujados do "O que pensam de mim?". Incapazes de parar de pensar na situação depois que ela acaba, permanecemos congelados no tempo.

Em suma, o foco ansioso em si mesmo torna quase impossível estarmos presentes – antes, durante e mesmo após um grande desafio. Não é novidade dizer que a ansiedade a respeito de como os outros nos veem é ruim. Mas vale a pena entender como ela diminui nosso poder.

Os benefícios de se sentir poderoso

Se a sensação de impotência nos inibe, nos esgota e sabota nosso desempenho, também é verdade que se sentir poderoso faz o inverso. Mas, para entender como isso funciona – como o poder consegue nos ajudar –, você terá de descartar quaisquer estereótipos negativos que possa ter sobre o poder, ao menos por ora.

O poder nos protege

Um conjunto crescente de pesquisas sugere que o poder é um escudo contra emoções negativas – aparentemente ele nos deixa menos sensíveis a julgamentos, rejeição, tensão e até dor física.

Em um estudo, pesquisadores da Universidade da Califórnia em Berkeley pediram a estudantes que estavam namorando que preenchessem uma pesquisa todas as noites durante duas semanas.[20] As perguntas visavam medir quão poderosos eles se sentiam e eram do tipo "Quem teve mais poder em seu relacionamento hoje?" e "Quem tomou mais decisões hoje?". Depois, para medir seus sentimentos de rejeição, os estudantes avaliaram a hostilidade de seus parceiros para com eles. Pediu-se também que informassem com que intensidade experimentaram quatro sentimentos negativos: raiva, ansiedade, tristeza e vergonha. Nos dias em que a rejeição foi alta, quem se sentia poderoso reduziu as emoções negativas, protegendo-se.

Mesmo o poder hipotético pode operar milagres. Em outro estudo dos mesmos pesquisadores, voluntários foram solicitados a desempenhar um papel – de funcionários com muito ou pouco poder em uma empresa – e tiveram de imaginar que não haviam sido convidados para um happy hour. O colega que decidiu não convidá-los poderia ter um cargo mais alto, de mesmo nível ou mais baixo na empresa. Pediu-se então aos voluntários que avaliassem suas emoções e sua autoestima. Quanto mais poderosos em comparação com o funcionário que os rejeitou, menor a emoção negativa sentida e maior sua autoestima.

Num terceiro estudo, estudantes foram avisados de que formariam duplas com parceiros para resolver charadas. Depois foram informados de que seriam designados para representar o chefe (um papel poderoso) ou o subordinado (um papel sem poder). Depois que seus parceiros ocultos (e fictícios) descobriam um pouco a respeito deles, mostravam-se levemente satisfeitos ou insatisfeitos com a perspectiva de trabalharem juntos. Os participantes menos poderosos (ou seja, os subordinados) se sentiram pior e com menor autoestima quando seus parceiros expressaram insatisfação em vez de satisfação. Os participantes mais poderosos pareceram não se importar.

Em um experimento conduzido pela professora Dana Carney, de Berkeley, voluntários foram instruídos a preencher um questionário sobre sua experiência de liderança. Depois foram designados para papéis de muito ou pouco poder. Embora acreditassem que suas tarefas tivessem se baseado nos resultados do questionário, a escolha foi aleatória. As pessoas com muito e pouco poder foram instruídas a trabalhar em duplas para tomar uma decisão sobre bônus concedidos a outros colegas. Aqueles no papel com muito poder receberam escritórios bem maiores, mais controle nas reuniões e a palavra final na decisão sobre quanto (se era o caso) seria pago a seus colegas menos poderosos.

Carney e sua equipe usaram um estressor – dor física – para medir os efeitos de sentir-se poderoso sobre a reação à tensão. Pediram a cada voluntário que submergisse sua mão em um balde de água gelada (mantida a uns 9°C), informando que poderiam retirar a mão a qualquer momento, e mediram quanto tempo cada voluntário resistia. Não apenas as pessoas nos papéis poderosos mantiveram as mãos na água cerca de 45 segundos a mais do que os voluntários sem poder – quase o *dobro* do tempo – como também demonstraram menos sinais não verbais de dor (caretas, enrijecimento muscular e movimentos nervosos).[21]

O poder nos conecta

Sentir-se poderoso às vezes melhora a capacidade de interpretar e se relacionar com outras pessoas.[22] Em um experimento, os voluntários foram sutilmente expostos a palavras sugestivas de detenção de poder (*realeza, liderança, controle*) ou ausência dele (*obedecer, servir, subordinar-se*). Depois assistiram a vídeos de parceiros trabalhando juntos numa tarefa e anotaram o que acharam que os parceiros estavam pensando e sentindo durante a interação. Quando as anotações foram comparadas com o que os parceiros na interação haviam escrito sobre seus estados interiores reais, descobriu-se que os voluntários preparados para se sentirem poderosos foram mais precisos.

Num experimento concomitante, voluntários escreveram sobre uma época em que tiveram poder sobre outra pessoa, uma época em que outra pessoa teve poder sobre eles ou sobre o que tinham feito no dia anterior. Depois viram 24 fotos de rostos que expressavam felicidade, tristeza, raiva ou medo e selecionaram a emoção expressada. Também responderam a várias perguntas relacionadas a seus estilos de liderança. Os voluntários preparados para se sentirem poderosos julgaram a expressão emocional mais corretamente do que aqueles preparados para se sentirem impotentes – a não ser que tendessem a exercer o poder com uma combinação de muito egoísmo e pouca empatia.

As pessoas que se sentem poderosas também são mais propensas a perdoar, especialmente aqueles com quem se sentem comprometidas.[23] Em um experimento, pediu-se que voluntários descrevessem por escrito uma época em que tinham poder sobre outra pessoa ou vice-versa. Depois eles se imaginaram em diversos cenários em que alguém os magoou – por exemplo, revelando histórias constrangedoras a respeito deles. As pessoas preparadas para se sentirem poderosas se mostraram mais dispostas a perdoar o transgressor do que aquelas preparadas para se sentirem impotentes. Quando nos sentimos poderosos, em vez de adotarmos uma postura defensiva em relação aos outros, nos dispomos a nos abrir – talvez fiquemos até vulneráveis. (Mesmo macacos poderosos são menos vigilantes do que macacos desprovidos de poder.)[24] Em uma série de estudos, pessoas que se sentiam poderosas ficaram mais propensas a ver seus parceiros de interação como amigáveis em vez de ameaçadores. Já as pessoas que se sentiam impotentes viram, ao contrário, ameaça ou inimizade em parceiros de interação desconhecidos. Sentindo-se em segurança com seus parceiros, as pessoas poderosas nesses estudos também se revelaram mais propensas a expressar suas posturas genuínas.[25]

Num antigo estudo sobre poder e gestão, supervisores que se sentiam impotentes usavam mais poder coercitivo – ameaças de punição ou mesmo de demissão – ao lidar com um "empregado problemático", enquanto supervisores que se sentiam poderosos usavam mais abordagens de persuasão pessoal, como elogios e advertências.[26] Em outro estudo, gerentes que se sentiam impotentes foram mais autodefensivos, o que os levava a solicitar menos contribuições. Na verdade, gerentes que se sentiam impotentes julgaram mais negativamente os funcionários que expressavam opiniões.[27]

O poder liberta nosso pensamento

Enquanto a ausência de poder prejudica nossa função cognitiva, o poder parece aprimorá-la, melhorando nossa capacidade de tomar boas decisões em condições difíceis. Pamela Smith realizou dezenas de estudos sobre como o poder e a falta dele afetam nosso pensamento. De acordo com Smith, comparados àqueles que se sentem impotentes, "os poderosos processam informações de maneira mais abstrata – integrando-as para extrair a essência, detectando padrões e relacionamentos".[28]

O poder nos torna destemidos, independentes e menos suscetíveis a pressões e expectativas externas, permitindo que sejamos mais criativos. Em um estudo, pediu-se a voluntários que imaginassem que estavam se candidatando a um emprego numa empresa de marketing e que criassem nomes para produtos, entre eles um analgésico e um tipo de macarrão.[29] Eles receberam exemplos de cada categoria – todos os nomes de macarrão terminavam em *na*, *ni* ou *ti*, e todos os analgésicos terminavam em *ol* ou *in*. Os voluntários preparados para se sentirem poderosos foram mais capazes de inventar nomes novos em vez de usar as terminações dos exemplos fornecidos. Quando nos sentimos poderosos, ficamos menos constrangidos em expressar nossos sentimentos e crenças, o que nos libera para pensar e realizar coisas maravilhosas.

O poder é capaz de nos sincronizar

No Capítulo 1, escrevi sobre sincronia: a harmonização dos diversos elementos do eu. Acontece que sentir-se poderoso sincroniza nossos pensamentos, sentimentos e comportamentos, aproximando-nos mais da presença. Em um experimento, quando pessoas que se sentiam poderosas se envolveram em discussões com desconhecidos, suas expressões não verbais combinaram rigorosamente com suas emoções autodeclaradas. Se estavam contentes e contando uma história alegre, estavam sorrindo. Já as expressões e os sentimentos autodeclarados de seus pares impotentes não estavam tão estreitamente associados.[30]

A impotência também pode fazer com que adaptemos nosso comportamento para corresponder às expectativas percebidas à nossa volta.[31] Tornamo-nos hipócritas – não necessariamente porque queremos enganar, mas para nos proteger. Afinal, concluímos que é melhor se adaptar e agradar quando você não tem poder.

O poder incita à ação

> *Não estou mais aceitando as coisas que não posso mudar.*
> *Estou mudando as coisas que não posso aceitar.*
> – Angela Davis

Um pesquisador conduz você a uma sala e pede que se sente numa cadeira e aguarde. Após alguns momentos você percebe um ventilador soprando diretamente no seu rosto. É irritante. O que você faz? Muda o ventilador de lugar? Desliga-o? Ou faz o possível para ignorá-lo?

Eis outro dilema: você faz parte de uma equipe de debate de três pessoas que vai para a rodada final de uma competição. Sua equipe deve escolher se quer falar primeiro ou em segundo lugar. Um de seus colegas de equipe diz que vocês deveriam ser os primeiros – assim serão capazes de enquadrar a discussão e definir o tom. O outro colega discorda – se forem os segundos, poderão rebater as argumentações específicas dos oponentes. Assim, cabe a você decidir – sua equipe vai ser a primeira ou a segunda?

Esses cenários foram usados em experimentos conduzidos por pesquisadores que tentavam entender como o poder ou a ausência dele afeta nossa capacidade de agir. No estudo do ventilador, todos os voluntários primeiro foram preparados para se sentirem poderosos ou impotentes.[32] Enquanto 69% dos participantes poderosos redirecionaram ou desligaram aquele ventilador incômodo, apenas 42% dos participantes impotentes o fizeram. O restante ficou sentado, suportando. Afinal, ninguém tinha informado que podiam mexer no ventilador. Na ausência de poder, precisavam da permissão para agir de alguém com autoridade. No estudo do debate, os voluntários preparados para se sentirem poderosos se mostraram quatro vezes mais propensos a optar por serem os primeiros na competição quando comparados com os participantes que não foram preparados para se sentirem poderosos.[33]

Inúmeros estudos reforçam a ideia de que a sensação de poder torna as pessoas proativas. Por exemplo, um estudo mostrou que voluntários poderosos também tendem bem mais a pechinchar o preço de um carro novo e a fazer a primeira oferta numa negociação de emprego.[34] Por quê? Sentir-se poderoso dá a liberdade de decidir, agir e *fazer*. Em outro estudo, voluntários foram preparados para se sentirem poderosos ou impotentes e depois indagados sobre quanto tempo levariam para tomar uma decisão em diferentes cenários (escolher um colega de quarto, comprar um carro usado, visitar locais de trabalho em potencial).[35] Os voluntários impotentes alegaram que precisariam de mais tempo do que os poderosos. Vale a pena observar: agir mais rápido não é necessariamente o melhor rumo; levar mais tempo para pensar pode ser mais prudente. Mas o padrão geral é o mesmo: o poder leva as pessoas a agir.

Em outro estudo, pediu-se aos voluntários que imaginassem quão perto do prazo final começariam a agir em determinadas circunstâncias, como se candidatar a uma bolsa ou mudar-se para um apartamento novo. Os voluntários poderosos disseram que entrariam em ação mais cedo. Naqueles casos, agir mais cedo provavelmente seria melhor.

Enfim, pediu-se aos voluntários que traçassem uma figura sem tirar o lápis do papel nem retraçar nenhuma linha, uma tarefa impossível, na verdade. Os voluntários poderosos persistiram mais tempo e se dispuseram a novas tentativas mais vezes do que os impotentes.

A determinação do poder tem raiz na noção de que sempre teremos acesso aos recursos dos quais necessitamos. Isso desencadeia em nós uma maior *sensação de controle*. Não estou falando do controle de uma personalidade controladora. A sensação que emerge do poder pessoal não é o *desejo* de ter controle. É a sensação natural de *estar* no controle – lúcido, calmo e sem depender do comportamento dos outros. Esse tipo de poder, conforme espero demonstrar, torna-se um autorreforço. O pensamento, a comunicação e a ação procedentes dele só contribuem para realçá-lo.

De forma semelhante, a impotência pode levar à inação de cunho derrotista. Indivíduos que se sentem socialmente impotentes são, por definição, dependentes de pessoas poderosas que lhes mostrem o caminho. Isso leva o impotente a apoiar os sistemas injustos que reforçam seu estado. Em amostras representativas, a impotência econômica nos Estados Unidos foi correlacionada à maior legitimidade concedida a políticas públicas que reforçam a impotência das pessoas. Como explicam os autores do estudo, essas descobertas são "anti-intuitivas porque claramente não é do interesse de impotentes apoiar um sistema em que são impotentes. [...] Os processos que identificamos tendem a perpetuar a desigualdade à medida que os impotentes justificam as estruturas hierárquicas que os desfavorecem em vez de tentar modificá-las".[36]

O poder torna nossas ações mais eficazes

O poder afeta particularmente o desempenho quando existe pressão, fornecendo força em situações críticas. A impotência faz o inverso, reduzindo o desempenho em situações críticas.[37] De novo, isso se explica pela teoria da abordagem/inibição do poder: quando nos sentimos poderosos, situações críticas ativam "metas de abordagem", inspirando-nos a persegui-las; enquanto situações críticas ativam "metas de inibição" se nos sentimos impotentes, extinguindo nosso desejo de nos envolver no que poderia ser uma situação arriscada ou ameaçadora.

Sentir-se poderoso muda até nossa interpretação das emoções que afloram quando estamos sob pressão: pessoas que relataram altos níveis de confiança – que se sentiam poderosas – interpretavam a ansiedade competitiva como um fator de melhoria do seu desempenho em vez de como um fator de inibição. Elas também declararam mais satisfação com o próprio desempenho. Voluntários que relataram níveis baixos de autoconfiança, por outro lado, sentiam que a ansiedade competitiva prejudicava seu desempenho.[38]

Uma análise de 114 estudos que examinaram a relação entre o desempenho no trabalho e a eficiência pessoal – semelhante ao poder pessoal, mas limitada a uma tarefa específica – revelou uma correlação clara, embora não particularmente surpreendente, entre ambos: quando as pessoas possuem forte crença de que serão capazes de realizar a tarefa que as aguarda, a propensão de concluí-la com sucesso é maior.[39]

O poder afeta nossa fisiologia

Até agora, grande parte da pesquisa que examinamos sobre poder está ligada à sua psicologia: poder e impotência como estados cognitivos e emocionais – como nos fazem *pensar e sentir*. Isso leva a uma pergunta lógica: o poder está todo em nossa cabeça?

Seria surpreendente se fosse assim, pelo simples motivo de nossa ideia de poder com frequência carregar conotações físicas, ativas. Poder não é apenas um estado mental, é uma força da natureza. Força bruta. Poder de fogo. Cavalos-vapor. Energia termonuclear. Acordes poderosos. Ninguém precisa explicar que o poder é físico, ao menos até certo ponto. Sabemos disso porque sentimos. *Somos* seres físicos. Será que isso significa que nosso poder – mesmo nosso poder interior, pessoal – tem um aspecto físico também? Pesquisas recentes com hormônios dão pistas fascinantes disso.

Antes, porém, de contar quais são essas pistas, gostaria de fazer algumas ressalvas. Não apenas a relação entre hormônios e comportamento é complexa como seu estudo também é bastante recente e vem evoluindo rapidamente. A síntese que farei aqui não pretende explicar as várias nuances e limitações. Além disso, os hormônios existem junto a inúmeras outras variáveis que determinam como pensamos, nos sentimos e nos comportamos – por exemplo, nosso relacionamento com nossos pais, como dormimos na noite anterior, o clima, o que comemos no desjejum, quanto café consumimos, a estabilidade de nossas amizades mais próximas e assim por diante.

Por que todas essas ressalvas? Porque percebi que as pessoas costumam dar uma importância exagerada aos estudos sobre hormônios, talvez porque hormônios sejam mais concretos do que pensamentos e sentimentos. Parecem mais "palpáveis". Mas a verdade é que, a esta altura do campeonato, os cientistas comportamentais provavelmente sabem mais sobre como os pensamentos e sentimentos afetam o comportamento do que sobre como os hormônios se relacionam com o comportamento. Portanto considere isso uma peça de um grande quebra-cabeça.

Voltemos à história sobre poder e hormônios...

A testosterona, um hormônio esteroide que é secretado pelos testículos nos homens e pelos ovários nas mulheres, ajuda no desenvolvimento de músculos e massa óssea, força física, tecido reprodutivo (nos homens) e até na prevenção da osteoporose. Mas os efeitos da testosterona não são apenas físicos. São também comportamentais.[40]

Denominada o "hormônio da dominância", ou o "hormônio da assertividade", a testosterona corresponde ao comportamento dominante em seres humanos, chimpanzés, babuínos, lêmures, cordeiros, pássaros e até peixes, e reflete mudanças na posição e no poder de um indivíduo.[41] Indivíduos de posição elevada – ou seja, aqueles que possuem poder social, os alfas – costumam possuir altos níveis de testosterona basal. Em seus estudos com babuínos, por exemplo, o professor da Universidade de Stanford Robert Sapolsky descobriu que indivíduos com testosterona alta tendiam a se envolver mais em comportamentos competitivos, de "busca de status", quando surgem oportunidades de ascender na hierarquia e assumir uma posição superior (por exemplo, quando um alfa respeitado se fere).[42] E essa relação entre status e testosterona é recíproca: não apenas a testosterona basal é um bom indicador de quem chegará ao topo como subir ao topo também aumenta os níveis circulantes de testosterona de um indivíduo. Com a conquista de status, a testosterona aumenta.

Nos seres humanos, a testosterona basal tem sido associada ao comportamento socialmente dominante, assertivo e competitivo tanto em homens quanto em mulheres. Os níveis de testosterona, quer sejam relativamente estáveis quer sejam temporários, são tanto o resultado quanto a causa de alguns dos comportamentos que nos ajudam a enfrentar corajosamente (e a nos sair bem em) desafios.

Mas essa é apenas metade da história.

O fato de altos níveis de testosterona se correlacionarem ao poder não surpreende a maioria de nós – é quase intuitivo, dado que a consideramos o hormônio da dominação. Menos intuitivo e mais interessante é o papel de outro hormônio, o cortisol, geralmente denominado "hormônio do estresse". O cortisol é secretado pelo córtex suprarrenal em reação a estressores físicos, tais como correr para pegar o trem, e estressores psicológicos, como preocupar-se com uma prova. Sua função básica é mobilizar energia, aumentando o açúcar no sangue e ajudando a metabolizar gordura, proteína e carboidratos. Ajuda também a regular outros sistemas, inclusive o digestivo e o imunológico. O cortisol aumenta de manhã, incentivando você a despertar, depois cai e se nivela à tarde. E, tal como a testosterona, afeta nossa psicologia e nosso comportamento, fazendo com que fiquemos mais alertas diante de ameaças e a possibilidade de evitarmos situações desafiadoras.[43]

Essa ideia – de que o estresse baixo é um aspecto fundamental para sentir-se e ser poderoso – contraria alguns mitos populares sobre liderança. Dizem que é solitário estar no topo, e estressante também. Costumamos imaginar que nossos líderes nos negócios e na política vivem oprimidos pela pressão e pela preocupação de terem de arcar com tanto poder dia após dia. Em resposta a esse clichê, são muitos os livros e artigos sobre como lidar com o "estresse da liderança".

Claro que algumas pessoas poderosas se estressam com sua carga de responsabilidades, mas as pesquisas não apontam nenhuma tendência ampla. Na verdade, possuir poder no mundo real parece nos proteger da ansiedade.

Em 2012, eu me juntei a Jennifer Lerner, Gary Sherman e diversos outros pesquisadores em Harvard para investigar a relação entre poder e estresse. Recrutamos líderes do alto escalão, inclusive oficiais das Forças Armadas, funcionários do governo e líderes empresariais, todos participantes de cursos de formação de executivos. Primeiro os questionamos sobre o grau de ansiedade que sentiam. Depois coletamos amostras de saliva para medir seus níveis de cortisol. Comparados aos das amostras da população em geral, extraídas nas mesmas circunstâncias, os níveis de cortisol e a ansiedade autodeclarada desses líderes foram bem menores.

Quando isolamos as pessoas mais poderosas em nosso grupo de líderes, descobrimos que seus níveis de cortisol e sua ansiedade autodeclarada eram ainda menores do que os de seus colegas menos poderosos. Revelou-se que os líderes mais poderosos tinham uma maior sensação de controle sobre suas vidas – outra variável que medimos – e que isso parecia deixá-los mais calmos e menos ansiosos que os demais.[44] De fato, pessoas com forte sensação de controle pessoal – em oposição àquelas cujo controle está fora delas (ou seja, está centrado em outros indivíduos ou em forças externas) – enfrentam as crises (desafios grandiosos, estressantes) com muito mais facilidade porque suas funções executivas estão intactas e elas não avaliam a situação como particularmente ameaçadora, dado que se sentem pessoalmente no controle.[45]

O ponto forte das conclusões de nosso estudo foi que não precisamos induzir sensações de poder em ambiente de laboratório – estávamos avaliando pessoas com poder factual no mundo. A limitação da pesquisa é que, como não é possível designar aleatoriamente voluntários para ser líderes e não líderes na vida real, é difícil saber se o poder é uma cura para a ansiedade ou se pessoas calmas e confiantes – aquelas que possuem amplo poder pessoal – ascendem naturalmente a posições de liderança. Mas a ligação é clara, e estudos de laboratório indicam que, como ocorre com a testosterona, a relação é bilateral.

Dois importantes pesquisadores de neuroendocrinologia social, os professores Pranjal Mehta e Robert Josephs, sugeriram que a testosterona está relacionada ao poder somente quando o cortisol é baixo, o que denominam hipótese bi-hormonal.[46] Assim como a impotência, o cortisol alto enfraquece nossa função executiva e nos deixa ansiosos. Portanto, quando o cortisol está elevado, a testosterona alta não se relaciona aos sentimentos e comportamentos poderosos. Isso faz sentido especialmente quando você pensa no poder como uma característica que, conforme descrevi neste capítulo, faz com que nos sintamos não apenas tolerantes ao risco e assertivos, mas também tranquilos, concentrados, controlados e presentes. Ser tolerante ao risco e assertivo, somado a ansioso, disperso e estressado, não é uma receita para o poder. Na verdade, é uma receita para um chefe bem desagradável (a maioria de nós já trabalhou com alguém assim). Mehta, Josephs e outros pesquisadores encontraram um forte respaldo para essa hipótese bi-hormonal dentro e fora do laboratório.

No domínio da liderança, essa relação tem respaldo empírico. Por exemplo, um estudo recente com 78 executivos homens também demonstrou que a combinação ideal testosterona alta/cortisol baixo é um excelente indicador do número de pessoas que trabalhavam com os executivos.[47] E num outro estudo foi realizado um exercício de liderança durante o qual estudantes foram avaliados pela assertividade, confiança e outras qualidades de liderança em geral. De novo, os altos níveis de testosterona se correlacionaram com esses traços, mas somente em pessoas que também tinham cortisol baixo.[48]

Pesquisadores também mediram níveis desses hormônios depois que atletas venceram ou perderam um jogo (badminton, num estudo específico) e detectaram os mesmos efeitos em homens e mulheres: a derrota leva a mais cortisol e menos testosterona.[49] E entre mulheres atletas de elite constatou-se que os níveis de testosterona subiam durante as competições, mas somente se seus níveis de cortisol pré-jogo se mantivessem baixos.[50]

Os psicólogos David Edwards e Kathleen Casto, da Emory University, realizaram uma análise impressionante em seis estudos sobre hormônios e comportamento entre mulheres atletas universitárias de elite.[51] Pediu-se às jogadoras de futebol, softball, tênis e vôlei que avaliassem suas colegas de equipe numa escala de 1 a 5 num questionário que media qualidades como espírito esportivo, liderança e esforço. O questionário incluía afirmativas como:

- Ela inspira as colegas a jogar oferecendo o máximo de si.
- Ela possui uma excelente noção do que o time precisa para jogar em seu nível máximo.
- Por suas palavras e/ou ações, ela exerce um efeito sempre positivo sobre o moral do time.
- Ela mantém uma perspectiva positiva mesmo quando enfrenta adversidades.
- Ela consegue fazer críticas construtivas às colegas se necessário.
- Ela atua com eficiência junto às colegas de time para ajudar a criar uma ideia de unidade.
- Ela está disposta a fazer sacrifícios pessoais quando estes servem aos melhores interesses do time.
- Ela joga e compete com paixão.
- Ela representa precisamente suas colegas de time e comunica suas preocupações e frustrações de forma construtiva.

- Ela é coerente, justa e autêntica em suas interações com as colegas de time e em campo.
- Ela é motivada construtivamente pela derrota.

Todas as atletas também cederam amostras de saliva para que os níveis de hormônio pudessem ser medidos. Os testes revelaram que as mulheres classificadas pelas colegas de time como mais inspiradoras, comunicativas, esforçadas, entusiasmadas, apoiadoras e otimistas apresentaram os níveis de testosterona mais altos e os níveis de cortisol mais baixos do grupo.

Os pesquisadores concluíram que, "ao menos para indivíduos com níveis mais baixos de cortisol, quanto maior o nível de testosterona do atleta, maior deverá ser sua capacidade de atingir o equilíbrio delicado entre ser gentil e ser dominador em questões de autoridade nas interações com os colegas de equipe".

De fato, examinar a testosterona e o cortisol nos fornece até alguma ideia de quem é mais propenso a trapacear. A psicóloga de Harvard Jooa Julia Lee e seus colaboradores testaram essa previsão. Voluntários foram instruídos a fazer uma prova de matemática e depois se autoavaliarem, com incentivos financeiros aumentando de maneira proporcional à nota. A situação foi projetada para tornar fácil e até desejável que as pessoas trapaceassem. As mais propensas a trapacear foram aquelas com alta testosterona *e* alto cortisol. Conforme explicou o coautor do estudo Robert Josephs, "a testosterona fornece a coragem para trapacear e o cortisol elevado fornece uma razão para trapacear".[52] Em outras palavras, enquanto a testosterona pode fazer com que as pessoas sejam mais tolerantes ao risco, sem o cortisol alto e o medo concomitante de não ter o controle para enfrentar as exigências da situação, a testosterona não induz a trapaça.

Para mim, o mais interessante desse grande conjunto de pesquisas não é que a testosterona alta combinada ao cortisol baixo esteja relacionada ao poder. É que o perfil desse hormônio está relacionado ao poder responsável, ao menos entre humanos. A testosterona aumenta nossa assertividade e possibilidade de ação, enquanto o cortisol baixo nos defende dos tipos de estressores mais passíveis de nos tirar do rumo durante nossos maiores desafios. Isso é correlacionado a uma liderança eficaz, voltada à equipe, à capacidade de fornecer calmamente feedback construtivo e à coragem e à resistência para enfrentar desafios constantemente. Seria isso, na verdade, confiança sem arrogância?

O poder corrompe?

Qual dos seguintes fatos é mais provável de acontecer?

A. Seu chefe se lembra do seu aniversário.
B. Você se lembra do aniversário do seu chefe.

Tenho uma resposta para isso, embora não me orgulhe dela. No dia em que comecei a trabalhar neste capítulo, que por acaso caiu na semana do meu aniversário, ao chegar ao meu escritório encontrei um presente me aguardando sobre a mesa. Era da minha assistente, Kailey, de cujo aniversário eu não sabia (mas agora sei).

O poder ajuda a nos fixarmos menos no que os outros pensam, o que é libertador, mas também pode fazer com que pensemos menos nas outras pessoas – e que pensemos nelas de forma negligente quando o fazemos. Susan Fiske havia observado que aqueles que detêm poder social também podem descambar facilmente para o hábito preguiçoso de enxergar e tratar os menos poderosos (funcionários e subordinados, por exemplo) não como indivíduos, mas como esboços toscos e estereotipados de pessoas. Um motivo para isso, diz ela, é que a atenção se volta para quem está acima de nós na hierarquia, não para quem está abaixo. Prestamos atenção nas pessoas que controlam nosso destino porque queremos ser capazes de prever como agirão.[53] O fato de minha assistente ter se lembrado do meu aniversário poderia ser um bom exemplo (embora ela também seja uma pessoa muito atenciosa).

Os poderosos, por outro lado, podem se dar ao luxo de ser desatenciosos para com os menos poderosos – seu destino não depende de seus subordinados (ou, se depende, aquele subordinado acabou de se tornar poderoso). Isso é agravado pelo fato de que as pessoas no poder costumam ter sua atenção mais solicitada e assim sobra menos para conceder.[54] Em determinado estudo, Fiske, Stephanie Goodwin e colegas deram a um grupo de estudantes de graduação o poder de avaliar candidatos do ensino médio a vagas de trabalho temporário.[55] Descobriram que quanto maior o poder de decisão dos estudantes de graduação na avaliação dos candidatos, menos atenção prestavam às qualidades e qualificações únicas de cada um.

Eis o lado bom: quando os pesquisadores prepararam os estudantes de graduação para apresentar senso de responsabilidade, fazendo-os refletir sobre diversos valores igualitários, sua atenção às qualidades únicas de cada um dos "subordinados" sobre os quais detinham poder aumentou substancialmente.

Quer dizer então que o poder corrompe? Certamente, como muitos estudos – sem falar na história e na experiência – já demonstraram. Com frequência, o poder social cria o tipo de interdependência assimétrica que gera iniquidade, injustiça e comportamentos antissociais, como criar estereótipos. Por isso apoio fortemente o desenvolvimento de poder pessoal de soma não zero à aquisição de poder social de soma zero. Mas, conforme o estudo anterior indica, devemos nos esforçar para superar nossas tendências negativas usando o poder social não apenas em benefício próprio, mas também em benefício de outros. Na verdade, muitos efeitos negativos do poder social diminuem quando as pessoas são motivadas pela percepção de si mesmas como justas e decentes, pelo desejo de correção, pela noção de responsabilidade pelos outros e por atingir as metas da organização – quando, por exemplo, o chefe sente-se responsável pelo desenvolvimento, bem-estar e desempenho de seus funcionários ou quando sente-se responsável pelo sucesso da empresa.[56]

E a ausência de poder pessoal pode ser tão perigosa quanto a existência dele. Tarek Azzam, professor de ciências comportamentais e organizacionais da Claremont Graduate University, uniu-se a seus colegas e demonstrou, em uma série de estudos, que quanto menos poderosas as pessoas pensavam ser, mais ansiedade – e agressividade – sentiam em relação a estrangeiros e imigrantes. (Esse efeito foi ainda mais visível em homens que se sentiam impotentes.)[57]

Eis minha esperança: como o poder pessoal é infinito e não requer que controlemos outra pessoa, nunca o consideramos escasso. Não sentimos que precisamos competir para conservá-lo. Ele é nosso, aconteça o que acontecer. Não pode ser retirado por outra pessoa. E essa noção, essa compreensão facilita o desejo de compartilhá-lo, de ajudar os outros a perceber o mesmo. Assim, acredito que o poder pessoal, ao contrário do poder social, se torna contagioso. Quanto mais poderosos nos sentirmos pessoalmente, maiores serão as chances de querermos que os outros sintam o mesmo.

O biógrafo Robert Caro, vencedor do Prêmio Pulitzer, que passou décadas relatando a vida e as maquinações de Lyndon Johnson, certa vez contou ao jornal *The Guardian*:

– As pessoas nos ensinam o axioma de Lord Acton: todo poder corrompe, o poder absoluto corrompe absolutamente. Eu acreditava nisso quando comecei esses livros, mas não acredito mais que seja uma verdade soberana. O poder nem sempre corrompe. O poder pode purificar. O que acredito que seja verdade sobre o poder é que o poder sempre revela.[58]

O poder revela. Faz sentido para mim. Como tentei convencê-lo neste capítulo, acho que o poder pessoal nos aproxima dos nossos melhores eus, enquanto a ausência dele distorce e obscurece nossos eus.

Mas, se o poder revela, então só é possível conhecer os realmente poderosos, porque somente eles são arrojados o bastante para mostrar quem são sem subterfúgios e sem pedir desculpas. Eles têm a coragem e a confiança para se abrir ao olhar dos outros.

Desse modo, o caminho para o poder pessoal é também o caminho para a presença. É assim que nós, e os outros, descobrimos e libertamos quem realmente somos.

6

Má postura e linguagem corporal

Seu gestual fala tão alto que não consigo ouvir o que você diz.
— Ralph Waldo Emerson

A EXIBIÇÃO DE PODER MAIS BRUTAL em um jogo de rúgbi na Nova Zelândia ocorre antes mesmo de a partida começar.

O rúgbi é uma coisa séria na minúscula Nova Zelândia. Sua seleção masculina de rúgbi – os All Blacks – é uma grande fonte de orgulho. Jogando desde 1884, o time dos All Blacks é considerado por praticamente todos os indicadores a melhor equipe de rúgbi do mundo.[1]

A Nova Zelândia tem três idiomas oficiais – inglês, maori e linguagem de sinais neozelandesa – e uma população que inclui indivíduos de origem europeia (74%) e maori (15%).[2] Mas o que realmente a distingue socioculturalmente é o nível de integração entre as culturas dos maoris nativos e as dos colonizadores europeus.

Uma partida dos All Blacks começa como quase todas as partidas de esportes profissionais: os espectadores ficam de pé quando o hino nacional é tocado. Então o time, que consiste dos 15 seres humanos mais robustos e hercúleos que você possa imaginar, dispõe-se em formação cerrada no campo, encarando a equipe adversária, que costuma se postar em fila única, braços sobre os ombros uns dos outros.

A multidão está aguardando esse momento. A energia é, como alguns descreveram, "inebriante".

Muitos neozelandeses consideram esse momento bem mais importante do que cantar o hino nacional, e é fácil entender por quê.

Pés afastados e bem firmados, joelhos ligeiramente flexionados, os All Blacks aguardam. Seu capitão anda para lá e para cá entre os colegas de time tal qual um tigre na jaula, depois brada uma ordem em maori. Imediatamente, com ferocidade controlada, seus colegas de time respondem, ao mesmo tempo que se colocam na primeira posição do que se desenrolará como uma dança provocadora. Sincronizados, lenta mas vigorosamente, eles fazem uma série de posturas, gestos e expressões faciais bem poderosa – olhos arregalados ao máximo, peitos estufados, mãos batendo nas coxas, pés batendo no chão. Seu canto é alto e profundo. A cada movimento, parecem estar se expandindo e lançando raízes no solo. Devagar, inexoravelmente, avançam rumo aos oponentes, terminando com olhos arregalados e mostrando as línguas.

Isso se chama *haka*, uma dança maori tradicional, e a seleção a realiza antes das partidas desde 1905. As pessoas costumam se referir a ela como uma dança de guerra, mas a *haka* é bem mais do que isso. Embora costumasse ser executada no campo de batalha, também era e continua sendo realizada quando grupos se reúnem em tempos de paz. Nos funerais, é uma demonstração profunda de respeito pelo falecido. Tipicamente, os All Blacks dançam uma *haka* chamada *ka mate*, criada em 1820 pelo chefe Te Rauparaha da tribo Ngāti Toa. Em ocasiões especiais, o time dança a *kapa o pango*, criada pelo consultor cultural maori Derek Lardelli, que explicou em documentário recente que ela visa "refletir a constituição multicultural da Nova Zelândia contemporânea – em particular a influência das culturas polinésias".[3] A *kapa o pango* termina com os jogadores passando a mão no pescoço, o que algumas pessoas interpretam como um gesto agressivo de degola. Lardelli explicou que o sentido não é de cortar a garganta, mas de "atrair energia vital para dentro do coração e dos pulmões".[4] (Recomendo procurar vídeos dos All Blacks na internet e vê-los em ação.[5])

Outro momento impressionante da coreografia denomina-se *pukana*. "*Pukana* é um ato de desafio, exibido pela língua saliente", explicou Hohepa Potini, um ancião da tribo Ngāti Toa. "Então, quando você vê a *pukana* dos All Blacks ao final da *haka*, são eles lhe dizendo: 'Manda ver.'"[6]

Para quem assiste aos All Blacks dançando uma *haka* de um assento no alto do estádio, a experiência é intimidadora. É de uma ferocidade impressionante, mesmo num vídeo na internet. Não consigo imaginar o que um jogador do time adversário sente nesse momento.

Na primeira vez que vi os All Blacks dançando uma *haka*, pensei: "Esta é a mais extrema e temível exibição de linguagem corporal dominante que já vi entre seres humanos." Uma mensagem física de "pare e desista". Exagerada. Primitiva, até.

Se a linguagem corporal envolve comunicação entre pessoas, aquela mensagem soava simples e direta: pura intimidação de uma parte a outra. Pelo menos assim parecia no início.

O poder expande nossa linguagem corporal

O poder não expande apenas nossas mentes. Expande também nossos corpos. A linguagem corporal expansiva e aberta está estreitamente associada ao domínio em todo o reino animal, o que inclui seres humanos, outros primatas, cães, gatos, cobras, peixes, aves e muitas outras espécies. Quando nos sentimos poderosos, tornamo-nos maiores.

Seja em caráter temporário ou permanente, benevolente ou sinistro, o status e o poder se expressam por exibições não verbais evoluídas: membros afastados do corpo, alargamento do espaço ocupado, postura ereta. Pense na Mulher-Maravilha e no Super-Homem. Qualquer personagem de John Wayne. O Frank Underwood de Kevin Spacey em *House of Cards*. Um dançarino de Alvin Ailey expressando libertação e liberdade. Quando nos sentimos poderosos, nós nos retesamos. Empinamos o queixo e recuamos os ombros. Estufamos o peito. Separamos os pés. Erguemos os braços.

A cada quatro anos, todos nos empolgamos com a ginástica olímpica. (Estranho como um esporte pode parecer tão importante durante as Olimpíadas para ser esquecido logo após a cerimônia de encerramento.) Certamente você já notou os ginastas realizando uma breve exibição coreográfica antes de dar início aos exercícios obrigatórios. Caminham até a esteira, levantam os braços sobre a cabeça num V, erguem o queixo e estufam o peito. Por que, dentre todas as posturas que poderiam adotar, os poderosos da ginástica escolheram exatamente essa?

Para responder a isso, peço que você imagine que acabou de vencer uma corrida. Você cruza a linha de chegada, rompendo a corda: o que faz com seu corpo? Ou imagine assistir à seleção de seu país marcando aquele gol decisivo e vencendo a Copa do Mundo: o que você faz com seu corpo? Existe uma boa chance de você lançar os braços ao ar num V, erguer o queixo e estufar o peito. Por quê? Porque essa postura em especial sinaliza triunfo, vitória e orgulho – estados psicológicos de poder. E, ao exibirmos esse triunfo não verbalmente, estamos comunicando aos outros nossa posição e nosso poder, por mais fugazes que possam ser.

Antes que eu diga algo mais sobre os humanos, falemos sobre outros primatas. Como psicóloga social estudando o poder, adoro especialmente observar o comportamento dos primatas não humanos, porque eles fornecem um quadro não filtrado de como o poder molda a linguagem corporal. O comportamento humano é controlado – pela linguagem, pela gestão da impressão causada, por normas culturais, por estereótipos, pela religião, por regras formais e assim por diante. Todas essas coisas tornam o comportamento humano ruidoso e difícil de ser interpretado. Estou observando alguém fazendo o que deseja ou a pessoa está fazendo o que ela acha que os outros querem que faça? O comportamento social dos primatas não humanos é bem menos artificial. Conforme explicou o renomado primatologista Frans de Waal:

> Sou grato por estudar a desigualdade social em criaturas que expressam suas necessidades e desejos abertamente, sem disfarces. A linguagem é um atributo humano sofisticado, mas desvia quase tanto quanto informa. Quando vejo líderes políticos na televisão, especialmente sob pressão ou em debates, às vezes desligo o som para me concentrar melhor no contato visual, nas posturas, nos gestos e assim por diante. Vejo como eles "crescem" depois de aplicar um golpe verbal.[7]

O fato de os primatas dominantes, poderosos – alfa – encenarem uma linguagem corporal expansiva e aberta é nítido para a maioria dos observadores leigos. Quando chimpanzés prendem a respiração para estufar o peito, estão sinalizando sua posição na hierarquia. Chimpanzés machos, para mostrar sua posição a um macho subordinado, se expandem caminhando eretos e até segurando pedaços de madeira para estender o comprimento perceptível dos membros. Eles também eriçam a pelagem (um fenômeno conhecido como piloereção). E os gorilas machos batem os punhos nos peitos inflados para comunicar força e poder quando um macho importuno está invadindo seu território. Os primatas também demonstram seu poder ocupando espaços centrais, altos e particularmente valiosos, tornando-se visíveis e posicionando-se fisicamente acima dos outros.[8]

Nossos parentes animais mais distantes são ainda menos limitados por pressões sociais. Quando pavões erguem e abrem suas penas da cauda caleidoscópica, estão exibindo seu domínio de maneira ousada para parceiras em potencial. Eles não se contêm. Quando a cobra-real quer mostrar quem manda, não hesita em alçar a parte frontal do corpo, inflando o pescoço e "rosnando". A gestão da impressão causada – no sentido humano metaperceptivo de "o que eles vão pensar de mim" – certamente não é uma preocupação para a mãe ursa que se ergue sobre as patas traseiras para espantar um predador que está de olho em seus filhotes.

O comportamento não verbal funciona por muitos canais – expressões faciais, movimentos oculares, olhares fixos, direção e postura do corpo, gestos de mão, modo de andar, tom e volume de voz, etc. As psicólogas sociais Dana Carney e Judith Hall estudaram minuciosamente a linguagem corporal poderosa e a linguagem impotente. Em um conjunto de pesquisas, pediram aos participantes que imaginassem como pessoas poderosas se expressariam não verbalmente.[9] Eles receberam uma longa lista de comportamentos e deveriam selecionar aqueles típicos das pessoas poderosas. Era esperado que indivíduos altamente poderosos fossem os primeiros a oferecer a mão em um cumprimento inicial, fizessem mais contato visual, e mais demorado, usassem gestos mais amplos, tivessem uma postura ereta e aberta, se inclinassem à frente e orientassem o corpo e a cabeça na direção dos outros, e que fossem animados e seguros em suas expressões físicas.

Mesmo mãos e dedos podem sinalizar poder. Mantenha suas mãos em frente ao rosto com as palmas espelhadas e os dedos apontando para o teto. Depois incline os dedos até que as pontas de seus equivalentes em cada mão se toquem e abra os dedos o máximo que puder, porém de um modo que continue confortável. Se essas instruções não estiverem claras, busque na internet imagens do Sr. Burns, personagem do desenho *Os Simpsons*. Mesmo esse gesto de juntar as pontas dos dedos é um sinal de confiança. Pode ser sutil, mas ainda assim é espacialmente expansivo se comparado à posição normal de nossas mãos. Na verdade, explica o ex-agente do FBI e especialista em linguagem corporal Joe Navarro, "essa junção das pontas dos dedos das mãos comunica que estamos sincronizados com nossos pensamentos, que não estamos hesitando, não estamos vacilando. No momento preciso em que juntamos as pontas dos dedos, comunicamos universalmente que estamos confiantes em nossos pensamentos e crenças, seguros em nossa afirmação, acreditando em nós mesmos".[10]

O poder também afeta a forma como percebemos nosso prestígio e o dos outros. Sentir-se poderosa até leva a pessoa a superestimar a própria altura. Como isso é possível? A maioria de nós sabe a própria altura; será que o poder vai fazer com que a lembremos erroneamente? Claro que não. Sei que tenho 1,50 metro de altura o tempo todo, independentemente de quão confiante ou forte esteja me sentindo. Mas meu julgamento da altura *relativa* está sujeito à subjetividade.

Os psicólogos Michelle Duguid e Jack Goncalo demonstraram numa série de três estudos que as pessoas – independentemente de suas alturas reais – tendem a escolher um avatar alto em jogos de realidade virtual para "representar melhor a si mesmas". E, num par de experimentos conduzidos por Andy Yap, participantes preparados para se sentirem poderosos subestimaram o tamanho de um desconhecido numa fotografia e de outra pessoa com quem haviam interagido durante o estudo.[11] Em suma, o poder faz com que nos enxerguemos mais altos do que realmente somos, e os outros, mais baixos do que realmente são.

Mas serão esses comportamentos aprendidos ou fruto de algo mais fundamental? Ou seja, a linguagem corporal é culturalmente aprendida ou inata? Resulta do aprendizado ou da natureza?

Em 1872, Charles Darwin sugeriu que muitas expressões de emoção são biologicamente inatas e evolutivamente adaptativas, sinalizando informações sociais importantes. Ele argumentou que expressões de emoção servem para desencadear uma ação imediata que nos beneficia, dadas nossas circunstâncias ambientais. Se vemos um rosto zangado vindo em nossa direção, fugimos. Mas, para sabermos que o rosto indica raiva, primeiro temos de reconhecer essa expressão específica. Em outras palavras, Darwin estava sugerindo que certas expressões de emoção são universais – reconhecidas em praticamente todas as culturas.[12]

Conforme descrevi no Capítulo 1, pesquisadores documentaram indícios da universalidade de muitas expressões faciais de emoção. Por exemplo, independentemente de nossa origem, quando sentimos repulsa, franzimos o nariz e erguemos o lábio superior. Quando nos sentimos surpresos, arqueamos as sobrancelhas, arregalamos os olhos e abrimos ligeiramente a boca. (Você pode testar se quiser.)

Mas a expressão dos estados emocionais não se restringe às emoções básicas. Sinalizações mais complexas de poder e impotência, envolvendo posturas corporais e movimentos da cabeça, também poderiam ser universais.

Ninguém sabe mais sobre isso do que Jessica Tracy, professora de psicologia na Universidade de British Columbia. Tracy estudou amplamente a emoção complexa do orgulho, que resulta de sensações de poder, força e vitória, e suas pesquisas mostram que ele pode ser uma parte evoluída de todos nós – ideia também proposta por Darwin.

O orgulho domina o corpo inteiro. Conforme relatam Tracy e seus colegas, a expressão de orgulho típica inclui "uma postura ampliada e ereta, cabeça inclinada ligeiramente para cima (cerca de 20 graus), um leve sorriso e braços com mãos nos quadris ou posicionados acima da cabeça, com punhos cerrados".[13] Em um estudo que ela e Richard Robins divulgaram em 2004, estudantes universitários viram imagens de pessoas posando com expressões de orgulho, felicidade e surpresa e tiveram de descrever a emoção que viram.[14] Quando observaram manifestações de orgulho, dois terços dos estudantes usaram adjetivos correspondentes (*orgulhoso, triunfante, autoconfiante*, etc.), ao passo que quase ninguém descreveu poses felizes ou surpresas como expressão de orgulho. Isso indica que conseguimos distinguir facilmente o orgulho das outras emoções.

Expressões espontâneas de orgulho também parecem ser universais. Tracy e David Matsumoto analisaram fotos de atletas de mais de 30 países tiradas após vitórias ou derrotas em lutas de judô nos Jogos Olímpicos e Paralímpicos.[15] Atletas do mundo inteiro tenderam a exibir os mesmos comportamentos após a vitória (sorriso, cabeça inclinada para trás, braços erguidos em V, peito estufado) ou derrota (ombros caídos, queixo para baixo e peito encolhido). Isso ocorreu mesmo entre competidores de culturas coletivistas, onde o orgulho é menos valorizado – e até desestimulado em certos casos. Mas talvez o sinal mais forte do caráter inato dessas expressões seja o fato de que mesmo atletas congenitamente cegos – indivíduos que jamais enxergaram outras pessoas expressando orgulho, poder ou vitória – faziam a mesma coisa com seus corpos quando venciam.[16]

Vamos parar um minuto para pensar sobre como alguém poderia se sentir após correr 100 metros mais depressa do que qualquer ser humano na história, como fez o velocista jamaicano Usain Bolt três vezes. A palavra *exausto* com certeza vem à mente. De uma perspectiva evolucionária, continuar gastando energia estufando o peito e erguendo os braços depois que você já venceu pode parecer um desperdício de esforço. Não deveríamos poupar a pouca energia que nos resta após o consumo de grande parte dela?

Na verdade, essas expressões de vitória servem a um propósito diferente. Tracy e seus colaboradores sugerem que podem ter evoluído para produzir mudanças fisiológicas, como aumento da testosterona, o que nos permitiria continuar a dominar a situação e proteger uma vitória. Também podem ter evoluído como uma função social, já que o gesto passou a ser reconhecido como um sinal de vitória, comunicando assim uma posição elevada ou poder.[17] De fato, as pessoas automaticamente interpretam exibições de orgulho como sinais de status. Em determinado estudo, os participantes que olharam fotos de pessoas em posturas expansivas e poderosas tenderam a aceitar mais a resposta sugerida por aquela pessoa a uma pergunta trivial, tomando o orgulho como sinal de competência.[18]

Os sinais comunicados por essas exibições podem ser tão fortes que neutralizam ou superam outros indicativos do status de uma pessoa. Em um estudo de 2012, Tracy e seus colegas mostraram a voluntários uma imagem de um homem descrito como o capitão de um time e outra de um homem descrito como o auxiliar que leva água aos jogadores.[19] Quando o capitão caiu e pareceu envergonhado e o auxiliar se postou ereto e pareceu orgulhoso, as pessoas associaram o auxiliar a palavras de um status elevado e o capitão a palavras de um status inferior mais rapidamente do que quando as posturas foram invertidas. Ao menos implicitamente, a postura foi um sinal de status mais forte do que as informações sobre as funções de cada um no time.

Andando e fazendo bravata

Discutimos posturas e gestos poderosos, mas como ficam nossos corpos em movimento? Quando nos sentimos poderosos, andamos de um jeito específico? Para descobrir, minha equipe colaborou com Nikolaus Troje, um biólogo que dirige o Laboratório BioMotion na Queen's University, em Ontário. Troje e seus colegas estão aplicando análise computacional avançada a dados de movimento tridimensionais (captados com precisão incrível por uma técnica chamada captura digital de movimento) para identificar a relação entre movimento biológico (o movimento de um corpo) e diferentes emoções, como felicidade, tristeza, relaxamento e ansiedade.[20]

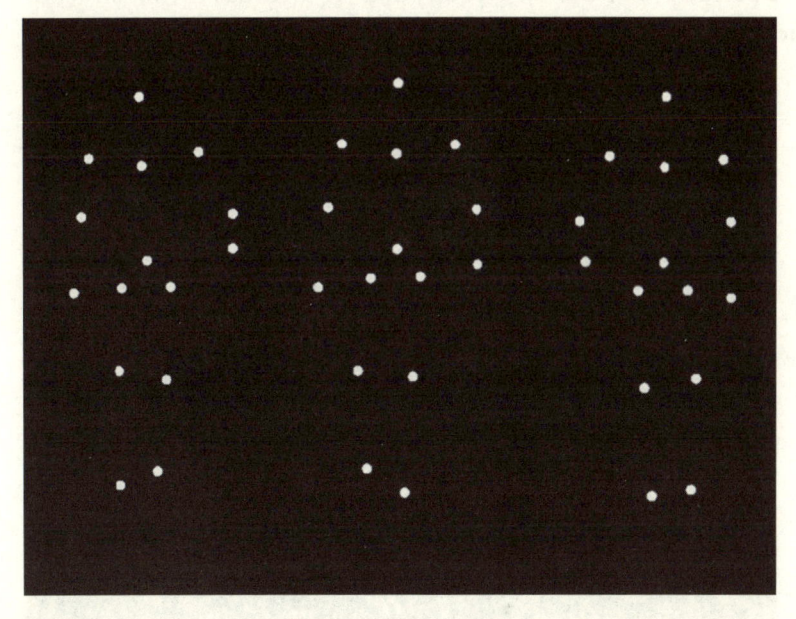

Pedestre poderoso

Num estudo que realizamos com Troje, pedimos a 100 participantes on-line que classificassem o poder ou a impotência de uma seleção de 100 figuras caminhando de acordo com a postura de cada uma. Aquelas figuras foram retratadas dinâmica e graficamente numa tela de computador através de 15 pontos móveis representando as principais articulações do corpo, resultando em imagens impressionantemente vívidas do corpo humano em movimento. Usando aquelas 10 mil classificações (100 pessoas classificando 100 caminhantes), fomos capazes de analisar matematicamente a cinemática do movimento impotente e poderoso tal como percebido pelos voluntários e de criar uma figura computadorizada única que podia ser manipulada numa série contínua que ia de um extremo a outro do poder (ou seja, de impotente a poderoso).

Como você pode ver, em comparação com o andar impotente, o andar poderoso é mais expansivo, apresenta mais movimento de braços e uma passada mais longa. Embora seja difícil detectar isso nas imagens estáticas desta página e da anterior, o andar poderoso também envolve um pronunciado movimento vertical da cabeça. O andar impotente é bem mais restrito, com pouquíssimo movimento de braços, a cabeça praticamente estática e uma passada mais curta.[21] (Você pode ver algumas demonstrações computadorizadas no site de Nikolaus Troje.)[22]

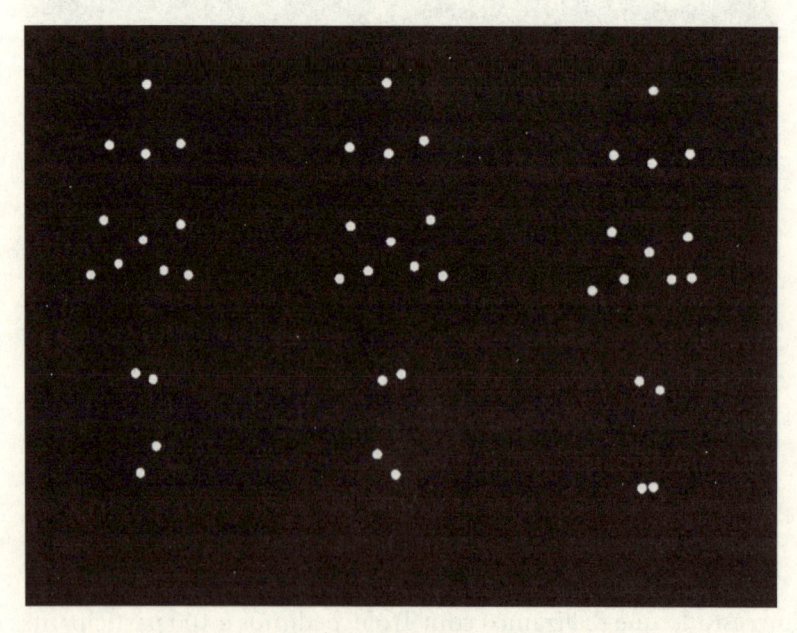

Pedestre impotente

Mesmo nossas vozes comunicam poder – e não apenas pelas palavras emitidas. Assim como nossos corpos se expandem e ocupam mais espaço físico quando nos sentimos poderosos, nossas vozes também crescem.

Pessoas poderosas são as primeiras a falar com mais frequência, de modo geral falam mais e fazem mais contato visual quando estão falando, em comparação com pessoas impotentes. Quando nos sentimos poderosos, falamos mais devagar e nos estendemos mais. Não nos apressamos. Não tememos fazer uma pausa. Sentimos que temos direito ao tempo de que estamos usufruindo.

Pessoas que se sentem poderosas ou são designadas para papéis de grande poder em experimentos, inconscientemente diminuem a frequência ou o timbre vocal, fazendo suas vozes se expandirem e soarem "maiores". Pessoas que falam num timbre mais baixo são julgadas poderosas pelos desconhecidos.[23] Qual a relação disso com a expansibilidade? Bem, nossas vozes são afetadas pela ansiedade e pela ameaça – ambas fazendo com que falemos num timbre mais agudo. Quando nos sentimos fortes e seguros, os músculos da laringe se expandem em vez de se contraírem e o timbre baixa automaticamente.

A impotência faz nosso corpo se contrair

A impotência não apenas restringe nossos pensamentos, sentimentos e ações, mas também encolhe nossos corpos. Quando nos sentimos impotentes ou subordinados, retraímos nossa postura, nos retesando, nos escondendo e nos tornando menores (braços tocando no tronco, peito encolhido, ombros caídos, cabeça abaixada, postura desleixada). Também fazemos uso de gestos e fala restritos, hesitando, falando em rompantes, usando uma extensão vocal reduzida, um tom mais agudo, etc. A impotência chega a inibir nossas expressões faciais, algo evidenciado pelos músculos faciais contraídos, como lábios comprimidos.[24] Nosso estudo dos caminhantes mostrou que pessoas impotentes são vistas em marcha tolhida, contraída – a passada é curta e os movimentos dos braços e da cabeça são bem mais contidos do que aqueles das pessoas poderosas. Mesmo quando andam, os impotentes tentam ocupar menos espaço. Estão tentando desaparecer.

Um gesto particularmente revelador da impotência pode não parecer drástico à primeira vista: envolver o pescoço com a mão. Fazemos isso quando nos sentimos especialmente desconfortáveis, inseguros e ameaçados física ou psicologicamente, e estamos sinalizando claramente medo e a sensação de estar sob ameaça. Por que fazemos esse gesto? Para nos protegermos da mandíbula de um predador, literalmente cobrindo a carótida. Na próxima vez que estiver cercado de gente, observe quem faz isso e quando. As pessoas não o fazem quando se sentem poderosas. Quando você se sente impotente, começa a se ensimesmar, a se proteger, se cobrir e se restringir, voltando à posição fetal.

Outros animais fazem a mesma coisa. Chimpanzés de posição inferior no bando andam de forma desleixada, flexionam os joelhos e enrolam os braços em torno das pernas e dos troncos, adotando uma posição quase fetal, praticamente como se estivessem tentando ficar invisíveis. Cães submissos metem o rabo entre as pernas, abaixam o corpo, ficando achatados, e colocam as orelhas para trás, indicando rendição absoluta. E grous-americanos (uma espécie de ave) de posição inferior no grupo mantêm seus corpos quase paralelos ao solo, curvando o pescoço e posicionando a cabeça abaixo do nível das outras aves na área. Se um grou dominante se aproxima, o submisso sai de seu caminho rapidamente.

Elizabeth Baily Wolf, uma estudante de doutorado com quem trabalhei na Harvard Business School durante quatro anos, um dia me contou sobre uma partida de futebol à qual assistiu na companhia do marido. Ela me perguntou: "Já observou o que as pessoas nas arquibancadas fazem com as mãos quando veem seu time cometer um erro ou perder um gol? Todas fazem a mesma coisa: cobrem o rosto." Ela estava certa. Observe espectadores quando seu time comete um erro grave e vai perceber: eles imediatamente erguem as mãos e cobrem o rosto ou a cabeça. Na verdade, observe os próprios atletas – muitos deles fazem a mesma coisa quando erram ou perdem uma chance de marcar.

Wolf resolveu realizar alguns experimentos para estudar esse fenômeno. Ela mostrou fotos de pessoas cobrindo o rosto e a cabeça de maneiras variadas a centenas de participantes e pediu que descrevessem as fotos a partir de determinadas características. Conforme esperado, ela descobriu que as pessoas que colocavam uma das mãos no rosto eram vistas como menos poderosas e mais aflitas, constrangidas e chocadas do que aquelas com o rosto descoberto. Tocar o rosto usando as duas mãos ampliou essas impressões.[25]

Quando nos sentimos impotentes, praticamente de todas as formas possíveis, nos tornamos menores. Em vez de ocuparmos mais espaço, ocupamos menos – através de nossa postura, de nossos gestos, de nosso jeito de andar e até de nossa voz. Diminuímos de tamanho, caminhamos de maneira mais desleixada, contraímos e restringimos nossa linguagem corporal. E, quando outras pessoas nos observam fazendo essas coisas, não conseguem evitar nos enxergar senão como impotentes e assustados.

Linguagem corporal e gênero

Uma das perguntas que mais me fazem quando dou palestras sobre linguagem corporal é: "Os homens usam uma linguagem corporal mais expansiva do que as mulheres?" Sim. Definitivamente. Em geral, os homens exibem mais dominância e expansibilidade não verbal, falam mais e interrompem mais do que as mulheres. As mulheres costumam mostrar um comportamento não verbal mais submisso e contraído, falam menos (sim, o estereótipo de que mulheres são mais tagarelas do que homens é equivocado),[26] interrompem com menos frequência e são mais interrompidas.[27]

Quando se trata do caminhar, as diferenças de gênero são enormes. Em nosso estudo do jeito de andar, o relacionamento entre gênero e movimento poderoso foi bem forte; o andar feminino era bem mais restrito do que o masculino nas dimensões que identificamos como relacionadas ao poder: movimento dos braços, movimento da cabeça e comprimento da passada.[28]

Adam Galinsky, professor da Columbia Business School e especialista em psicologia do poder, sustenta a tese convincente, baseada em dados, de que as diferenças de gênero equivalem a diferenças de poder: comportamentos típicos das mulheres também são típicos de pessoas impotentes e vice-versa. Em praticamente todas as sociedades, as mulheres ainda têm menos poder social formal do que os homens – em outras palavras, poder e gênero quase sempre se confundem, tornando difícil saber qual tem maior influência sobre o comportamento. Na verdade, Galinsky demonstrou que as diferenças comportamentais de gênero típicas podem ser obtidas pela manipulação de quão poderosa uma pessoa se sente, independentemente de seu gênero.[29]

O que não quer dizer que não existam algumas diferenças de gênero de base biológica; claro que existem. Mas essas diferenças são bem mais sutis do que as pessoas costumam perceber – não é que "mulheres fazem isso e homens fazem aquilo". E essas diferenças são bem reforçadas pelos estereótipos e distorções cognitivas que nos levam a buscar informações que confirmem tais estereótipos. Em suma, muitas das diferenças que observamos entre o comportamento masculino e o feminino – inclusive a linguagem corporal – na verdade se baseiam em diferenças de poder, não em diferenças biológicas.

Para complicar ainda mais as coisas, a cultura atua como um moderador dessas diferenças, ampliando ou reduzindo assim a distinção de poder baseada no gênero. Não muito depois que minha palestra no TED foi postada na internet, recebi a seguinte mensagem de uma mulher chamada Sadaaf, nascida e criada em Bangladesh mas agora morando em Dallas, Texas:

– As mulheres tendem a se fazer menores em comparação aos homens. Cresci em Bangladesh, onde culturalmente não somos ensinadas a nos sentirmos poderosas. Homens são o sexo dominante e é uma luta para as mulheres se sentirem e se colocarem como poderosas quando estão no mesmo ambiente. Isso certamente se reflete na linguagem corporal. – Ela então passou a explicar: – Depois de assistir à sua palestra, sempre me lembro de ocupar um pouco mais de espaço do que aquele a que estou acostumada. Não estou fazendo nada extremo, só o suficiente para sentir que sou dona da minha bolha! Eu não vou me diminuir! Vou usar todo o espaço. Isso faz com que eu me sinta um pouco mais no comando.

Também recebi um e-mail profundamente comovente de uma jovem vietnamita, Uyen, que refletia suas experiências de recém-chegada aos Estados Unidos. Ela estava impressionada com as diferenças na linguagem corporal entre as mulheres americanas e as vietnamitas, e confusa em relação a como conciliar essas diferenças com aquilo que as mulheres mais velhas lhe haviam ensinado na infância (por exemplo, "Não mantenha contato visual ao falar com papai", "Cruze suas pernas ao conversar com colegas" e até mesmo "As mulheres não são importantes; devemos nos tornar pequenas e ocultar nossa importância diante dos outros"). Na época em que me escreveu, ela disse que estava "sentada num café em Boston, vendo as mulheres entrando e saindo e observando a linguagem corporal de todas elas. As mulheres americanas mantêm contato visual firme enquanto pedem café aos atendentes. Elas abrem os braços quando conversam com amigos e colegas". Como respeitar o que ensinaram bem-

-intencionadas anciãs em determinada cultura e ao mesmo tempo cultivar o senso de poder e orgulho em outra?

Embora essas prescrições de gênero possam ser exageradas em certos países, os Estados Unidos certamente não são imunes a isso, como meus colegas e eu descobrimos num experimento envolvendo crianças americanas.

Pais de crianças pequenas – aliás, qualquer um que tenha observado crianças pequenas – já devem ter notado que tanto os meninos quanto as meninas adotam posturas e movimentos expansivos. Irrestritas por normas culturais, menininhas parecem tão propensas a lançar seus braços no ar, empinar os ombros e manter os pés afastados quanto menininhos. Mas a certa altura isso parece mudar: os meninos continuam se engrandecendo e as meninas começam a se retrair. Quando meu filho ingressou no sexto ano, observei suas amigas mudarem a forma como se portavam. Começaram a encolher o corpo, a curvar os ombros, a abraçar o tronco, a retorcer pernas e tornozelos, a baixar o queixo. Pode haver uma série de razões para que isso aconteça, mas com certeza uma delas é que por volta dessa idade as meninas ficam mais sintonizadas com a prescrição dos estereótipos culturais sobre o que é atraente ao sexo oposto. E talvez por isso sua filha antes tão enérgica comece a se retrair quando entra no sexto ano.

Meus colegas e eu começamos a estudar o papel do gênero na linguagem corporal das crianças por acaso. Annie Wertz – psicóloga do desenvolvimento no Instituto Max Planck, em Berlim (também minha vizinha de infância, de quem fui babá durante 10 anos) –, Kelly Hoffman, Jack Schultz, Nico Thornley e eu estávamos iniciando um estudo de desenvolvimento social para identificar a idade em que as crianças começam a associar posturas expansivas ao poder e posturas contrativas à impotência. Pensamos em diversas maneiras de apresentar as posturas às crianças: poderíamos nós mesmos posar para elas, mostrar fotos de outras pessoas em posturas variadas, usar personagens de desenhos animados ou desenhos de bonequinhos de palitinhos... As possibilidades eram várias. Era importante usar estímulos neutros quanto ao gênero para tornar o experimento o mais cristalino possível, e em uma sessão de brainstorming chegamos à ideia de usar um manequim articulado de madeira (ou seja, um boneco), que era fácil de manipular. Assim, compramos um e o configuramos em uma série de posturas que demonstrassem alto e baixo poder, depois fotografamos cada uma delas. Achamos que deveríamos fazer um teste piloto das fotos do boneco com uma amostragem "cômoda" (ou seja, os filhos dos nossos amigos) a fim de obter suas reações iniciais antes de darmos início ao estudo real, especialmente porque estudos de desenvolvimento social que envolvem crianças requerem muito tempo e trabalho. Queríamos ter certeza de que estávamos utilizando os métodos certos. Quando o fizemos, por acaso descobrimos algo perturbador: as crianças pareciam achar que os bonecos poderosos eram meninos e os bonecos impotentes eram meninas. Então mudamos ligeiramente de rumo e, em vez de examinar a idade em que as crianças poderiam associar posturas expansivas ao poder, decidimos examinar a idade em que elas poderiam começar a associar posturas expansivas ao gênero.

Depois coletamos as impressões das crianças fazendo com que olhassem 16 pares de fotos, sendo que cada par continha um exemplo de pose poderosa e outro de pose impotente. Após terem visto cada dupla de imagens, perguntávamos às crianças qual boneco era a menina e qual era o menino. Uma nota 9 ou superior indicaria uma forte inclinação pelo poder masculino. Uma nota 8 ou inferior indicaria uma forte inclinação pelo poder feminino. Uma nota 16 significaria que a criança viu os bonecos poderosos como meninos e os bonecos impotentes como menina. Uma nota 0 significaria que a criança viu os bonecos poderosos como menina e os bonecos impotentes como menino.

Cerca de 60 crianças (recrutadas num museu infantil) participaram do estudo: metade delas tinha 4 anos e o restante, 6. Com base em pesquisas da época do desenvolvimento da identidade de gênero e da adoção dos estereótipos culturais, imaginamos que as crianças rotulariam os bonecos nas posturas de alto poder como homens e aqueles nas posturas de baixo poder como mulheres, e que o efeito seria mais forte entre as crianças de 6 anos. Queríamos saber qual porcentagem das crianças mostraria uma inclinação pelo poder masculino. Enquanto 73% das crianças de 4 anos mostraram essa inclinação, entre as de 6 anos o percentual foi de 85. Os resultados foram ainda mais surpreendentes ao considerarmos a porcentagem de notas de poder masculino "perfeitas" – notas 16. Enquanto apenas 13% das crianças de 4 anos marcaram nota 16, 44% das crianças de 6 anos apresentaram o mesmo valor. Em outras palavras, enquanto ambos os grupos mostraram uma forte inclinação de gênero pelo poder masculino, em comparação com as crianças de 4 anos, as crianças de 6 anos tiveram uma tendência três vezes maior a enxergar *todos os* bonecos poderosos como homens e *todos os* bonecos impotentes como mulheres. E não houve diferenças entre as notas de meninas e meninos – os dois grupos exibiram a mesma tendência.

Você poderia indagar: que providência devemos tomar?

Estou lançando um desafio para todos nós, o qual levo muito a sério: *vamos mudar isso*. Quando você vir suas filhas, irmãs e amigas começando a se ensimesmar, a se encolher, intervenha. Mostre-lhes exemplos de meninas e mulheres em posturas triunfantes, movimentando-se com senso de poder, falando com orgulho autêntico. Mude as imagens e os estereótipos aos quais as crianças são expostas. Não precisamos dizer às mulheres que sejam como homens. Mas temos de incentivar as meninas a não terem medo de expressar seu poder pessoal. Vamos parar de pensar nas posturas poderosas como masculinas e nas posturas impotentes como femininas. Não estou defendendo que você se sente com os joelhos bem afastados ou com os pés sobre a mesa durante uma reunião, ou que adote uma linguagem corporal alfa em suas interações – quer você seja homem, quer seja mulher. Estou dizendo que você *merece* adotar posturas abertas, confortáveis e conquistar seu quinhão justo de espaço, independentemente do seu gênero.

Deveríamos simplesmente dominar todo mundo com nossa linguagem corporal?

Em 2014, alguém do estado de Washington enviou-me um link de um anúncio do governo explicando o que fazer se você se deparar com um puma na selva. (Cabe acrescentar que, como observei no anúncio, as chances de isso acontecer são ínfimas e a única baixa humana conhecida causada por um puma no estado de Washington ocorreu em 1924.) No vídeo, o narrador, o ecologista Chris Morgan, explica: "Saber algumas coisas sobre os pumas manterá você, sua família e os pumas em segurança." Uma das precauções aconselhadas era: "Caso *chegue* a ter um encontro, não corra; seja grande!" O conselho era acompanhado de um vídeo de um homem postado na floresta puxando as costas de sua jaqueta para cima, sobre a cabeça, a fim de parecer mais alto.

Descrevi esse anúncio ao ministrar uma palestra no ano passado. Um homem na faixa dos 50 anos me abordou:

– Sei que parece maluquice, mas, quando eu era um menininho, meu pai e eu nos deparamos com um puma enquanto ele pescava no Oregon... e foi exatamente isso que fizemos. Na verdade, meu pai disse: "Suba nos meus ombros e puxe as costas da sua camisa sobre a cabeça para parecermos maiores do que o puma." Claro que obedeci. E o puma fugiu! Agora eu entendo.

Lembra-se dos chimpanzés que seguram pedaços de madeira para fazer seus membros parecerem mais longos? É a mesma ideia.

Uma linguagem corporal poderosa sinaliza aos outros se devem se aproximar ou nos evitar. No exemplo anterior, claro que queremos sinalizar ao puma que nos evite – indicando que somos grandes, dominantes, fortes e perigosos.

Mas eis o fato: a maioria de nós provavelmente nunca precisará espantar um puma. Ou qualquer felino selvagem. Ou um grande predador. Embora essas posturas, às quais muitas vezes me refiro como posturas de caubói, possam ter sido evolutivamente adaptativas quando nossos ancestrais evitavam virar comida de um tigre-de-dentes-de-sabre, elas não são particularmente úteis em reuniões empresariais, salas de aula ou discussões familiares. Na verdade, em geral não funcionam quando adotadas deliberadamente.

Quando falo para plateias – estudantes universitários, médicos, executivos, bibliotecários –, uma das perguntas mais comuns que ouço é: "O que devo fazer se trabalho com uma pessoa que está sempre usando uma linguagem corporal alfa?" Essa pergunta mostra que a maioria de nós não gosta de tentativas de domínio através da linguagem corporal. Ora, isso parece contestar tudo que aprendemos sobre a importância da postura para o poder. Mas existem vários motivos pelos quais usar expressões não verbais de alto poder para nos impormos é uma ideia ruim.

Intimidade, não intimidação

Embora status e poder não sejam sinônimos, estão estreitamente ligados. Pesquisas mostram que prestamos atenção extra a indivíduos dominantes, de alta posição, à semelhança dos primatas não humanos. E isso faz sentido, porque os membros dominantes de um grupo geralmente têm a capacidade de alocar recursos, influenciar as decisões do grupo, fixar normas de conduta, incitar conflitos e resolver litígios.

No entanto, chimpanzés e gorilas *desviam* o olhar de indivíduos que estejam *exibindo* o domínio (ou seja, usando uma linguagem corporal expansiva). Exibir domínio difere de desempenhar um papel dominante, de alta posição, na hierarquia. É possível desempenhá-lo sem exibir-se abertamente. Assim, uma exibição franca de domínio, sobretudo por membros de alta posição do grupo, tem um significado. Desviar o olhar é um sinal de submissão. Será que os seres humanos exibem respeito ao olhar do mesmo modo seus colegas primatas?

Essa pergunta foi feita num experimento conduzido por mim, Elise Holland, Elizabeth Baily Wolf e Christine Looser.[30] Pedimos aos participantes que olhassem uma série de fotos de homens e mulheres: às vezes as pessoas nas fotos exibiam posturas dominantes, poderosas (por exemplo, sentadas com as mãos nos quadris e os pés afastados; sentadas com os joelhos afastados e os dedos entrelaçados atrás da cabeça, cotovelos apontando para fora), e outras vezes, posturas submissas, impotentes (por exemplo, de pé, com os tornozelos cruzados e abraçando o corpo; sentadas, com ombros caídos, queixos abaixados e mãos entrelaçadas).

Usando um método baseado em vídeo chamado *eye-tracking* (oculometria), fomos capazes de medir os padrões de olhar exatos dos voluntários durante a observação das fotos. Enquanto os participantes estavam sentados numa cadeira olhando para as imagens mostradas na tela do computador, uma câmera enfocava e gravava os movimentos de seus olhos, captando exatamente o que estavam mirando, quando e por quanto tempo. Como as pessoas acham muito difícil controlar intencionalmente seus padrões de olhar quando observam algo pela primeira vez, a oculometria age um pouco como uma leitora de pensamentos: ao captar o que você está olhando, informa alguma coisa sobre o que você está pensando.

A diferença de padrões quando os voluntários olhavam para posturas dominantes versus submissas foi nítida: ao deparar com as poses dominantes, os participantes rapidamente desviavam o olhar dos rostos, abaixando-o para suas pernas ou seus pés ou afastando-o totalmente da imagem. Ao verem pessoas em posturas submissas, os voluntários seguiram padrões sociais mais normais: olhavam para os rostos dos fotografados. Esses padrões se assemelham ao modo como interagiríamos com pessoas no mundo real – não queremos nos envolver com aquelas que exibem domínio abertamente. Sentimos que seu comportamento é assíncrono e elas nos parecem perigosas demais.

Jessica Tracy descobriu outro motivo pelo qual não gostamos do contato visual excessivo: nós o consideramos uma tentativa flagrante e arrogante de nos dominar, e nos ressentimos disso. Ela escreveu: "Quando as pessoas olham para cima em vez de olhar diretamente para aqueles com quem estão interagindo, ao mesmo tempo que demonstram orgulho, sua expressão é percebida como mais autêntica, menos arrogante. Isso talvez se deva à impressão de domínio transmitida pelo olhar direto."[31] Essa é outra razão para abrandarmos aqueles duelos de olhares penetrantes em reuniões profissionais.

Como eu já disse, na maioria das situações sociais, tendemos a imitar a linguagem corporal uns dos outros inconscientemente, o que serve para facilitar as interações. Às vezes, porém, em vez de espelhar a linguagem corporal de nossos companheiros, nós a complementamos. Esse fenômeno é particularmente comum quando existe um desequilíbrio de poder entre os envolvidos. A pessoa com mais poder tende a usar posturas de poder exageradas, levando a pessoa com menos poder a usar posturas impotentes exageradas.[32]

Nessas situações, "engrandecer-se" só faz tornar os outros menores (e vice-versa), o que dificulta a relação. Lembre-se de que queremos poder *para*, não poder *sobre*. Queremos parecer confiantes e relaxados, e não que estamos fazendo o máximo para dominar. O objetivo é intimidade, não intimidação. Dominar uma sala como se você fosse um gorila deixa pouco espaço, física e emocionalmente, para os outros.

Para ilustrar como a ostentação pública pode dar errado, o site Vooza fez um vídeo satírico ("Power Pose") que mostra uma reunião corporativa numa sala de conferências. Um homem entra e começa a orientar um colega para que este pareça mais confiante e poderoso adotando posturas ridículas como "o gorila confiante" e "o homem-montanha". À medida que essas exibições se tornam mais agressivas e exageradas, os olhares de impaciência e aversão dos participantes só aumentam, até que finalmente "o alce zangado" recebe um jato de gás lacrimogêneo no meio da cara. É engraçado porque é familiar: todos conhecemos esse idiota. Não queremos ser ele.

E talvez você tenha ouvido falar sobre "*manspreading*". É um problema nas cidades cujos ônibus e vagões do metrô ficam superlotados. O termo inglês descreve o hábito de alguns passageiros homens de sentar com as pernas deselegantemente abertas, ocupando dois ou mesmo três lugares enquanto outras pessoas são forçadas a ficar de pé. Se você pegar o metrô em Nova York, possivelmente verá cartazes condenando essa prática.

Muitas vezes somos tentados a assumir o controle de uma situação usando posturas ultraeretas ou cumprimentando com um aperto de mão extrafirme. Isso é particularmente comum em entrevistas de emprego. E as pesquisas mostram que os benefícios são... bem, quase nulos. Durante um estudo, candidatos a emprego que tentavam impressionar por meio de contato visual frequente não se saíram bem nas entrevistas. E quanto mais longa e estruturada foi a entrevista, mais as táticas de gestão de impressão não verbais levaram a resultados ruins. Lembra-se da nossa discussão sobre sincronia no Capítulo 1? Ela também é um fator. E, talvez mais importante, entrevistadores enxergaram os candidatos que fizeram uso óbvio da linguagem corporal como inautênticos e manipuladores. Acho que basta dizer que não foram contratados.[33]

Você pode estar violando normas culturais

As normas de linguagem corporal variam muito entre as culturas, e entender essas idiossincrasias pode promover ou romper interações interculturais. Elas diferem em várias dimensões: quanto contato visual fazer? Devo cumprimentar com um aperto de mão? Com quanta firmeza? Quem deveria tomar a iniciativa? Devo fazer uma leve reverência? Qual seria o grau de inclinação? Quem deveria se inclinar primeiro? Devo ficar sentado ou de pé?

Em um estudo realizado por Wendi Adair, professora de comportamento corporativo da Universidade de Waterloo, empresários canadenses usavam uma linguagem corporal bem mais relaxada e expressões faciais mais negativas do que seus colegas chineses. Mas os empresários chineses ocupavam mais espaço à mesa do que os canadenses. Tais diferenças afetaram tanto os resultados concretos da negociação quanto a satisfação dos participantes com o processo.[34]

Adair também estuda como pessoas de culturas diferentes tentam se adaptar mutuamente em ambientes de negócios. Ela descobriu que, quando empresários ocidentais tentam usar o espaço como seus colegas orientais, são vistos como exibidores de uma dominância inapropriada. Mal-entendidos culturais sobre a linguagem corporal podem levar as pessoas a recusar ofertas potencialmente lucrativas.

Poses de caubói talvez combinem com o Texas, mas a prudência recomenda evitá-las no Japão. Colocar seu braço no ombro de um novo conhecido no Brasil pode ser aceitável, mas a reação provavelmente será diferente na Finlândia. Não se dar ao trabalho de entender essas diferenças talvez resulte na perda de um negócio ou um emprego, ou pior.

O que nos traz de volta ao rúgbi, aos All Blacks e à *haka*.

A *haka* é "sobre o triunfo da vida após a morte", explicou Hohepa Potini, o ancião da tribo Ngāti Toa.[35] "A Nova Zelândia é um país pequeno, portanto, quando saímos e encaramos países que são três, quatro vezes maiores do que nós, fazemos um esforço para sobreviver e preservar nossos próprios eus – nossa *mana*, nossa integridade. [Os All Blacks] fazem isso com imenso orgulho. E é isso que a *haka* lhes dá. [...] É nossa herança cultural. Lançar um desafio. Comemorar a vitória."

E os próprios jogadores dos All Blacks falam da *haka* com grande reverência, como algo que apenas sonhavam fazer um dia.

– Temos muito orgulho de nossa herança e, quando dançamos a *haka* juntos, temos a chance de olhar ao longo da fila e ver nossos colegas de time e de nos conectarmos verdadeiramente com o homem ao nosso lado – disse o jogador Keven Mealamu.

– Muitas crianças na Nova Zelândia sempre praticaram a *haka* e desejaram que um dia pudessem ter a oportunidade de exibi-la – acrescentou o colega de time Aaron Cruden, e explicou que a *haka* consistia em "espiritualmente obter força dos sujeitos ao nosso lado, do solo onde estamos postados".

Mas o que a *haka* tem a ver conosco?

Bem, está claro que pensamentos e sentimentos moldam a linguagem corporal e que a linguagem corporal de cada pessoa fala para as outras. Usando um vocabulário puramente físico, nossas vidas interiores se comunicam, de pessoa para pessoa, em ambas as direções. Temos conversas inteiras, em que trocamos informações importantes, sem dizer uma palavra sequer.

Mas também acontece outra coisa, algo que não é compreendido de forma tão óbvia: nossa linguagem corporal também está falando *conosco* – aos nossos eus interiores. E não está simplesmente nos contando o que estamos sentindo – é mais complexo do que isso. Talvez o poder da *haka* não seja simplesmente seu efeito sobre os membros do time adversário. Talvez também resida no que ela faz pelos próprios jogadores dos All Blacks.

7

Surfando, sorrindo e cantando para ser feliz

*Eu tive de decidir ficar aprumada na minha prancha
de surfe. Não sabia que aquilo me ajudaria a ficar
aprumada em minha vida também.*
— Eve Fairbanks

Se por acaso você se casar com um australiano (assim como eu), provavelmente se familiarizará com o processo desmoralizante de aprender a surfar. Dediquei algum tempo a ficar de pé, vacilante, na prancha (e a cair dela), mas só depois de ler a jornalista Eve Fairbanks discorrendo sobre o assunto percebi a profunda ligação desse processo com a presença.

Fairbanks acredita que aprender a surfar ensinou-lhe algo sobre como viver em terra firme.[1] Ela escreveu no *The Washington Post*: "O surfe destila num momento puramente físico o desafio prolongado, intelectual e complexo de simultaneamente aceitar o que a vida lança sobre você e aproveitá-la ao máximo."

Sua análise de aprender a surfar, um processo que requer o controle de nossa postura física para mudar nossa psicologia, capta perfeitamente a ligação corpo-mente: como e por que funciona e por que, infelizmente, costumamos ignorá-la.

Nosso primeiro erro, disse ela, é focar demais nas habilidades específicas que julgamos necessárias para nos tornarmos bons surfistas – ou para sermos vistos como exímios em nosso emprego ou atraentes por parceiros em potencial. Fairbanks escreveu: "Os amadores imaginam que os esportes radicais se resumem a habilidades: temos de adquirir força e memória muscular para podermos realizar uma façanha esportiva." Com essa mentalidade, Fairbanks primeiro fixou-se em seu desempenho, se tinha ou não habilidade e onde estava na curva do aprendizado – e tudo isso a deixava um tanto insegura.

– De início – explicou ela –, quando eu caía, sentia um desejo desesperado de que meu professor dissesse que meus erros eram normais, que eu não estava me saindo mal em comparação com seus outros alunos. Aquilo se assemelhava muito ao meu desejo frequente de assegurar que meus erros não se refletissem negativamente no meu caráter.

Mas em certo ponto ela mudou sua abordagem.

– Após um histórico de sucessos e fracassos, meu professor disse que em algum ponto eu teria de simplesmente "decidir permanecer na prancha" – recordou ela. – Foi surpreendente sentir a grande diferença depois de tomar aquela decisão e persistir nela. Enquanto antes eu vinha caindo quase o tempo todo, de repente comecei a pegar todas as ondas. O prazer gerou mais prazer, a certeza de minha capacidade se ampliando a cada nova tentativa.

Sua experiência sugere que deveríamos inverter a "receita do sucesso".

– Orientadores com frequência nos dizem que precisamos confiar em nossas decisões. Que as decisões vêm ao final de um processo de aquisição de certeza e simplesmente confirmam uma verdade interior. Mas, na verdade, ocorre o inverso: decisões criam confiança. Foi isso que aprendi em minha prancha de surfe.

A lição foi proveitosa e logo ela descobriu que aquilo se aplicava fora da prancha também.

– Ao encarar decisões em terra firme, do tipo do qual às vezes me esquivo, passei a sentir meu corpo na prancha, tomando posição e conseguindo permanecer aprumada. Ficou mais fácil acreditar que eu poderia permanecer na prancha figurativa de um plano.

Ao permanecer naquela prancha, o corpo de Fairbanks mostrou do que ela era capaz de uma forma que seu pensamento jamais conseguiria.

– O problema – disse ela – é que o que está dentro de nossas mentes é invisível. Só podemos imaginá-lo. Mas experimentamos nossos corpos sensualmente. É muito poderoso perceber nossa natureza conforme ela é expressa por nossos corpos, conforme é percebida por todos os nossos sentidos.

"Estou feliz porque canto"

Sempre me intrigou o mito de que corpo, cérebro e mente são entidades separadas e autônomas – e a ideia de que vê-los como interligados é uma ideia "marginal". O cérebro não está localizado *dentro* do corpo? E, se isso não é prova suficiente, o corpo se movimenta, fala, reage, respira, *vive* por causa do cérebro. O corpo e o cérebro fazem parte de um único sistema integrado, complexo e belo. Como disse Oakley Ray, um venerado ex-psicólogo da Universidade Vanderbilt: "Não existe uma divisão real entre mente e corpo por conta das redes de comunicação existentes entre o cérebro e os sistemas neurológico, endócrino e imunológico."[2]

É possível ter uma mente sem um cérebro? Que corpo, cérebro e mente estão interligados deveria ser uma das ideias menos controversas em toda a ciência. No entanto, afirmações sobre essa ligação costumam provocar reações céticas. Quando comentei sobre a ligação corpo-mente, um desconhecido fez esta pergunta irônica: "Você andou fumando um maço de Chopras?" (Referindo-se, é claro, aos ensinamentos do guru da atenção plena Deepak Chopra.)

O Departamento de Psicologia da Universidade Harvard tem sede no edifício William James. William James (1842-1910) foi o primeiro educador a oferecer um curso de psicologia em nível universitário nos Estados Unidos, continua sendo um dos filósofos americanos mais famosos de todos os tempos e é conhecido como o pai da psicologia americana.

Embora inúmeras ideias de James tenham ajudado a moldar o que os psicólogos atuais estudam, a que mais me sensibilizou está inserida em sua famosa afirmação: "Eu não canto porque estou feliz; estou feliz porque canto."

Essa ideia provocadora sugere que as experiências corporais causam as emoções, e não o inverso. De acordo com James, experimentamos ou realizamos uma sensação ou ação física com nossos corpos e isso faz com que nos sintamos de determinada maneira. "Uma emoção puramente desencarnada é uma entidade inexistente",[3] escreveu ele em 1884.

Acreditando que nossas emoções são interpretações de nossas experiências corporais, viscerais, James afirmou que podemos simular uma emoção até a tornarmos real – podemos cantar até ficarmos felizes ou chorar até entrarmos em desespero. James, um grande intelectual – um termo que hoje em dia se confunde demais com "cético" –, também era cheio de esperança e incentivava as pessoas a "começar a ser agora o que serão no futuro".

Talvez a teoria de James não lhe pareça particularmente controversa, mas lembre-se de que os seres humanos tendem a acreditar – algo tipicamente entranhado em nossas cabeças – que as emoções ocorrem primeiro, antes das sensações físicas, e que o que acontece em nossas mentes é a *causa* do que nossos corpos fazem e sentem, e não, tal como propôs James, o *resultado*.[4] Ele escreveu: "O senso comum diz que perdemos nossa sorte, ficamos tristes e choramos; nos deparamos com um urso, nos assustamos e corremos; somos insultados por um rival, nos zangamos e atacamos. A hipótese a ser defendida aqui diz que essa ordem sequencial está incorreta [...] e que a afirmação mais racional é que ficamos tristes porque choramos, zangados porque atacamos, com medo porque tremamos."[5]

James chegou a sugerir, em 1890, que uma forma de testar sua teoria seria examinar as emoções de pessoas sem quaisquer sensações corporais. Decorreram mais de 100 anos até que um grupo de pesquisadores, liderado por Hugo Critchley, seguisse seu conselho e mensurasse as experiências emocionais de pacientes com insuficiência autonômica pura (PAF), que leva à degeneração dos mecanismos de feedback dos sistemas nervosos simpático e parassimpático – o que significa que pessoas com PAF têm sensações corporais bem reduzidas.

O estudo constatou que, em comparação com as demais, pessoas com PAF relatavam experiências emocionais atenuadas e menos atividade neural relacionada ao medo, sendo menos exímias em entender como os sentimentos alheios eram afetados por determinada situação. Em outras palavras, uma ligação enfraquecida com o corpo leva a uma ligação diminuída com as próprias emoções – e a uma capacidade um tanto reduzida de interpretar as reações emocionais de outras pessoas.[6]

O rosto

Se você fosse realizar um experimento para testar diretamente a hipótese de James, que alega que expressões corporais causam emoções, por onde começaria? O rosto parece um bom ponto de partida, mas qual expressão facial? Qual emoção? Para criar um teste adequado de como o corpo influencia a mente, você teria de induzir alguém a fazer uma expressão facial sem associá-la à emoção que ela conota. Algo difícil.

Em 1974, o psicólogo James Laird publicou os resultados de um estudo em que pretendia verificar se o comportamento fisicamente expressivo pode criar uma experiência emocional – ou, em outras palavras, se franzir o cenho nos deixa zangados e sorrir nos deixa alegres.[7]

Laird sabia que revelar o propósito do experimento aos seus voluntários poderia distorcer suas respostas, de modo que desenvolveu um estratagema sagaz para confundi-los. Primeiro, contou aos participantes (estudantes de graduação) que o objetivo do experimento era apenas estudar "a atividade dos músculos faciais sob diferentes condições". Depois colocou eletrodos em vários pontos de seus rostos e os ligou a aparelhos de aspecto extravagante que na verdade nada faziam.

Para obter uma expressão "raivosa", ele tocava de leve nos eletrodos entre as sobrancelhas e dizia: "Agora eu gostaria que você contraísse estes músculos aqui." Ele também tocava os eletrodos nos cantos da mandíbula e pedia aos voluntários que os contraíssem, talvez trincando os dentes. Para uma expressão "contente", pedia aos voluntários que contraíssem os músculos nos cantos da boca.

Enquanto os voluntários conservavam aquelas expressões, pedia-se que avaliassem suas emoções. Laird contou que precisava daquelas avaliações para excluir qualquer erro, porque às vezes emoções podem criar mudanças indesejadas na atividade muscular facial. Mais uma mentira para confundi-los.

Mesmo após excluir todos os participantes que desconfiavam do que vinha ocorrendo, Laird constatou que os voluntários se sentiam zangados quando faziam uma expressão zangada e felizes quando faziam uma expressão feliz. Um deles chegou a relatar: "Quando minha mandíbula estava trincada e minhas sobrancelhas abaixadas, tentei não ficar zangado, mas aquilo combinou com minha postura. Não estou num estado zangado, mas vi meus pensamentos vagando por coisas que me deixavam zangado, o que é meio bobo, acredito. Eu sabia que estava num experimento e que não tinha razão para me sentir assim, mas perdi o controle."

Em um famoso artigo de 1988, Fritz Strack, Leonard Martin e Sabine Stepper foram ainda mais longe, descrevendo os resultados de um estudo que testou o que então passou a ser conhecido como a hipótese do feedback facial.[8] Sem explicar por quê, instruíram participantes a manter uma caneta na boca de forma que o gesto envolvesse os músculos tipicamente associados ao sorriso. Outros participantes selecionados aleatoriamente foram instruídos a manter uma caneta na boca de modo a inibir os músculos do sorriso. Todos os participantes receberam histórias em quadrinhos para ler. As pessoas na situação do sorriso acharam os quadrinhos bem mais engraçados do que aquelas incapazes de sorrir. Essa experiência foi repetida no Japão e em Gana[9] e estendida com o uso de diferentes métodos e a análise de diferentes resultados. Por exemplo, em outros experimentos, pessoas cujos músculos foram induzidos a sorrir demonstraram menos preconceito racial.[10]

Conforme pesquisadores descobriram nas décadas seguintes, o feedback facial não se limita ao sorriso e ao bom humor; também induz emoções negativas. Num estudo conduzido por uma equipe no Japão, quando pesquisadores pingaram água perto dos canais lacrimais dos voluntários, estes se sentiram bem mais tristes do que aqueles aleatoriamente designados para não chorar.[11] Em outros estudos, pesquisadores forçaram participantes a franzir o cenho – colando esparadrapos em seus rostos ou simplesmente pedindo que "juntassem as sobrancelhas" –, induzindo assim um aumento nas sensações autorreferidas de tristeza, raiva e aversão.[12]

Assim como encenar determinadas expressões desencadeia as emoções correspondentes, *impedir* tais expressões pode *bloquear* as emoções, uma descoberta que vem sendo aplicada ao tratamento da depressão através do uso de Botox®. Quando franzimos a testa, certos músculos nela – que Darwin denominava músculos da tristeza – são ativados. O Botox® (toxina botulínica A) paralisa temporariamente esses músculos, reduzindo assim as rugas na testa e entre as sobrancelhas. A paralisia temporária também reduz o feedback desses músculos para o cérebro.

Indícios iniciais de que injeções de Botox® poderiam afetar as emoções surgiram a partir de um estudo de 2009 que comparou o grau de depressão em mulheres que receberam injeções de Botox® na testa e mulheres que receberam outros tratamentos cosméticos, entre sete dias e três meses antes.[13] As receptoras de toxina botulínica A ficaram bem abaixo do outro grupo numa medição da irritabilidade, depressão e ansiedade. (As notas anteriores aos tratamentos não estavam disponíveis.) Isso se deu apesar de não haver diferença significativa entre os dois grupos na autoavaliação da atratividade. A descoberta é fascinante, mas um pouco difícil de interpretar, dado que os pesquisadores não haviam designado as mulheres aleatoriamente a determinado tipo de tratamento e não haviam coletado uma avaliação pré-tratamento das sensações de irritabilidade, depressão e ansiedade das avaliadas.

Outro grupo de pesquisadores realizou um teste controlado e aleatório em homens e mulheres com depressão resistentes ao tratamento.[14] Metade dos voluntários recebeu injeções de Botox® na testa, e metade, placebo. Seis semanas depois, os voluntários do Botox® tiveram níveis de depressão 50% inferiores em relação ao início do teste. Os níveis dos voluntários de controle caíram apenas 10%.

Será que isso significa que o Botox® cura a depressão? Antes que você resolva espantar a tristeza junto com suas rugas, vejamos outro estudo, realizado pelos psicólogos sociais David Neal e Tanya Chartrand.[15] Eles compararam voluntárias que haviam recebido Botox® para amenizar rugas na testa e pés de galinha com mulheres que tinham recebido injeções de preenchimento dérmico, que não interfere na comunicação entre os músculos e o cérebro. Cerca de duas semanas após o procedimento, Neal e Chartrand pediram que as voluntárias realizassem uma tarefa de computador em que viam, uma de cada vez, 36 fotografias em preto e branco que mostravam os olhos de pessoas e a região circundante (mais ou menos a região que seria coberta por uma máscara de dormir). O que tornava aquelas fotografias notáveis era que cada uma expressava uma emoção sutilmente diferente (por exemplo, as pessoas pareciam irritadas, cheias de desejo, confusas, pensativas e assim por diante). A tarefa das mulheres era identificar a emoção correta em cada foto, diante de uma lista de quatro respostas possíveis. As mulheres que receberam Botox® tiveram mais dificuldade: em média, foram 7% menos precisas do que as outras mulheres na hora de interpretar as pistas emocionais sutis ocultas nos olhos das pessoas.

Como explicar essa dissociação? Ela ocorre porque uma das formas básicas de decodificar as emoções dos outros é imitando automaticamente suas expressões faciais. Na vida diária, essa imitação é tão sutil e breve (leva cerca de um terço de segundo)[16] que nem sequer nos damos conta de que está acontecendo. Mesmo assim, pela magia do feedback facial, essa imitação permite-nos sentir e entender as emoções das outras pessoas. Mas a toxina botulínica A, ao desativar nossos músculos faciais, impede esse processo. David Neal explicou: "A imitação nos fornece uma janela para o mundo interior das outras pessoas. Ao desativar a imitação, o Botox® torna essa janela um pouquinho mais sombria."[17]

E essa não é a única razão para aceitar suas rugas. Lembre-se de que o Botox® às vezes atinge músculos e rugas relacionados a expressões emocionais negativas *e* positivas – não apenas o franzir da testa, mas também o sorriso, que envolve a contração dos mesmos músculos em torno dos olhos que causam os pés de galinha. É difícil se sentir mal quando você não consegue franzir o cenho. Mas também é difícil se sentir feliz quando você não consegue sorrir totalmente.

Em suma, ao paralisar ou relaxar os músculos que nos permitem expressar emoções reais, ofuscamos nossas experiências emocionais e nossa capacidade de reconhecer as emoções nos outros. Tornamo-nos como aqueles pacientes de insuficiência autonômica pura – menos capazes de nos conectarmos. Neal disse: "É meio contraditório: as pessoas usam Botox® para melhorar suas interações sociais. Você pode parecer melhor, mas talvez sofra porque não consegue interpretar as emoções das outras pessoas tão bem."[18] Existe uma lição aqui: seja gentil com seus pés de galinha e eles serão gentis de volta – e tornarão mais fácil para você ser gentil com os outros.

Desde a época em que William James propôs sua teoria controversa corpo-mente das emoções, reunimos diversas pesquisas experimentais que a testam. Em recente resenha dessa literatura, os psicólogos James Laird, que realizou o experimento do feedback facial original, e Katherine Lacasse concluíram o seguinte: "Em literalmente centenas de experimentos, quando expressões faciais, comportamentos expressivos e reações viscerais são induzidos, as sensações correspondentes ocorrem. Em cada tipo de manipulação comportamental, uma variedade de sentimentos foram induzidos ou reforçados. [...] Impedir as expressões tem reduzido muitos desses mesmos sentimentos. [...] A conclusão razoável disso tudo, segundo nossa crença, é que James de fato estava certo: os sentimentos são consequências [...] do comportamento emocional e da reação corporal."[19]

Até aqui viemos falando sobre o impacto de pequenas mudanças nos músculos que controlam o rosto. E se descermos para os músculos e ossos que comandam nossas expressões abaixo do pescoço? Nossos ombros, braços, mãos, troncos, pernas e pés também se expressam. Existirá algo como feedback corporal? Podem nossos corpos nos ensinar a nos sentirmos poderosos, confiantes, calmos e sincronizados? Podem nos levar à presença?

Presença através do corpo

Ele caminhou ao longo do rio Lee, as mãos às costas. Um novo passeio para ele. Amplo e público. A postura de um homem pensante. Ele gostou da postura, achou-a apropriada à ideia de si mesmo.
– Colum McCann, *TransAtlantic*, descrevendo Frederick Douglass

A "ideia do eu" é um conceito intrigante. O eu pode, presumivelmente, ser qualquer coisa que você queira. Pode até ser novo, mas isso não o torna insincero ou inautêntico. Apenas indica que você consegue pensar em si de determinada forma e depois dar passos para trazer esse eu à existência. No exemplo acima, de um romance de 2013 de Colum McCann, os passos são no sentido literal: Frederick Douglass, o ativista para os direitos civis dos negros americanos do século XIX, percorreu um caminho novo, adotou uma postura nova e gostou daquilo – achou que o conduzia à ideia da pessoa que ele julgava ser.

Nossos corpos, sugere McCann, não apenas nos conduzem aonde queremos ir: eles podem ajudar a nos tornarmos quem queremos ser. E, como estamos prestes a descobrir, os indícios parecem confirmar: se nossos corpos conduzirem para determinado lugar, é para lá que nossas mentes e emoções seguirão.

Para entender esse fenômeno, será bom ver o que acontece quando o corpo nos trai, trancando-nos num estado defensivo, temeroso, hipervigilante em vez de nos conduzir a um poder pessoal maior. Estou falando do estresse pós-traumático.

Imagine todos os componentes da impotência – ansiedade, estresse, medo, ameaça, insegurança, astral negativo, postura defensiva, função executiva reduzida, problemas de memória, pensamentos perturbadores, fuga – e depois multiplique-os. Por muito. Isso dá uma ideia aproximada de como alguém com transtorno do estresse pós-traumático, ou TEPT, experimenta a vida.[20] Experiências traumáticas podem nos privar de nosso poder pessoal.

O trauma, assim como a impotência, causa uma desarmonia profunda entre corpo e mente. O psiquiatra e especialista em TEPT Bessel van der Kolk observou que o trauma "resulta num colapso da sincronia física". Ele escreveu: "Quando você entra na sala de espera de uma clínica de TEPT, consegue distinguir imediatamente os pacientes dos funcionários por causa das expressões congeladas e dos corpos desanimados porém agitados."[21] O TEPT nos desintegra, criando fissuras e conflitos psicológicos profundos enquanto lutamos para enfrentar o dia a dia – para estarmos presentes com nossos filhos, pais, amigos e colegas – ao mesmo tempo que nos protegemos atentamente de ameaças percebidas e tentamos repelir as lembranças que nos assolam. Ficamos divididos.

Os tratamentos psicoterápicos tradicionais para o TEPT supõem que o trauma vive na mente, por isso miram ali. A terapia cognitivo-comportamental, baseada na ideia de que o pensamento guia o comportamento, procura reprogramar os padrões de pensamento das vítimas de TEPT. A terapia de exposição busca dessensibilizar a vítima do trauma que a persegue, obrigando-a a relembrá-lo, reenfrentá-lo e revivenciá-lo.

No entanto, alguns, como Van der Kolk, questionam essa abordagem. "O trauma não tem nada a ver com cognição", relatou ele ao *The New York Times*. "Tem a ver com seu corpo sendo redefinido para interpretar o mundo como um lugar perigoso."[22] A ideia de que o trauma reside no corpo – e portanto deve ser buscado e curado ali – parece intuitiva. Como Jeneen Interlandi escreveu no *Times*:

> Em muitos casos, os corpos dos pacientes é que foram brutalmente violados, e foram seus corpos que os decepcionaram: pernas que não correram com rapidez suficiente, braços que não empurraram com força suficiente, vozes que não gritaram alto o suficiente para escapar do desastre. E eram seus corpos que agora desabavam sob a menor das tensões – que corriam em busca de abrigo ao ouvirem uma sirene de carro ou enxergavam cada desconhecido como um assaltante à espreita. Como suas mentes poderiam se curar se elas consideravam os corpos que as continham tão intoleráveis?

Muitas pessoas que sofrem de TEPT, além de familiares e amigos, perguntaram se intervenções corpo-mente vêm sendo usadas para aliviar sintomas desse distúrbio persistente. Ao menos dois terços dos e-mails que recebi sobre esse tema vieram de veteranos das Forças Armadas ou de seus familiares. A questão me assolou: se o trauma consiste, em última análise, na impotência extrema e se caracteriza por dissociações corpo-mente, será que certas intervenções físicas podem ajudar a reduzir os sentimentos de ameaça e restaurar a noção de orgulho? Talvez o corpo pudesse liderar a mente para sair dos estados de TEPT.

Uma série de cientistas desenvolveu um amplo conjunto de estudos sobre esse tema.

Grande parte das pesquisas sobre TEPT concentrou-se em militares veteranos. Especialistas estimam que pelo menos um em cinco veteranos sofre de TEPT, e esse número cresce significativamente entre aqueles que participaram de combates. O TEPT em veteranos tem se mostrado particularmente difícil de ser tratado com medicação e abordagens psicoterapêuticas tradicionais, como terapia cognitivo-comportamental e de exposição. Além disso, as taxas de evasão dos tratamentos de TEPT são elevadíssimas, em especial entre veteranos, por uma série de motivos que incluem preocupação com o estigma, exigências da vida e o medo compreensível de revisitar a experiência traumática que causou o TEPT. Enquanto isso, o distúrbio vem abalando as vidas de um sem-número de veteranos e suas famílias.

Em 2012, a pesquisadora Emma Seppälä, da Universidade Stanford, resolveu investigar a eficácia dos tratamentos corpo-mente em veteranos com TEPT.[23] Vinte e um veteranos americanos das guerras no Iraque e Afeganistão participaram do estudo. Onze deles foram encaminhados aleatoriamente a um grupo de tratamento pela ioga; os outros 10 foram postos numa fila de espera. Diariamente, durante sete dias, os 11 veteranos nesse grupo de tratamento foram submetidos a três horas de *sudarshan kriya yoga*, uma técnica de respiração que outros estudos constataram ser eficaz para reduzir ansiedade, depressão, comportamento impulsivo e até tabagismo, ao mesmo tempo que aumenta o otimismo, o bem-estar e regula as emoções.[24]

Antes de prosseguir, tenho de esclarecer um ponto. Não sou adepta da ioga. Até mergulhar na literatura científica a respeito, eu era cética. Não que eu achasse que a ioga fosse *nociva* às pessoas. Só não conseguia admitir a ideia de que era tão boa quanto seus praticantes alegavam. Tal como uma adolescente, costumo reagir contra quaisquer tendências que de repente parecem estar por toda parte. Além disso, praticamente todos os dias eu ouvia a seguinte pergunta (por causa da minha formação em balé e meus interesses de pesquisa): "Você certamente pratica muita ioga, não é?" Isso me fazia resistir ainda mais.

Mas sou uma cientista, de modo que agora tenho de superar minha resistência, pois os indícios de que a ioga produz resultados psicológicos e fisiológicos positivos são quase irrefutáveis. Desde que intervenções baseadas na ioga foram aceitas pela comunidade médica, centenas – talvez milhares – de estudos empíricos descreveram seus benefícios à saúde, da redução da pressão arterial e do colesterol ao alívio das dores físicas, emocionais e sociais crônicas.[25] Todo resultado é válido? Todo estudo foi bem-feito? Provavelmente não. Mas essa é a natureza da atividade científica. Portanto já não vejo a ioga como uma tendência excessivamente badalada. Quando praticada de maneira correta, pode ser extremamente eficaz.

Ora, tentar explicar, em poucas páginas, cada aspecto de como a ioga afeta o corpo e a mente seria absurdo. Estamos falando de uma prática antiga, com uns 3 mil anos de existência, que envolve simultaneamente o movimento físico, o controle da respiração e a atenção meditativa plena, todos interagindo e fluindo juntos. Se quiser saber mais sobre os benefícios da ioga à saúde, recomendo a leitura de *Yoga for Pain Relief* (Ioga para o alívio da dor), da psicóloga de Stanford Kelly McGonigal. Aqui estamos fazendo uma breve incursão na ioga, percorrendo apenas o bastante para examinar como e por que a prática pode reduzir a ansiedade e o medo nas vítimas de TEPT – bem como em todos nós – ao mesmo tempo que aumenta a força e a confiança.

Eu queria saber mais sobre o trabalho de Emma Seppälä junto aos veteranos, então perguntei se ela estaria disposta a conversar comigo sobre sua pesquisa. Com muito entusiasmo, ela concordou. A prática de ioga de Seppälä junto aos veteranos, explicou ela, começava com os participantes apenas "sentados numa posição confortável – e respirando fundo", gesto que naturalmente expande o tórax. O grupo praticava o que na ioga denominamos respiração da vitória, "o que fazemos quando estamos num estado de profundo repouso", que – num exemplo elegantemente simples da capacidade do corpo de mudar a mente – desencadeia o reflexo calmante.

– A respiração é uma forma maravilhosa de reduzir sua ativação fisiológica – disse Seppälä. – Entender que você pode controlar sua respiração é o primeiro passo na compreensão de como controlar sua ansiedade e de que você dispõe das ferramentas para fazê-lo sem o auxílio de terceiros. Quando sua mente está acelerada, quando ocorre algo inesperado numa situação social que o deixa sem saber o que fazer, você sabe que pode se acalmar controlando sua respiração.

Para avaliar a eficácia da ioga em veteranos em seu estudo, Seppälä e seus colaboradores em Stanford fizeram medições antes e depois da reação de piscar os olhos quando os voluntários eram expostos a barulhos altos (ou seja, a reação de susto, geralmente exagerada nas vítimas de TEPT) e medições autorrelatadas de ansiedade (a frequência de lembranças traumáticas e pesadelos). Considerando a bem documentada resistência do TEPT aos tratamentos, Seppälä surpreendeu-se com os resultados: um mês depois, veteranos que participaram do curso de ioga de uma semana mostraram reduções de todos os sinais de TEPT. E ela ficou pasma ao constatar que, um ano depois, os sintomas de TEPT e ansiedade dos avaliados continuou a se reduzir substancialmente.

Seppälä descreveu o estudo como "a coisa mais gratificante que já fiz". Um participante escreveu para ela: "Lembro tudo que aconteceu [sobre a experiência traumática], mas ela não me domina mais." Outro disse simplesmente: "Obrigado por devolver minha vida."

– Algumas daquelas pessoas viviam entrincheiradas em seus porões e nunca saíam" – contou ela. – Agora saem para trabalhar, namorar, conviver socialmente. Vejo que sorriem de novo. Um deles me contou que tinha viajado de férias com o pai e que não conseguia acreditar em como estava feliz. Mas o mais importante para ele foi quando seu pai disse: "Tenho meu filho de volta." E agora ele se tornou um porta-voz do programa.

Você já dispõe das ferramentas de que precisa para se tornar presente

Em 1997, enquanto trabalhava com a Comissão da Verdade e Reconciliação na África do Sul, Bessel van der Kolk compareceu a uma reunião de um grupo de sobreviventes de estupro em Johanesburgo e reconheceu, mesmo num ambiente totalmente estranho para ele, a linguagem corporal universal do trauma. "As mulheres sentavam-se curvadas – tristes e congeladas – [como acontecia em] tantos grupos de terapia de estupro que eu havia visto em Boston", recordou ele em seu livro *The Body Keeps the Score* (O corpo registra o placar). "Fui acometido por uma sensação familiar de impotência e, cercado de pessoas traumatizadas, senti-me desabar mentalmente também."[26]

O que aconteceu depois daquilo parece uma encenação das palavras de William James: "Eu não canto porque estou feliz; estou feliz porque canto."

> Uma das mulheres começou a cantarolar, enquanto balançava suavemente para a frente e para trás. Lentamente, um ritmo emergiu. Pouco a pouco, outras mulheres aderiram. Logo o grupo inteiro estava cantando, se mexendo e levantando para dançar. Uma transformação espantosa: pessoas voltando à vida, rostos sintonizados, a vitalidade retornando aos corpos. Fiz a promessa de aplicar o que estava vendo ali e estudar como o ritmo, o canto e o movimento podem ajudar a curar o trauma.[27]

Van der Kolk cumpriu sua promessa e há décadas vem estudando métodos de interação corpo-mente de superar o TEPT, realizando pesquisas, tratando pacientes e oferecendo workshops. Seus estudos recentes enfocam mulheres cujo TEPT foi causado por abuso doméstico, um grupo que, à semelhança dos veteranos, tem se mostrado difícil de ser tratado com sucesso.

Em um estudo, Van der Kolk recrutou para um programa terapêutico 64 mulheres com TEPT crônico resistentes a tratamentos. Metade delas foi designada aleatoriamente para um grupo de ioga e o restante ficou num grupo de apoio de educação para a saúde feminina, uma abordagem tradicional de terapia através da conversa. Cada grupo se reuniu para uma sessão semanal de uma hora, durante 10 semanas.

As mulheres passaram por avaliações antes, durante e após o tratamento, todas ministradas por clínicos e amplamente empregadas em TEPT. No pré-tratamento, os grupos não diferiram. No decorrer do tratamento, ambos os grupos mostraram uma evolução significativa, embora os resultados fossem bem melhores para aquelas do grupo da ioga: 52% dessas pacientes já não se enquadravam nos critérios do TEPT, em comparação com 21% no outro grupo. Entretanto, as avaliações pós-tratamento revelaram que, ao contrário das pacientes do grupo da ioga, as mulheres que receberam tratamento tradicional sofreram recaída mais tarde, apresentando os mesmos sintomas do TEPT que tinham antes do tratamento. Nas que estavam no grupo da ioga, o efeito benéfico perdurou.[28]

Os benefícios psicológicos e fisiológicos da ioga certamente não se limitam a pessoas com TEPT. E, embora os resultados positivos da participação em programas terapêuticos de longo prazo sejam óbvios, cientistas descobriram que as pessoas sentem efeitos benéficos mesmo após uma única sessão de 15 minutos de ioga numa cadeira. Em outro estudo, participantes mantiveram uma série de posturas leves (por exemplo, braços estendidos para o alto e em seguida inclinados para trás e para os lados) por cerca de 30 a 60 segundos. Depois repetiram o ciclo. Esses participantes mostraram reduções significativas no estresse autodeclarado, bem como frequência respiratória mais lenta e maior variabilidade da frequência cardíaca (VFC). A VFC baixa, que indica falta de oscilação na frequência cardíaca em resposta à respiração, está ligada à ansiedade e à tensão emocional. A VFC alta indica que respiração e frequência cardíaca estão sincronizadas. Em outras palavras, uma VFC maior associada a uma frequência respiratória lenta em geral é uma boa indicação de bem-estar orgânico.[29]

Quase todos podemos concordar que o que fazemos com nosso corpo quando praticamos ioga gera alguns efeitos altamente positivos. O mais interessante, porém, é que mesmo quem não planeja fazer ioga num futuro próximo pode obter muitos resultados semelhantes, porque os efeitos corpo-mente ativados pela ioga estão disponíveis para todos – e na vida cotidiana. As ferramentas necessárias para nos tornarmos presentes estão embutidas em nossa biologia. Uma delas é uma ação tão básica que geralmente não nos damos conta de que a estamos realizando: respirar.

Numerosos mecanismos psicofisiológicos estão envolvidos nas intervenções que a ioga promove no corpo, mas a maioria delas se concentra em dois mecanismos: o sistema nervoso simpático (SNS), que estimula nossa reação ao estresse, também conhecida como reação lutar ou fugir; e o sistema nervoso parassimpático (SNP), que estimula nossa reação de relaxamento, também conhecida como reação repousar e digerir (ela se manifesta, por exemplo, após comermos, durante o sono ou quando estamos sexualmente excitados). Esses dois sistemas complementares regulam a excitação no nosso corpo. Em termos básicos, o SNS é o acelerador, enquanto o SNP é o freio.

O agente-chave do SNP é o nervo vago, um nervo craniano que transmite informações sensoriais entre o tronco cerebral e muitos de nossos órgãos vitais, como coração e pulmões. Quando o nervo vago está realizando sua função (ou seja, quando temos um tônus vagal alto), ele sinaliza ao coração que desacelere, e aos pulmões, que respirem mais profundamente, promovendo um estado de calma. (Maratonistas, nadadores e ciclistas costumam possuir tônus vagal alto.) Nas situações em que nosso corpo tem uma reação de estresse aguda e o sistema nervoso simpático assume o comando e desencadeia a reação de lutar ou fugir, o nervo vago é inibido.

Não precisamos do nervo vago para estar em atividade o tempo todo. Algumas situações que exigem prontidão e adrenalina – como um desafio mental ou uma ameaça física – reduzem naturalmente o tônus vagal e provocam uma reação de estresse. Mas com frequência nossa reação de estresse entra em ação desnecessariamente, o que pode ter resultados negativos. No repouso, o tônus vagal alto está associado à saúde física e mental positiva, enquanto a inibição vagal excessiva e continuada tem sido associada a altos níveis autodeclarados de estresse, ansiedade e depressão.[30]

Eis a boa notícia: na verdade, temos algum controle sobre nossos sistemas nervosos simpático e parassimpático. Como vimos, o nervo vago transmite informações entre o tronco cerebral e os órgãos do corpo. O tráfego flui nos dois sentidos. Van der Kolk explica: "Cerca de 80% das fibras do nervo vago (que conecta o cérebro a muitos órgãos internos) são aferentes, ou seja, vão do corpo ao cérebro. Isso significa que podemos treinar diretamente nosso sistema de estimulação pela forma como respiramos, cantamos e nos movimentamos, um princípio que tem sido utilizado desde tempos imemoriais em lugares como China e Índia."[31]

Reserve um segundo agora para se concentrar em sua respiração; inspire rapidamente, depois solte o ar devagar. Mais uma vez: inspire por dois segundos, depois expire por uns cinco segundos. Notou alguma coisa? A expiração lenta ativa seu sistema nervoso parassimpático, reduz sua pressão arterial e aumenta sua VFC. Centenas de estudos mediram os efeitos da respiração focada no relaxamento: os resultados psicológicos incluem ansiedade e depressão reduzidas, bem como aumento do otimismo, do controle emocional e do controle da dor; os resultados comportamentais incluem redução da agressividade e de comportamentos impulsivos, bem como maior controle dos vícios e melhor desempenho no trabalho e nos estudos.[32]

Esse é um dos motivos pelos quais a ioga pode mudar o modo como você se sente – ela o induz a respirar naturalmente de forma lenta e ritmada, de maneira semelhante a práticas como cânticos, *tai chi*, *qigong* e meditação. Mas você não precisa fazer nada disso. Os benefícios do controle da respiração podem ser alcançados praticamente em qualquer lugar, a qualquer momento. Com umas poucas respirações profundas e lentas, você muda seu corpo e sua mente. Considerando que se trata de algo que todos fazemos inúmeras vezes ao dia, sem qualquer esforço consciente, respirar é fantástico – numa dimensão que estamos começando a entender.

O neurocientista Pierre Philippot e seus colegas realizaram um experimento engenhoso no qual pediram a um grupo de voluntários que alterassem sua respiração para que sentissem emoções como alegria, raiva e medo (uma emoção de cada vez) e depois relatassem exatamente de que maneira alcançaram as emoções.[33] Isso soa um tanto estranho, certo? Como você cria uma emoção mudando sua forma de respirar? Os participantes foram orientados a não se preocuparem com isso e simplesmente tentar.

Quando terminaram, pediu-se que descrevessem seus métodos de respiração a um segundo grupo de voluntários, sem mencionar nada sobre como a respiração evocaria reações emocionais. Ao segundo grupo, pediu-se então que respirasse conforme instruído; depois se indagou quais emoções estavam sentindo.

Você consegue adivinhar o resultado? Quando o segundo grupo automaticamente seguiu as instruções da respiração da "alegria", sentiu alegria. Isso também funcionou para a raiva e o medo.

Assim, apenas respirando mais depressa ou mais devagar, mais profundamente ou mais nasalmente, ou com tremores ou suspiros, as pessoas conseguiam alterar suas emoções e seu estado mental. Os pesquisadores notaram que os efeitos de respirar como outra pessoa foram equivalentes àqueles relatados em estudos de feedback facial.

Por sinal, caso queira ter um pequeno surto de alegria agora mesmo, eis as instruções de respiração que o segundo grupo de voluntários recebeu: "Inspire e expire lenta e profundamente pelo nariz; sua respiração é bem regular e sua caixa torácica está relaxada." Sente-se melhor?

Podemos medir indiretamente o efeito de relaxamento da respiração examinando indicadores fisiológicos como VFC aumentada e menores frequência cardíaca, pressão arterial e níveis de hormônios do estresse, como cortisol. Esses fatores têm sido associados ao relaxamento emocional. A prática também tende a melhorar a saúde física. Hormônios do estresse reduzidos, por exemplo, indicam um risco menor de doenças cardíacas, infecções e câncer.[34]

Posturas para evocar a presença

O veredicto foi dado e a ciência diz claramente: "William James estava certo." Nossos corpos falam para nós. Eles nos informam como e o que sentir e até pensar. Mudam o que acontece dentro de nosso sistema endócrino, de nosso sistema nervoso autônomo, de nosso cérebro e de nossa mente sem que estejamos conscientes disso. O modo como você conduz seu corpo – suas expressões faciais, suas posturas, sua respiração – afeta nitidamente a forma como você pensa, se sente e se comporta.

Eve Fairbanks, que aprendeu a tomar decisões na sala da diretoria erguendo-se em sua prancha de surfe, pode não ter pensado na ioga ou em William James quando o fez, mas sabia que estava percebendo a verdade. "Quantos outros tipos de ações", questionou ela, "podem transformar nossas formas de pensar?"[35]

Este capítulo se propõe a responder a essa pergunta. Descobrimos como manter uma caneta entre os dentes faz o mundo parecer mais engraçado, como injeções de Botox® podem embotar nossas nuances emocionais e como a respiração pausada tem a capacidade de nos relaxar instantaneamente.

Que tal irmos mais longe, além das expressões faciais e da respiração? Podemos usar nossos corpos inteiros – através da postura, de gestos e movimentos (até mesmo imaginários) – para aumentar nosso poder pessoal de forma adaptativa quando mais necessitarmos? Será que podemos evocar a presença através da postura?

Por que não?

8

O corpo molda a mente

Erga-se e perceba quem você é,
que você está acima de suas circunstâncias.
– Maya Angelou

Quando eu era criança, morava numa casa de pedra minúscula no meio de um parque estadual no leste do estado de Washington, empoleirada num penhasco situado mais de 30 metros acima do colossal rio Colúmbia, com seus 800 metros de largura.[1]

Numa cidade com uma população que mal chegava a 300 habitantes, não havia muitas crianças com quem brincar, portanto eu passava bastante tempo ao ar livre, tentando fazer amizade com todos os animais. Passava horas nos jardins ao longo da casa, escavando, revirando pedras cuidadosamente para achar os insetos que viviam embaixo delas. Sempre tive uma quedinha por criaturas subestimadas, e naquela época meus favoritos eram os insetos que parecem minúsculos tatus-bola: os tatuzinhos-de-jardim. Quando achava um, eu o apanhava com todo o cuidado e colocava na palma da minha mão, que eu mantinha perfeitamente imóvel, esperando que ele confiasse em mim o suficiente para se desenrolar. Mas isso raramente ocorria. Eu me sentia culpada. Sabia que a criaturinha estava apavorada – afinal, um ser gigantesco e poderoso tentava se comunicar com um bichinho minúsculo e impotente. Claro que ele ficava o mais encolhido e protegido possível. Tudo que eu queria era que ele passeasse pelo conforto da minha mão, de algum modo sabendo que podia confiar em mim, algo impossível de comunicar, por mais suave que fosse meu movimento.

Só voltei a realmente prestar atenção na linguagem corporal após meu acidente de carro. Como eu não estava dirigindo quando o desastre ocorreu, a posição de passageiro – algo para o qual eu havia sido indiferente até então – tornou-se visceralmente assustadora. Ainda me intimida, mas no começo era aterrorizante.

Eu me sentia totalmente impotente em proteger a minha segurança física. Quando me sentava no banco do passageiro, colava os joelhos no peito, abraçava as pernas e enterrava o queixo no meio delas. Eu me imaginava um minúsculo tatuzinho-de-jardim. Não fazia diferença estar nas mãos de um motorista confiável. Meu corpo se enrolava numa bola, a menor possível. E eu me bloqueava mentalmente, incapaz de me envolver numa conversa, e em vez disso atentava para cada risco concebível no trânsito, a mente serpenteando pelas engrenagens da preocupação. Às vezes amigos e familiares ficavam magoados ou aborrecidos com minha conduta – por que eu não confiava neles como motoristas? Mas eu não conseguia evitar. Era instintivo. Eles tinham todo o poder; eu não tinha nenhum. Portanto era melhor me preparar para o pior.

Quanto mais firmes eu mantinha os joelhos junto ao peito, menor e menos perceptível eu me tornava. E mais rápido meu coração e minha mente disparavam.

Mas o que teria acontecido se eu fingisse ser corajosa? Se eu tentasse me induzir a ficar à vontade no banco do passageiro? Se eu obrigasse meu corpo a contrariar todas as forças psicológicas que agiam para encolhê-lo? Ao não me proteger, será que teria me sentido um pouco mais segura? Um pouco menos impotente? Um pouco mais presente?

Quinze anos depois, eu ainda não tinha descoberto.

Então a revelação surgiu da combinação improvável de duas experiências que, por um feliz acaso, ocorreram mais ou menos na mesma época.

A primeira: eu estava preocupada com meus alunos pouco ativos em sala de aula. Os padrões de participação são altos para todos os alunos da Harvard Business School: a participação do aluno vale metade da nota final, e não se trata apenas de "aparecer" – espera-se que os estudantes contribuam com comentários inteligentes e ponderados que estimulem o debate, uma tarefa difícil para qualquer um. E, como já mencionei, alguns estudantes acham esse envolvimento em aula apavorante. Para muitos, é seu maior desafio – a forma de avaliação social mais intimidadora.

Os alunos não participantes me deixavam desconcertada. Pareciam quase arredios em sala. Se não interagisse com eles fora daquele ambiente, eu os teria considerado desinteressados, desmotivados, talvez até despreparados. Mas eu sabia que não era o caso. Eu me encontrava e conversava com aqueles jovens ao longo do dia e lia seus trabalhos. Sem dúvida, eram tão brilhantes quanto os alunos que se manifestavam na turma com regularidade. Mas eu não podia lhes dar uma nota respeitável se eles não achassem um meio de participar, de se fazerem presentes.

Avaliando esse problema, comecei a reparar detalhes antes despercebidos, e quanto mais olhava, mais eu via. Nos momentos antes do início da aula, enquanto os participativos estavam circulando, gesticulando, gravitando para o centro da sala, os não participativos iam direto para seus assentos e se curvavam sobre seus livros ou celulares.

Quando os participativos erguiam a mão para se manifestar, era com convicção, estendendo os braços bem para o alto – não agressivamente, mas de uma forma que anunciava: *Creio que tenho algo significativo a dizer. Tenho algo com que contribuir.* Se os não participativos chegavam a erguer suas mãos, faziam-no quase se desculpando – cotovelos dobrados e apoiados na mão oposta, braços hesitando entre subir e descer, claramente ambivalentes sobre chamarem atenção para si.

Os participativos sentavam-se eretos durante a aula, ombros aprumados. Os não participativos se encolhiam, tocando o pescoço, mexendo nos cabelos, nas roupas ou bijuterias, cruzando as pernas e os tornozelos (posição que chamo de pernas sinuosas). Seus corpos comunicavam um desejo de se retrair, de se esconder sob um manto mágico de invisibilidade. Durante a aula eles não se mexiam muito nem viravam as cabeças para fazer contato visual com outros alunos, mesmo quando respondiam a algum comentário. *Pareciam envergonhados.*

Os textos daqueles estudantes mostravam que eram curiosos, entusiasmados e plenamente envolvidos em seu mundo intelectual. Interpretar sua linguagem corporal contava uma história diferente sobre suas vidas emocionais: em sala de aula, sentiam-se impotentes para acreditar nos próprios pensamentos. Não conseguiam confiar em que seus colegas de turma os tratariam com respeito. Quando falavam, sentiam que estavam mentindo, de certa forma: não acreditavam nas próprias histórias.

Estavam ali na sala, mas também estavam ausentes.

A segunda experiência reveladora foi totalmente diferente. O catedrático do meu departamento, um economista chamado Brian Hall, tinha começado a se interessar pelos textos de Joe Navarro (o ex-agente do FBI e especialista em linguagem corporal que já mencionei). Brian convidou Joe para passar um dia em Harvard num brainstorming sobre como seu trabalho poderia ser aplicado nos cursos de MBA. Ele pediu que eu me juntasse à conversa e fizesse uma breve apresentação, ao lado da psicóloga social Dana Carney, então professora da Columbia Business School.

Joe é um profissional incomum. Ele entende que está em melhores condições de aconselhar e lecionar quando consegue combinar sua vasta experiência profissional com os indícios científicos que a respaldam. Faz questão de se manter informado sobre as pesquisas mais recentes. Eu vinha do lado oposto, ávida por exemplos da vida real para inspirar meus estudos.

Mas Joe me deixou tensa. Sua linguagem corporal sinalizava domínio, e eu estava preocupada com o modo como ele interpretaria a minha. Eu acabava de iniciar meu segundo ano como professora assistente e faria uma apresentação a um ex-agente do FBI, ao chefe do meu departamento, à minha colaboradora especialista em comportamento não verbal, Dana Carney, a quem eu respeitava profundamente, e a outro estimado colega veterano, Andy Wasynczuk, que, antes de vir para a HBS, havia sido diretor do New England Patriots (time da liga nacional de futebol americano).

Eu queria desesperadamente causar uma boa impressão e fazer uma ótima apresentação. Em vez disso, não consegui parar de me preocupar com o que as outras pessoas pensariam de mim e de tentar me adaptar ao que acreditava que elas esperavam. Ser flagrada em meu nervosismo por um especialista em linguagem corporal era meu pior pesadelo e, paradoxalmente, como resultado daquela fixação, eu estava lutando para estar presente. Como discutíamos linguagem corporal, Joe naturalmente apontou algumas coisas que eu estava fazendo durante minha palestra para sinalizar impotência e insegurança. Eu estava tocando no pescoço, mexendo no cabelo, abraçando o tronco – erros de principiante, bem semelhantes aos que eu vinha observando em minha sala de aula. Sob estresse, eu estava agindo exatamente como uma pessoa não participativa, embora o que eu mais quisesse no mundo naquele momento era participar plenamente do trabalho em discussão.

Joe contou uma história memorável sobre um interrogatório: o suspeito vinha exibindo uma linguagem corporal dominante. Joe interpretou a ostentação do sujeito não como uma mensagem ao interrogador, mas como um sinal para si – uma forma de conseguir encarar a situação difícil. Perguntei a Joe se a hipótese de que alguém pudesse se sentir mais poderoso "simulando" uma linguagem corporal dominante já havia sido testada cientificamente. Sua resposta: "Ainda não, mas você vai fazer isso."

Foi aí que tudo se encaixou. O medo estava me limitando, e estava limitando meus alunos, mas talvez não precisasse limitar. Nós iríamos fazer essa pesquisa – iríamos estudar como o corpo dialoga com a mente.

Essa ciência não estuda apenas como as pessoas nos avaliam pela nossa linguagem corporal, e a história não versa apenas sobre estudantes universitários muito ou pouco participativos em sala de aula. A forma como nos conduzimos de um momento a outro determina o rumo de nossas vidas. Quando encarnamos vergonha e impotência, nos submetemos ao status quo, seja lá qual for. Sujeitamo-nos a emoções, ações e desenlaces dos quais nos ressentimos. Não compartilhamos quem realmente somos. E tudo isso tem consequências na vida real.

A forma como você se conduz é uma fonte de poder pessoal – o tipo de poder que é a chave para a presença. É a chave que permite a você se liberar – liberar suas habilidades, sua criatividade, sua coragem e até mesmo sua generosidade. Não é algo que lhe dá habilidades ou talentos que você não possui, mas que ajuda a compartilhar aqueles que você tem. Não o torna mais inteligente ou mais bem informado, mas deixa-o mais resistente e aberto. Não muda quem você é, mas permite que você *seja* quem é.

Expandir seu corpo expande sua mente, permitindo que você esteja presente. E os resultados dessa presença têm um alcance inimaginável.

Assumir o controle de nossa linguagem corporal não se restringe a adotar uma postura poderosa. Envolve também a conscientização de que adotamos uma postura impotente mais frequentemente do que imaginamos – e precisamos mudar isso.

Nossos experimentos em postura de poder

Como cientistas, a primeira coisa de que precisávamos era uma hipótese clara.

Eis nossa ideia: se expressões não verbais de poder estão tão entranhadas a ponto de, por instinto, erguermos os braços em V quando vencemos uma corrida – independentemente de fatores culturais, gênero ou se vimos outra pessoa fazê-lo –, e se William James estava certo ao sustentar que nossas emoções são tanto resultado quanto causa de nossas expressões físicas, o que ocorreria se adotássemos posturas expansivas mesmo quando nos sentimos impotentes? Já que expandimos nossos corpos naturalmente quando nos sentimos poderosos, seria o caso de nos sentirmos naturalmente poderosos quando expandimos nossos corpos?

Se nosso experimento demonstrasse que a resposta é sim, poderia fornecer a ferramenta que eu vinha buscando para ajudar meus alunos (e outros) a se tornarem presentes quando necessário – a ferramenta que os ajudaria a trazer seus eus mais arrojados para seus maiores desafios.

Ansiosos por testar nossa hipótese de que posturas expansivas aumentam a sensação de poder, resolvemos começar examinando dois fatores-chave: o senso de poder e confiança e a disposição para correr riscos.

No entanto, antes que meus colaboradores, Dana Carney e Andy Yap, e eu pudéssemos começar nosso primeiro experimento, tínhamos de tratar de um fundamento crítico: identificar e testar posturas adequadas. A partir de um exame minucioso da literatura da linguagem corporal, selecionamos cinco posturas de alto poder (veja as figuras 1 a 5) e cinco posturas de baixo poder (veja as figuras 6 a 10). As posturas de alto poder eram expansivas (com o corpo ocupando uma quantidade significativa de espaço) e abertas (com os membros mantidos afastados do corpo), e as posturas de baixo poder eram fechadas e contraídas, do mesmo jeito que eu ficava ao andar de carro após meu acidente.

Para termos absoluta certeza de que pessoas "comuns" (ou seja, não psicólogos) associariam tais posições ao poder, realizamos um estudo preliminar no qual pedimos que os participantes dessem uma nota a cada postura,

Posturas poderosas

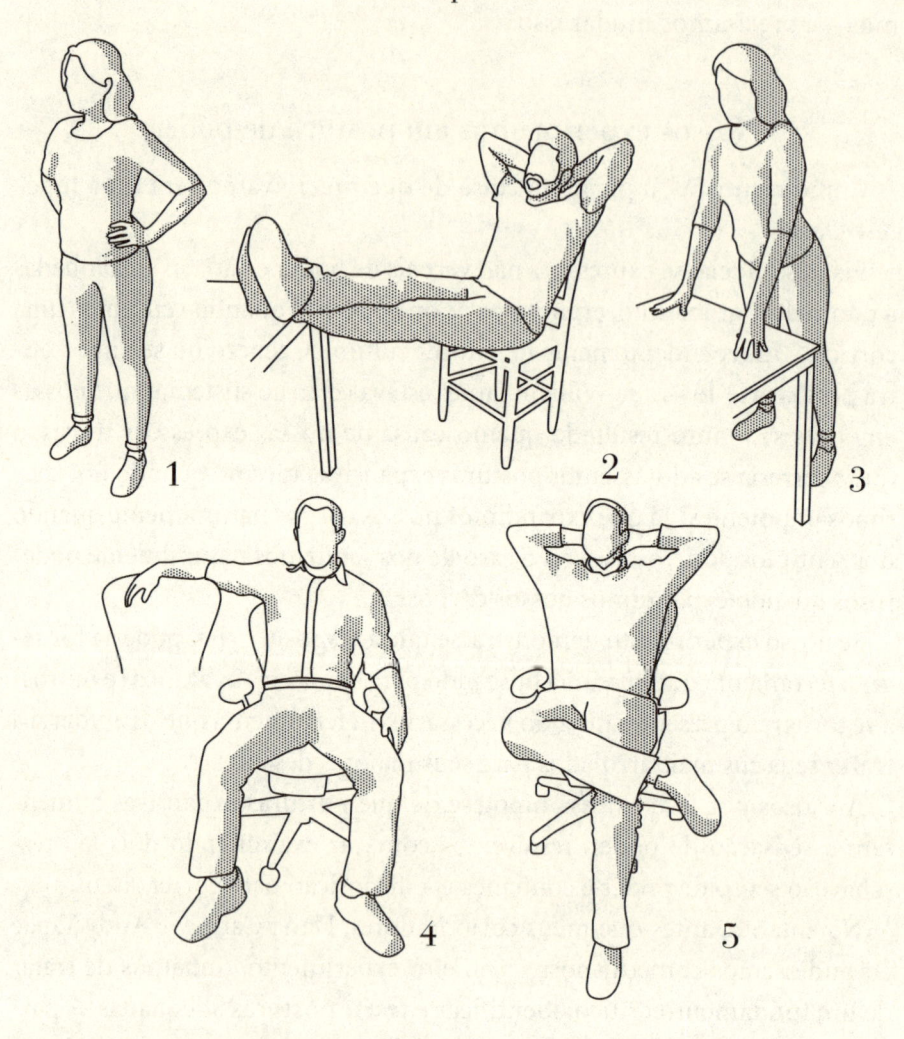

1
2
3
4
5

variando de 1 (baixíssimo poder) a 7 (altíssimo poder). Como esperávamos, eles avaliaram as posturas expansivas e abertas como bem mais altas na escala de poder (uma média de 5,4) em comparação com as posturas contraídas e fechadas (uma média de 2,4). Precisávamos também nos certificar de que as posturas não diferiam no grau de conforto, pois manter o corpo numa posição desconfortável é definitivamente um veneno para o humor. Assim, recrutamos outro grupo de voluntários e pedimos que mantivessem as posições e depois dessem uma nota relativa a conforto, dor e dificuldade. Todas as posturas receberam as mesmas notas em todos os quesitos.

Posturas impotentes

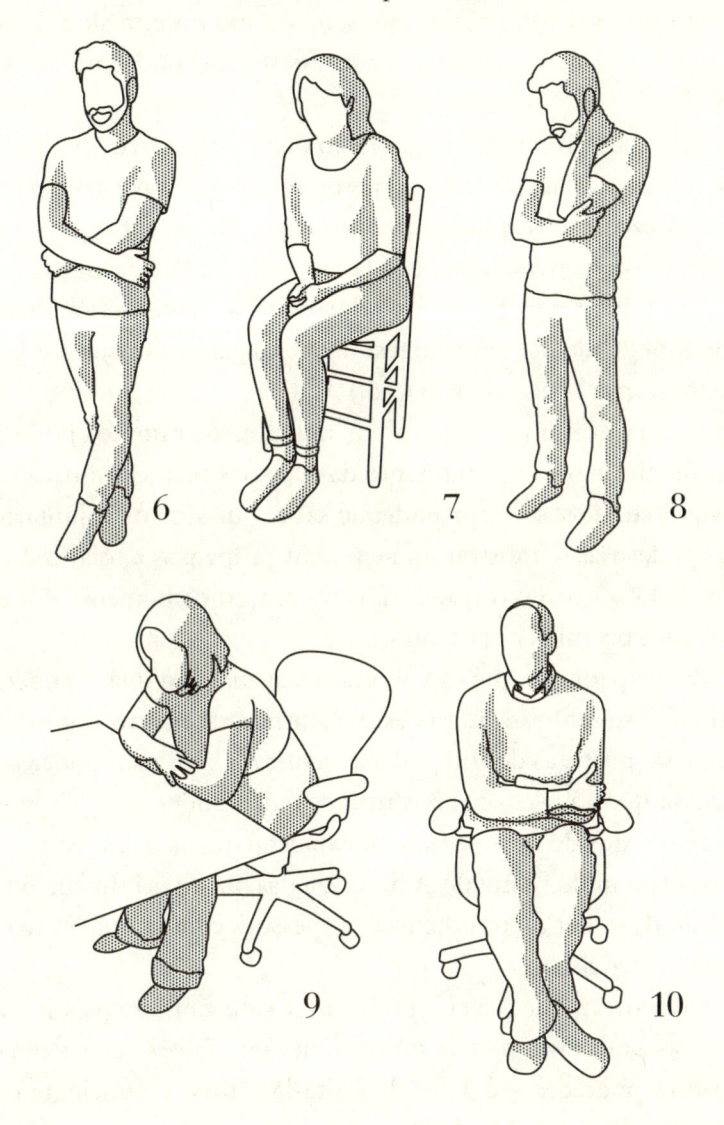

Concluído o trabalho preliminar, começamos nosso experimento, mantendo-o o mais simples possível.² Primeiro recrutamos um grupo de voluntários. Nenhum deles recebeu qualquer informação sobre o propósito do estudo. Ao chegarem ao laboratório, cada qual foi conduzido a uma salinha contendo uma mesa, uma cadeira e um computador. Antes de sair, o pesquisador explicou que a tela do computador exibiria fotos de pessoas em cinco posturas diferentes e instruiu os voluntários a olhar e imitar cada postura durante o tempo em que esta permanecesse na tela: 60 segundos. Os voluntários não sabiam que tinham sido designados aleatoriamente para ver e imitar posturas de alto poder ou posturas de baixo poder.

Cada voluntário recebeu o pagamento padrão por participar da pesquisa, mas, terminadas as posturas, o pesquisador deu aos participantes um bônus de 2 dólares e explicou que poderiam conservar aquela pequena quantia extra ou se arriscar a dobrá-la ou perdê-la. Poderiam rolar um dado e ganhar 4 dólares ou perder os 2 dólares. (As chances eram de uma em seis, mas, independentemente do resultado, foi garantido que receberiam o pagamento normal pela participação.)

Manter uma postura expansiva por uns poucos minutos poderia realmente influenciar o comportamento das pessoas naquela situação? A esta altura, você não deve se surpreender ao saber que sim: os voluntários com posturas poderosas se mostraram bem mais propensos a rolar o dado. Um terço deles, 33%, correu o risco, em comparação com apenas 8% dos voluntários com posturas impotentes.

Finalmente, pediu-se que os voluntários avaliassem quão "poderosos" e "no controle" se sentiram numa escala simples de quatro pontos. Os voluntários com posturas de alto poder se sentiram bem mais poderosos e no comando do que aqueles com posturas de baixo poder.

Esses resultados de nosso primeiro experimento sugerem com veemência que o corpo molda a mente. A natureza das posturas influenciou não só a percepção de poder ou impotência das pessoas como também sua disposição para correr riscos.

Mas nos ocorreu que o efeito poderia ter sido causado pela mera visão das posturas poderosas na tela do computador. Talvez apenas olhar para uma postura poderosa – em vez de imitá-la – fosse o suficiente para induzir o conceito de poder, fazendo nossos voluntários se comportarem daquela forma. Isso teria indicado um efeito mente-mente, que não era o que nossa pesquisa buscava. Queríamos isolar e medir como o corpo influenciava a mente.

Assim, por cautela, modificamos diversos detalhes do experimento. Na segunda vez que o realizamos, os voluntários não viram fotos. Em vez disso, um pesquisador descreveu as posturas, depois se assegurou de que os voluntários adotaram corretamente cada uma por um minuto completo. Reduzimos o número de posturas de cinco para duas, o que resultou num tempo total de apenas dois minutos. Daí ocultamos cuidadosamente quaisquer possíveis referências ao poder empregando um artifício: conectamos os voluntários a três fios falsos de eletrocardiograma e informamos que o estudo era sobre como o posicionamento dos eletrodos poderia afetar a frequência cardíaca. E como a chance de vencer nos dados no experimento preliminar era baixa – apenas uma em seis –, nesse segundo experimento mudamos a chance para meio a meio, tornando o "risco" mais racional.

Uma mudança final importante: dessa vez não medimos apenas os sentimentos autodeclarados dos voluntários e sua disposição para correr riscos. Medimos também mudanças hormonais. Você viu no Capítulo 5 que a testosterona (o hormônio da assertividade) e o cortisol (o hormônio do estresse) flutuam em reação às mudanças nas percepções de poder e status do indivíduo. Conforme o poder aumenta, a testosterona aumenta e o cortisol cai. Esse perfil hormonal está associado a alta assertividade e baixa ansiedade, a combinação ideal para facilitar a presença em momentos desafiadores.

Se as posturas poderosas estavam realmente fazendo com que os voluntários se sentissem mais poderosos – se estavam de fato alterando a disposição fisiológica interna deles para que *fossem* mais (ou menos) poderosos –, então aquelas posturas também poderiam causar uma mudança mensurável nos níveis dos hormônios. Era hora de descobrir se causariam mesmo. Levantamos a hipótese de que adotar posturas expansivas faria a testosterona aumentar e o cortisol cair, enquanto adotar posturas contrativas faria a testosterona cair e o cortisol aumentar.

Um pequeno estudo publicado em 2004 na revista *Human Physiology* forneceu indícios que respaldavam diretamente nossas previsões. Os autores mediram os efeitos físicos de manter uma postura da hata ioga bem expansiva, conhecida como posição da cobra (ou da serpente), por aproximadamente três minutos.[3] Você pode tentar: deite-se de bruços no chão, pernas esticadas para trás, pés também esticados, mãos no chão com as palmas para baixo na linha dos ombros, de modo que seus cotovelos estejam dobrados e firmes de encontro ao tronco. Depois, mantendo as mãos no chão, estique os braços de forma que seu tronco – ombros, peito e barriga – se erga em arco e levante a cabeça, com o olhar ligeiramente elevado, como uma cobra faz num recuo. (Você pode procurar na internet imagens para orientá-lo.) Trata-se de um ligeiro arqueamento das costas e não é uma postura confortável se a pessoa não estiver acostumada.

Os pesquisadores estavam interessados num ponto: o efeito da postura da cobra sobre os níveis dos hormônios em circulação, principalmente aqueles que nos interessavam: testosterona e cortisol.[4] Assim, coletaram amostras de sangue pouco antes de os participantes adotarem a postura e mais uma vez pouco depois de a terminarem.

Eis o que foi descoberto: todos os participantes no estudo apresentaram um aumento dos níveis de testosterona e uma redução dos níveis de cortisol no sangue. Em média, a testosterona aumentou 16% e o cortisol caiu 11%, mudanças estatisticamente substanciais para ambos os hormônios.

Essas descobertas intrigantes mostraram que manter uma única postura expansiva pode fazer uma diferença significativa e mensurável nos hormônios relacionados à confiança e à ansiedade.[5] Mas será que adotar posturas de poder – posturas simples sem relação com a ioga – poderia gerar os mesmos resultados da ioga, cujos benefícios à saúde, como já vimos, foram comprovados? E será que "posturas impotentes" poderiam causar o efeito contrário?

Para medir as mudanças hormonais em nosso experimento, meus colegas e eu coletamos amostras de saliva de voluntários antes e de 15 a 20 minutos após a adoção da postura de poder.[6]

O que descobrimos? Em nossa amostra de mulheres e homens, aqueles com posturas de alto poder tiveram um aumento de 19% na testosterona e uma redução de 25% no cortisol. Aqueles com posturas de baixo poder apresentaram o padrão oposto: uma redução de 10% na testosterona e um aumento de 17% no cortisol, exatamente o padrão que havíamos previsto.

Além disso, como no primeiro experimento, o grau em que as posturas afetaram a sensação de poder ou de impotência relatada pelos participantes foi surpreendentemente similar. O mesmo ocorreu com a tolerância ao risco, e, quando as chances de vencer aumentaram para meio a meio, embora também aumentasse naturalmente a disposição de todos de arriscar os 2 dólares, a *diferença* entre os voluntários com posturas de alto ou baixo poder permaneceu quase idêntica: 86% dentre aqueles com posturas de alto poder versus 60% dentre aqueles com posturas de baixo poder (uma diferença de 26 pontos percentuais). Compare isso aos 33% versus 8% de participantes (uma diferença de 25 pontos percentuais) dispostos a correr o risco quando a chance era de apenas uma em seis. Em outras palavras, a disposição de correr o risco aumentou para todos de acordo com as chances de vencer, mas a diferença absoluta entre aqueles com posturas de alto ou baixo poder permaneceu a mesma.

Nossos primeiros estudos forneceram fortes indícios de que adotar posturas expansivas e abertas – exibições corporais de poder – causava não apenas mudanças psicológicas e comportamentais, mas também alterações nos estados fisiológicos de nossos voluntários. Tudo isso correspondeu perfeitamente aos efeitos conhecidos do poder.

Não fomos os primeiros psicólogos a explorar os efeitos de adotar uma postura aberta ou fechada. Embora não associasse a postura ao poder ou à presença, o psicólogo John Riskind demonstrou numa série de experimentos realizados na década de 1980 que manter uma postura ereta em vez de desleixada pode render muitos benefícios. Nossas percepções de confiança e de autocontrole aumentam, enquanto a sensação de tensão diminui; assim, ficamos mais persistentes na resolução de problemas e até reagimos mais construtivamente a feedbacks sobre o nosso desempenho.[7] No início da década de 1990, Sabine Stepper e Fritz Strack (os pesquisadores do sorriso com a caneta na boca) constataram que a sensação de orgulho ao recebermos a notícia de que tivemos sucesso numa tarefa era maior numa postura ereta do que numa postura desleixada.[8]

E desde que nossos primeiros experimentos com posturas de poder foram publicados, em 2010, uma quantidade substancial de pesquisas tem sido realizada sobre esse e outros fenômenos afins sobre a relação corpo--mente, esclarecendo os muitos benefícios de adotar posturas "boas", ou seja, expansivas, destemidas e eretas.

O trabalho de Riskind, como muitas pesquisas realizadas desde então, revela algo espantoso. Não são apenas posturas de poder arrojadas que exercem efeito: modos bem sutis de expansão – como uma simples e boa postura ereta – podem gerar o mesmo tipo de resultado. Avançando ainda mais, veremos que o movimento expansivo – e até a expansibilidade vocal, como falar pausadamente – pode afetar a forma como pensamos, nos sentimos e nos comportamos.

Portar-se de maneira poderosa instrui suas emoções, pensamentos, comportamentos e seu corpo a se sentirem poderosos e estarem presentes (e até a apresentarem um melhor desempenho) em situações que podem variar da trivial à mais desafiadora.

Vou explicar.

Sensação

Os resultados dos experimentos que meus colegas e eu realizamos para estudar o efeito das posturas de poder sobre os hormônios são fascinantes,[9] mas constituem apenas parte de um quadro mais amplo. Talvez a descoberta mais importante seja que adotar posturas expansivas e abertas faz com que nos *sintamos* melhor e mais eficientes de várias maneiras. Sentimo-nos mais poderosos, confiantes e assertivos, menos estressados e ansiosos, e mais contentes e otimistas.

Em nossos estudos, meus colegas e eu com frequência pedimos às pessoas que informem seus sentimentos após as posturas de poder, mediante uma variedade de perguntas relacionadas ao poder pessoal. Outros pesquisadores têm usado medidas semelhantes e os efeitos sobre as sensações conscientes de poder foram demonstrados muitas vezes.[10]

No entanto, os benefícios das posturas de poder também aparecem em um nível menos consciente. Por exemplo, a psicóloga Li Huang e sua equipe compararam os efeitos de posturas poderosas com efeitos de manipulações de poder tradicionais – do tipo descrito no Capítulo 5 –, como atribuições de papéis (gerente versus subordinado).[11] Cada participante foi designado para uma postura de alto ou baixo poder e depois a um papel de alto ou baixo poder. Para modificar a postura dos participantes sorrateiramente, Huang informou que estava fazendo um estudo de marketing sobre cadeiras ergonômicas. Na postura expansiva (ou seja, de maior poder e, de novo, aleatoriamente atribuída), os participantes colocavam um braço no encosto da cadeira e outro no espaldar de uma cadeira ao lado. Huang também pediu que cruzassem as pernas de modo que o tornozelo de uma repousasse sobre a coxa da outra, de modo que o joelho ficasse para fora. A postura resultante assemelhou-se à apresentada na figura 5 (página 172) em nossos experimentos. Na postura contrativa (isto é, de baixo poder), os participantes sentaram-se sobre as mãos, mantiveram as pernas fechadas e curvaram os ombros. Essa postura assemelhou-se à da figura 7 (página 173). Depois os pesquisadores designaram as pessoas para o papel de gerente (ou seja, de alto poder) ou subordinado (baixo poder). Os gerentes foram informados de que iriam supervisionar, avaliar e recompensar os subordinados numa tarefa compartilhada de resolução de enigma. Os subordinados foram informados de que seriam supervisionados, avaliados e recompensados pelos gerentes na tarefa. (Observe que a tarefa jamais ocorreu. Apenas atribuir a pessoas seus respectivos papéis já é suficiente para manipular o poder.)

Depois que realizaram suas manipulações de papéis, a sensação inconsciente de poder dos participantes – o grau em que a ideia de poder tornou-se cognitivamente "ativada" ou "acessível" – foi medida pedindo-se que completassem uma série de fragmentos de palavras, formando um termo relacionado ou não ao poder, como "*l_ad*" (a palavra *lead* – liderar, em inglês – está relacionada ao poder; a palavra *load* – carga – não está). Os participantes foram instruídos a completar os fragmentos com "a primeira palavra que vier à mente".

Embora adotar uma postura poderosa e assumir um papel poderoso aumentassem as sensações conscientes de poder, Huang constatou que apenas a postura – mas não o papel – já afetava a sensação inconsciente de poder. Posturas expansivas levavam as pessoas a criar palavras ligadas ao poder, refletindo assim a ativação inconsciente de sensações poderosas. Como observa Huang: "Nossos experimentos [mostram] que a postura de fato tem um efeito maior do que o papel poderoso nas manifestações comportamentais e psicológicas de poder e promove ainda mais a ideia de que o poder está personificado ou enraizado em estados corporais. Para pensar e agir como alguém poderoso, as pessoas não precisam exercer um papel poderoso ou se lembrar de que estão num papel poderoso." Em suma, uma simples postura corporal, mantida por uns poucos minutos, produz muito mais feedback do que ser designado para um papel poderoso. Isso é empolgante.

Será que os efeitos das posturas poderosas se mantêm em diferentes culturas? Para descobrir, a psicóloga Lora Park e seus colegas realizaram um estudo intercultural comparando amostras de participantes americanos e leste-asiáticos. Em muitas culturas do Leste da Ásia, uma linguagem corporal abertamente dominante em ambientes públicos costuma ser reprovada, o que indica que as posturas de poder talvez não funcionem para pessoas dessas culturas. Por outro lado, dada a associação universal entre postura expansiva e domínio – ao redor do mundo e até no reino animal –, seria de esperar que as posturas de poder (especialmente em ambientes privados) funcionassem em toda parte.

E, de fato, Park constatou que seus voluntários americanos e leste-asiáticos sentiam os mesmos benefícios de aumento da confiança das posturas de poder após adotarem a postura expansiva de mãos espalmadas na mesa, que eu e meus colegas temos usado em nossos estudos, e a postura expansiva de sentar-se ereto que Huang usou em seus estudos.

Mas, dadas as diferenças entre os tipos de exibições não verbais considerados apropriados em cada cultura, deveríamos também esperar certas nuances – algumas posturas poderiam funcionar melhor do que outras para determinadas pessoas. Park descobriu que, em sua amostra leste-asiática, uma postura específica – aquela em que as pessoas apoiam os pés na mesa e as mãos atrás da cabeça com os braços abertos – não fazia as pessoas se sentirem mais poderosas ou orientadas para a ação.

Por que não?

Talvez porque os leste-asiáticos tenham uma tendência a expressar sua expansibilidade física no eixo vertical, enquanto os ocidentais a expressam no eixo horizontal. As posturas poderosas dos leste-asiáticos se refletem, por exemplo, na escolha entre sentar-se ou ficar de pé, no grau de inclinação durante uma mesura, na altura em que erguem um cálice num brinde e assim por diante. O psicólogo cultural Seinenu Thein descobriu que em algumas partes de Mianmar (antiga Birmânia) espera-se que as crianças mantenham as cabeças abaixo das dos mais velhos. Uma criança em Mianmar fica sentada no chão até seus pais levantarem da cama de manhã. Quando um monge adentra uma casa e senta-se numa cadeira, espera-se que crianças e adultos se sentem no chão. O lugar na hierarquia social parece determinar o grau de verticalidade: uma expansão vertical baixa indica uma posição social baixa.[12]

Enquanto os ocidentais se sentem à vontade com posturas horizontalmente expansivas, como colocar os pés sobre a mesa ou gesticular amplamente com os braços, nas culturas leste-asiáticas exibições públicas desse tipo costumam ser consideradas socialmente inadequadas ou mesmo rudes. Uma simples pesquisa de imagens no Google de "CEOs americanos" e "CEOs japoneses" tende a confirmar essa observação. Assim, a descoberta de Park faz sentido: alguém com uma formação cultural leste-asiática acharia intrigante e deselegante a postura dos pés sobre a mesa, que consiste quase inteiramente em expansão horizontal. Como Park e seus colegas explicaram, essa postura "era percebida tanto por americanos como por leste-asiáticos como a menos compatível com as normas culturais leste-asiáticas de modéstia, humildade e contenção [...]. Os efeitos da postura dependem do tipo e do seu significado simbólico em determinada cultura".

As posturas expansivas também reduzem a ansiedade e ajudam a lidar com o estresse. John Riskind descobriu em sua pesquisa que os "indivíduos em posturas físicas encurvadas, defensivas, expressavam verbalmente mais estresse do que aqueles em posições relaxadas". Quando as pessoas, ao receberem feedback negativo, mantêm uma postura expansiva, a tendência de deixarem a crítica derrubar a crença de que elas – e não os outros – controlam seus destinos é menor.[13] É menos perturbador.

Outro exemplo vem de pesquisadores da Universidade de Auckland, que informaram aos participantes que o estudo investigava como a bandagem adesiva (como aquelas usadas por atletas) afeta a fisiologia, o humor e o desempenho.[14] Eles aplicaram a bandagem nas costas dos participantes em padrões que ajudavam a mantê-los em posturas eretas ou em desleixadas. Nessas posições, os voluntários realizaram uma versão do Teste de Estresse Social (TSST), uma tarefa empregada em vários experimentos descritos neste livro: cada um preparou um discurso de cinco minutos mostrando ser o melhor candidato para o emprego de seus sonhos e o apresentou a uma banca de juízes assustadoramente indiferentes. Mas, ao contrário do que aconteceu em nossos estudos de posturas de poder, aquelas posturas sutis foram mantidas *durante* a tarefa de apresentação – ou seja, os participantes mantiveram posturas expansivas ou contrativas, como se sentarem eretos, com ombros aprumados, ou desleixados, com ombros curvados (veja figuras 11 e 12, na próxima página). Depois, os pesquisadores avaliaram o humor, a autoestima e a ameaça percebida nos voluntários: quão assustados eles teriam ficado nos diferentes cenários ameaçadores. Em comparação com os participantes desleixados, os participantes eretos se sentiram mais entusiasmados e fortes e menos tensos e letárgicos. Informaram também sentir menos medo e maior autoestima.

O teor de suas falas também diferiu. Os oradores em postura ereta usaram menos palavras negativas e mais palavras positivas, o que é compatível com outras descobertas que fizemos, mas também usaram menos pronomes em primeira pessoa, como *eu* e *mim*. Falaram menos sobre si, refletindo menos preocupação autocentrada e mais liberdade para se envolver com o que vinha ocorrendo naquele momento desafiador. Na verdade, uma série de estudos dos psicólogos sociais Ewa Kacewicz, James Pennebaker e seus colegas revelou que quanto mais as pessoas dizem "eu", menos poderosas e seguras de si tendem a ser. Como Pennebaker explicou em entrevista ao *The Wall Street Journal*: "Existe uma ideia equivocada de que pessoas confiantes, com poder e alto status tendem a usar 'eu' mais do que pessoas com baixo status. Trata-se de um grande erro. A pessoa com alto status está olhando para o mundo lá fora e a pessoa com baixo status está olhando para si."[15]

Posturas sentadas ereta e desleixada

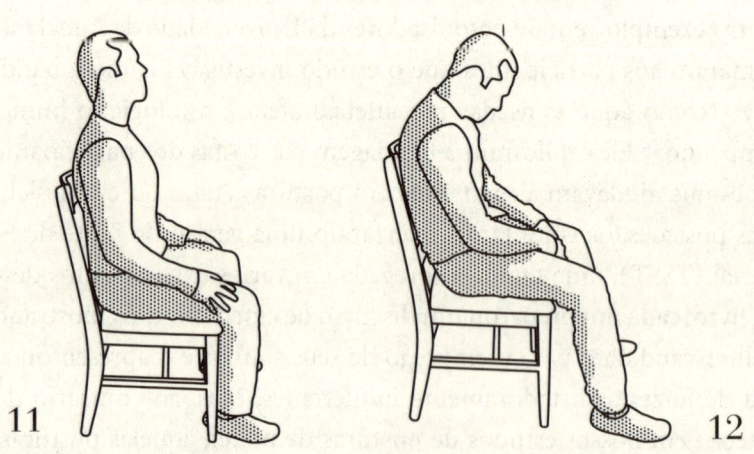

11   12

Em 2014, o professor de psicologia Johannes Michalak, da universidade alemã Witten/Herdecke, realizou um estudo com 30 pacientes clinicamente deprimidos, designando de maneira aleatória que se sentassem numa posição desleixada ou ereta.[16] Numa tela de computador, os pacientes viam 32 palavras, metade delas de cunho positivo (por exemplo, *beleza*, *agradável*) e metade relacionada à depressão (por exemplo, *exaustão*, *triste*). Mais tarde, realizaram um teste de memorização dessas palavras. Os participantes que estavam sentados na posição desleixada se lembraram bem mais de palavras ligadas à depressão do que de palavras positivas. Os pacientes na postura ereta, porém, não mostraram essa tendência, lembrando-se igualmente de palavras positivas e negativas. Michalak sugere que ensinar pacientes deprimidos "a mudar a postura habitual [...] ou padrões de movimento tolhidos [...] poderia atenuar o processamento de informações de tendência negativa" e que "treinar pacientes deprimidos para prestar atenção no corpo poderia ser útil porque estimula uma compreensão intuitiva da interação dos processos corporais e emocionais".

Michalak, que também havia estudado o modo de andar de pessoas deprimidas – conforme esperado, elas exibiam balanço dos braços e movimento de cabeça reduzidos e uma postura mais desleixada –, desejava saber se aquela postura seria não apenas o resultado do estado de espírito, mas também a causa. Para examinar a questão (que é metodologicamente desafiadora – afinal, como fazer as pessoas caminharem de uma forma feliz?) ele se juntou a nosso colaborador Nikolaus Troje, um biólogo que dirige o Laboratório BioMotion na Queen's University, em Ontário (veja página 133).[17]

Quando os participantes chegavam ao laboratório, sensores de movimento eram ligados às regiões móveis de seus corpos, como articulações, pés e mãos. Eles então eram instruídos a caminhar numa esteira ergométrica, e, após seis minutos andando, um monitor exibia uma grande escala horizontal cujo cursor marcava a condição de *determinada qualidade* do movimento do voluntário – mas este não era informado de qual era ela. Na verdade, só era informado de que o propósito do estudo era descobrir se as pessoas conseguiam adaptar seus estilos de caminhada ao feedback em tempo real, ou "biofeedback".

A escala não tinha legenda, mas o cursor se movia para a direita ou para a esquerda conforme o participante mudava seu jeito de andar. O pesquisador pedia então que o participante adaptasse seu caminhar de modo que o cursor se movesse o mais rápido possível para a direita ou para a esquerda, mas sem explicar como fazer. O que o participante não sabia é que um extremo correspondia às características de andar de felicidade (ereto e dinamicamente expansivo) e outro correspondia às características de andar de tristeza (desleixado e dinamicamente contido). Além disso, como as pessoas às vezes fazem associações com os conceitos de direita e esquerda, os lados foram contrabalançados para que algumas estivessem na situação direita-feliz, esquerda-deprimido e outras na situação direita-deprimido, esquerda-feliz.

Após mais ou menos um minuto, a maioria dos participantes se tornou exímia na movimentação e na estabilização do cursor na extrema direita ou esquerda, conforme lhes fora pedido – embora ainda não soubessem o que a escala representava. Alguns minutos depois, cada participante foi instruído a ler uma série de palavras positivas e negativas e verificar quais delas o descrevia, e depois voltou a andar por mais oito minutos. Depois de tudo isso, pediu-se que lembrassem as palavras e... adivinhe? Se a pessoa fora designada (sem saber, é claro) para andar de forma feliz, tendia a se lembrar mais das palavras positivas e menos das negativas, demonstrando uma tendência emocional da memória. O inverso, infelizmente, também foi verdadeiro: participantes designados para andar de forma tristonha mostraram uma tendência da memória que favorecia as palavras negativas, tendência essa já demonstrada várias vezes entre pessoas com depressão clínica.

O movimento, assim como a postura, informa ao cérebro como este se sente e até controla o que lembra. Quando o andar é mais aberto, ereto e feliz, nossas lembranças sobre nós mesmos acompanham essa tendência.

Como mencionei no Capítulo 6, quando nos sentimos poderosos, até nossas vozes se expandem e ocupam mais espaço do que quando nos sentimos impotentes. As psicólogas Lucia Guillory e Deborah Gruenfeld, da Universidade Stanford, referem-se ao fenômeno como "uma forma de reivindicar espaço social". Não apressamos nossas palavras. Não tememos fazer pausas. Sentimo-nos merecedores do tempo que estamos usando. Fazemos até mais contato visual direto enquanto falamos. Guillory e Gruenfeld sugerem que a fala lenta demonstra uma espécie de abertura: "Quando as pessoas falam devagar, elas podem ser interrompidas. Portanto, ao falar devagar, a pessoa indica que não tem medo de interrupções. Pessoas que falam lentamente têm maior chance de serem ouvidas e compreendidas."

As duas cientistas ainda previram que a fala pausada teria o mesmo tipo de efeito de feedback corpo-mente das posturas expansivas, por isso realizaram estudos para testar essa hipótese. Voluntários leram em voz alta uma várias frases em diferentes velocidades controladas por um *banner* que se movimentava na tela do computador, e depois responderam a uma série de perguntas que pretendiam revelar quão poderosos, confiantes e eficientes estavam se sentindo.[18] Por exemplo, pediu-se que os participantes avaliassem, numa escala de 1 a 7, seu nível de concordância com afirmativas como "Sinto que, mesmo quando os verbalizo, meus pontos de vista têm pouca influência". No final, a velocidade da fala dos participantes foi inversamente proporcional a quão poderosos se sentiam. Ou seja, quanto mais lentamente liam as frases, mais poderosos, confiantes e eficientes se sentiram depois. Em certo sentido, falar sem pressa nos dá tempo de nos comunicarmos com clareza, sem que ansiedades sociais nos inibam na hora de apresentar nossos verdadeiros eus.

Expandir sua linguagem corporal – pela postura, pelo movimento e pela fala – faz você se sentir mais confiante e poderoso, menos ansioso e autocentrado e, em geral, mais positivo.

Pensamento

A postura molda não apenas como nos sentimos, mas também a ideia que temos de nós mesmos – de nossa autodescrição à confiança com que a sustentamos. E essa autoimagem pode facilitar ou bloquear nossa capacidade de nos conectarmos com os outros, de realizarmos nosso trabalho e de estarmos presentes.

Jamini Kwon, uma estudante de pós-graduação da Universidade Nacional de Seul, interessou-se pelo estudo da relação corpo-mente após passar vários meses de cama enfrentando uma rara paralisia parcial induzida por medicamento, que ocorreu quando ela era estudante de graduação na Universidade Colúmbia. Ela havia desenvolvido nevralgia do nervo trigêmeo. Esse nervo comunica as sensações do rosto ao cérebro. Danos nele podem causar uma dor lancinante, mesmo sob os mais brandos estímulos, como escovar os dentes ou se maquiar.

– Doía tanto que eu mal conseguia beber água – relatou ela. – Perdi quase 15 quilos.

Ela passou um longo tempo de cama. A dor, combinada à sua mudança abrupta da postura ereta e aberta para uma posição curvada, defensiva e fechada, tornou difícil excluir os pensamentos negativos e autodestrutivos que alimentavam seu sentimento de desesperança.

– Quando ficava na cama sem me mexer, sentia-me cansada e deprimida o tempo todo.

Lentamente, porém, ela readquiriu alguns movimentos e começou a ficar de pé e a fazer coisas com muita cautela. Retomou a pintura – uma paixão que tivera de abandonar –, o que a forçou a sair da postura contrativa na qual havia passado tanto tempo.

– Costumo trabalhar em quadros enormes, por isso foi necessário me levantar e estender meus braços quando recomecei a pintar – contou.

Voltar a se mexer a ajudou a se recuperar não apenas fisicamente, mas também psicologicamente.

– Essa "personificação cognitiva" me deu uma vida. Eu acredito firmemente que nossos processos cognitivos podem ser modificados por meio do nosso corpo.

Quero deixar claro, porém, que incapacidades físicas com certeza não condenam as pessoas a uma vida de depressão, desesperança e impotência. A experiência emocional narrada por Kwon foi se desenrolando aos poucos após o surgimento dos sintomas, o que é bem comum, e a ambiguidade em torno de seu diagnóstico e do prognóstico possivelmente exacerbou esses sentimentos. Pessoas com incapacidades físicas encontram várias formas de se adaptar e prosperar, algo a que retornarei adiante neste capítulo.

Somando o que havia aprendido em seus cursos à sua experiência pessoal, Kwon ficou particularmente interessada em como a postura pode afetar a ideia que temos de nós mesmos e de nossas habilidades, e como isso pode tolher ou promover a criatividade. Assim, ela realizou experimentos sobre os efeitos das posições impotentes a que tanto se acostumara, comparando-as não a posturas poderosas, mas neutras. Em seus estudos, posturas impotentes inibiam significativamente a persistência e a criatividade da pessoa durante a tentativa de solucionar problemas complexos, e tais efeitos eram provocados por um aumento nos pensamentos autodepreciativos, do tipo "Sou inútil" e "Perco a confiança facilmente".[19]

Em outras palavras, manter posturas impotentes temporariamente aumenta os pensamentos negativos que as pessoas têm sobre si, suprimindo o impulso para enfrentar desafios e embotando a criatividade. As pessoas em posturas neutras não ficam pensando nas suas qualidades ruins; pensam nas tarefas que têm pela frente. Elas estão presentes, não aprisionadas em suas cabeças ou num futuro imaginário arruinado pelas consequências de seu fracasso iminente.

Outros pesquisadores demonstraram efeitos similares da postura sobre nossa autoimagem. Erik Peper, professor de saúde holística da Universidade Estadual de São Francisco, estuda o relacionamento entre o corpo e a mente há mais de 30 anos. Num estudo conduzido juntamente com a psicóloga Vietta Wilson, os participantes adotaram duas posturas – uma desleixada e outra ereta – durante um minuto cada enquanto recordavam momentos ou eventos positivos de seu passado. A maioria dos voluntários – 92% – achou mais fácil recordar pensamentos felizes e otimistas sentados na postura ereta.[20]

Riskind referiu-se a essa "congruência": é mais fácil se lembrar de coisas positivas quando estamos em posturas positivas do que quando estamos em posturas negativas, como Michalak demonstrou no experimento da caminhada na esteira. Lembranças positivas e posturas positivas combinam. Elas são – recorrendo a uma palavra que usei no primeiro capítulo – sincrônicas. E, quando é mais fácil recordar coisas positivas a respeito de si, fica mais fácil generalizar essa visão de si mesmo para o presente e o futuro. Sentimo-nos otimistas sobre nós mesmos.

Pablo Briñol, professor de psicologia da Universidad Autónoma de Madrid, realizou um estudo semelhante junto com sua equipe.[21] Eles instruíram seus voluntários a se sentarem eretos, com o peito estufado, ou se sentarem desleixados, curvados para a frente, o rosto voltado para os joelhos. Enquanto mantinham essas posturas por alguns minutos, foi pedido que se descrevessem com três características positivas ou três negativas, as quais provavelmente os ajudariam ou prejudicariam na vida profissional futura. Ao final do estudo, depois de informados de que poderiam relaxar e retomar suas posturas normais, responderam a um questionário em que avaliaram seu potencial de apresentar bom desempenho em empregos futuros.

Os pesquisadores constataram que a forma como os estudantes se avaliaram dependeu das posturas no momento em que descreveram suas características. Aqueles na posição ereta não apenas acharam mais fácil ter pensamentos positivos sobre si, como também acreditaram mais firmemente nas características que listaram. Aqueles em posição desleixada, por outro lado, não estavam convencidos de seus traços positivos ou negativos; eles tinham dificuldade até para definir quem eram.

Conforme observado no Capítulo 5, pessoas poderosas também acham mais fácil pensar de maneira abstrata – extrair a essência de uma mensagem, integrar informações e enxergar padrões e relações entre ideias. O mesmo vale para pessoas que passaram alguns minutos numa postura de poder. Li Huang, que realizou os estudos sobre postura versus papel desempenhado (gerente ou funcionário, lembra-se?), também mediu efeitos sobre a abstração mental através de uma tarefa perceptiva que requeria que se combinassem elementos de figuras fragmentadas e ambíguas de objetos para formar um quadro completo. De novo, posturas poderosas superaram não somente posturas impotentes e papéis impotentes, mas também papéis poderosos: aqueles que se colocaram nas posturas poderosas mostraram mais agilidade no pensamento abstrato.

O conceito de pensamento abstrato em si também é abstrato, e os benefícios de ser um bom pensador abstrato podem não ficar muito claros. Vamos examinar isso num contexto social-avaliativo: numa negociação tensa, você precisa ouvir e integrar diversas ideias e opiniões, algumas inéditas, e reagir de maneira eficaz. Captar várias informações divergentes, extrair sua essência e integrá-las de modo que façam sentido – rapidamente – é um atributo fundamental da presença sob pressão, da sala de aula à sala da diretoria e em todas as situações.

Expandir seu corpo faz com que você pense em si sob uma luz positiva e confie nessa autoimagem. Também desanuvia sua cabeça, abrindo espaço para a criatividade, a persistência cognitiva e o pensamento abstrato.

Ação

Posturas de poder ativam o sistema de abordagem comportamental (veja página 98) – o sistema que nos deixa mais propensos a nos afirmarmos, aproveitarmos oportunidades, corrermos riscos e persistirmos. E essa orientação de abordagem vai além de rolar um dado num laboratório.

Em um estudo dos efeitos da linguagem corporal sobre a capacidade de liderança realizado por psicólogos da Coastal Carolina University, algumas pessoas foram orientadas a se sentarem numa postura aberta e ereta ou numa postura desleixada durante apenas um minuto. Pediu-se depois a cada participante que escolhesse onde queria se sentar a uma mesa para uma tarefa em equipe. Aqueles que sentaram em posturas eretas sistematicamente escolheram cadeiras perto da cabeceira da mesa, enquanto os desleixados evitaram se sentar perto dela. Concluem os autores: "Manter uma posição ereta pode reforçar as percepções de liderança individuais antes de entrevistas importantes, reuniões, tarefas e decisões."[22] Às vezes a coisa é ainda mais sutil: pesquisadores japoneses descobriram que colegiais sentados numa boa postura eram mais produtivos do que seus colegas de turma em tarefas que envolviam escrita.[23] A boa postura aumenta nossa sensação de ter mais pique e energia, facilitando a execução de tarefas em geral.[24]

A psicóloga Jill Allen e seus colegas quiseram saber se posturas expansivas poderiam auxiliar pessoas com distúrbios alimentares, condição na qual preocupações negativas com a imagem corporal as leva a restringir sua ingestão calórica de maneira perigosa para a saúde. No estudo, voluntárias que haviam mostrado sintomas de distúrbio alimentar adotaram posturas poderosas, neutras ou contrativas por apenas alguns minutos. Aquelas com posturas poderosas se libertaram das preocupações com seus corpos, mostrando-se capazes de comer de forma menos contida e assim consumir um número mais saudável de calorias. Na verdade, descobriu-se até que posturas *espontaneamente* expansivas estavam associadas à alimentação menos contida entre mulheres e que posturas espontaneamente contrativas estavam relacionadas à alimentação mais contida. Seu artigo foi intitulado "Sit Big to Eat Big" (Sente-se bem para comer bem).[25]

Ações pró-sociais – aquelas que são benéficas aos outros – com frequência requerem a coragem de adotar uma mentalidade de abordagem. Por exemplo, após adotar uma postura de alto ou baixo poder, algumas pessoas foram indagadas sobre sua disposição para agir em determinados cenários pró-sociais, como deixar o local de um acidente aéreo para pedir ajuda ou aderir a um movimento para libertar pessoas presas injustamente. Aquelas com posturas poderosas se mostraram bem mais propensas a ajudar os outros nesses cenários hipotéticos.[26]

Conforme Jamini Kwon, a estudante que começou a pintar após enfrentar uma paralisia temporária, mostrou em suas pesquisas, posturas contrativas tornam as pessoas menos persistentes ao enfrentar desafios. De fato, posturas impotentes, fechadas, não apenas minam a persistência como aumentam a impotência aprendida – o processo pelo qual as pessoas evitam desafios anteriormente enfrentados pressupondo que não serão capazes de lidar com eles de maneira eficaz. Esse processo pode ter ajudado a nos escondermos de predadores ou a mostrar submissão diante de alfas perigosos em tempos primitivos, mas é difícil achar provas de que continue nos beneficiando no século XXI.

Expandir seu corpo liberta você para abordar, agir e persistir.

Corpo

O corpo molda a mente e a mente molda o comportamento. Mas o corpo também dirige a si mesmo.

A presença em geral começa com o físico: aparecer e circular num local. Quando nos sentimos desafiados ou ansiosos, nossa maior tendência é desejar lutar ou fugir – essas alternativas, de formas diferentes, nos afastam do presente. Fugir impede nosso envolvimento porque nos ausentamos em todos os sentidos. Lutar faz a mesma coisa porque nos sentimos ameaçados ou exasperados demais para assimilar o que está ocorrendo de fato e reagir de acordo.

Nossas posturas não verbais preparam nosso corpo para se fazer presente. Os hormônios constituem um mecanismo através do qual isso acontece. Além disso, como mencionei no Capítulo 7, simplesmente mudar sua respiração pode alterar de maneira substancial a ação do seu sistema nervoso, atenuando sua reação hiperativa de lutar ou fugir e sustentando sua sensação de força. Mas esses não são os únicos meios pelos quais posturas de poder preparam nossos corpos para serem fortes e enraizados no presente.

Os psicólogos Eun Hee Lee e Simone Schnall, da Universidade de Cambridge, pediram a voluntários que segurassem algumas caixas que pesavam poucos quilos cada, antes e após se sentarem em posturas de alto ou baixo poder. Os voluntários acharam as caixas bem mais leves após as posturas expansivas, provavelmente porque se acostumaram ao peso (ou seja, quando os voluntários não mantiveram nenhuma das posturas de alto ou baixo poder, também acharam as caixas mais leves da segunda vez). Por outro lado, manter a postura contraída eliminou o efeito de estar habituado e eles sentiram as caixas igualmente pesadas antes e depois.[27]

Você não se surpreenderá ao saber que psicólogos esportivos se interessam particularmente pelo modo como os atletas podem lançar mão da linguagem corporal para melhorar seu desempenho. Em um estudo de 2008 sobre linguagem corporal e o êxito de batidas de pênaltis no futebol, os psicólogos esportivos Geir Jordet e Esther Hartman examinaram todas as disputas de pênaltis já realizadas em Copas do Mundo, nos campeonatos europeus e na Liga dos Campeões da UEFA – um total de 36 disputas de pênaltis e 359 chutes. Os jogadores cuja linguagem corporal imediatamente antes da cobrança foi apressada e esquiva (ou seja, o jogador não fez contato visual com o goleiro) perderam bem mais gols. Os autores concluem que esse comportamento esquivo não verbal pode fazer com que os atletas enfraqueçam e sofram bloqueio quando estão sob pressão.[28]

A linguagem corporal expansiva aumenta nossas sensações de força física e habilidade. A linguagem corporal contrativa as reduz.

Expandir o corpo fisiologicamente prepara você para estar presente; neutraliza seu instinto de lutar ou fugir, permitindo que você permaneça firme, aberto e envolvido.

Dor

Posturas de poder têm a capacidade de fazer com que nos sintamos mais fortes. Mas será que elas podem aumentar nossa sensação de bem-estar físico de outras formas? Dado que a dor é uma experiência tão psicológica quanto física (um fato que tem sido demonstrado em várias disciplinas científicas), existe ligação entre postura e dor?

Para descobrir, os psicólogos Vanessa Bohns e Scott Wiltermuth avaliaram mudanças nos limiares de dor das pessoas antes e após adotarem uma postura dominante, submissa ou neutra. Usando uma abordagem conhecida como técnica do torniquete, eles conseguiram captar os limiares de dor de voluntários no laboratório: um medidor de pressão arterial foi colocado no braço do voluntário e inflado até que ele, instruído a indicar quando o aperto crescente se tornava desconfortável demais, pedisse para parar. Imediatamente após essa primeira leitura, os voluntários eram instruídos a manter suas posturas aleatoriamente atribuídas durante apenas 20 segundos, seguindo-se uma segunda medição do limiar de dor.[29] Como previsto, a postura dominante (pés afastados e braços estendidos para os lados) fortaleceu os voluntários, permitindo que aguentassem mais a dor do que aqueles em postura submissa (ajoelhados com as nádegas repousando nos calcanhares e mãos no colo) ou postura neutra (simplesmente de pé com braços pendendo dos lados).

Expandir seu corpo fortalece você para suportar a dor física.

Desempenho e presença

Todos esses efeitos da linguagem corporal expansiva – aumento da sensação de poder, confiança e otimismo, redução do estresse, reforço da positividade da autoimagem, libertação para sermos assertivos, tomarmos atitudes e persistirmos em face dos desafios, e preparação de nossos corpos para serem fortes e enraizados – também promovem nossa capacidade de evocar a presença durante os maiores desafios.

Mas será nossa presença evidente às pessoas com quem interagimos? E será que ela melhora nosso desempenho de forma mensurável? Eu e meus colaboradores Caroline Wilmuth, Dana Carney e Andy Yap previmos que sim. Especificamente, levantamos a hipótese de que praticar posturas de poder preparatórias *antes* de uma entrevista de emprego tensa melhoraria a presença, levando a avaliações mais favoráveis do desempenho e maiores chances de contratação.[30] Por que antes? Porque, como expliquei, adotar posturas de poder *durante* interações sociais muitas vezes não funciona. Além de ser estranho, é algo que deixa as pessoas constrangidas. Imagine ser apresentado a alguém que esteja de pé na postura de vitória ou sentado com os pés na mesa e os braços abertos. Agora imagine uma candidata a emprego fazendo isso enquanto você a entrevista...

Ao chegarem ao laboratório, os voluntários foram informados de que estariam participando de uma entrevista simulada para os empregos de seus sonhos. Lembra-se do estudo que apresentei no Capítulo 1? Aqui usamos um paradigma semelhante. Os participantes tiveram um curto intervalo para preparar uma resposta de cinco minutos à pergunta "Por que deveríamos contratá-lo?". Foram informados de que deveriam apresentar suas respostas na forma de discurso a dois entrevistadores capacitados para avaliá-los. Além disso, seriam filmados e julgados mais tarde por uma banca de especialistas. E foram informados ainda de que não poderiam mostrar uma imagem falsa e teriam de falar por cinco minutos completos.

Os dois pesquisadores-juízes, que trajavam jalecos e seguravam pranchetas, foram treinados a não dar nenhum feedback, exibindo apenas expressões neutras. Tal como aprendemos em outros estudos, não receber qualquer feedback de um ouvinte costuma ser mais perturbador do que uma resposta negativa.

Enquanto preparavam suas falas, os voluntários foram instruídos a adotar posturas de alto ou baixo poder que havíamos usado em estudos anteriores. Adotaram as posturas antes das entrevistas, não durante – um aspecto fundamental desse estudo. Todas as entrevistas foram registradas em vídeo e as gravações foram avaliadas por três pares de juízes que não tinham nenhuma ideia de qual era nossa hipótese ou de qualquer coisa sobre o experimento. Esse é um dado importante.

Dois dos juízes avaliaram os entrevistados pelo desempenho ("No todo, quão boa foi a entrevista?") e pela possibilidade de contratação ("Este participante deveria ser contratado para o cargo?"), dois os avaliaram pela qualidade do teor verbal de suas respostas (inteligente, qualificado, estruturado e direto) e dois os avaliaram pela variável na qual eu estava mais interessada: a presença não verbal (confiante, entusiasmado, cativante e à vontade).

Conforme esperado, os voluntários que se prepararam para a entrevista de emprego com posturas de alto poder (em contraste com as de baixo poder) tiveram um desempenho bem melhor e chances bem maiores de ser "contratados" para o emprego simulado. As posturas de poder não tiveram efeito sobre o conteúdo de seus discursos. Mas aqueles com posturas de poder se saíram bem melhor na presença não verbal – e foi a presença não verbal que determinou absolutamente as decisões de contratação. Em outras palavras, os juízes quiseram contratar os candidatos com posturas de poder devido à presença não verbal.

iPostura

Na próxima vez que você estiver numa sala de espera, no metrô ou em qualquer espaço público, olhe em volta. Quantas pessoas estão inclinadas sobre um dispositivo eletrônico? Na maioria dos lugares mundo afora, a resposta é: "Muitas."

Já é difícil controlar nossa postura quando estamos nos esforçando para isso. Para piorar, nossa linguagem corporal também é incidentalmente influenciada pelo móvel onde nos sentamos, pelos espaços onde residimos e pela tecnologia que utilizamos – e isso é ainda mais difícil de controlar.

O psicoterapeuta neozelandês Steve August vem estudando e desenvolvendo correções para o que denomina iHunch, em referência à posição corcunda de cabeça baixa em que ficamos quando estamos fuçando algo no celular. Ouvi também pessoas chamarem essa posição de "pescoço de texto", e meus colegas e eu temos nos referido a ela como iPostura. August disse o seguinte quando discutimos o assunto:

> Em alguém com postura perfeita, o lóbulo da orelha pende verticalmente acima do ombro. Quando comecei a tratar pacientes mais de 30 anos atrás, com certeza víamos corcundas – a parte superior das costas fixa numa curva para a frente – em avós e bisavós. Agora estou vendo a mesma inclinação torácica de flexão fixa em adolescentes. Basta observar as pessoas lateralmente – não é sutil. É um desleixo quando as pessoas conseguem voltar à posição normal, e é uma corcunda quando não conseguem – e isso acontece bem depressa. O problema já é enorme, e só faz aumentar.[31]

A cabeça pesa em torno de 5,4 quilos, e essa é a carga sobre o pescoço quando nossa cabeça está equilibrada acima dos ombros. Mas, quando inclinamos o pescoço à frente uns 60 graus para usar o celular, o peso efetivo sobe para 27,2 quilos. August demonstra isso com uma vassoura: "Equilibre uma vassoura verticalmente em sua palma aberta. Não é difícil, não requer grande esforço. Então segure a extremidade do cabo da vassoura e mantenha-a a uns 60 graus." O ato de equilíbrio agora demanda enorme esforço. Ele explicou que, quando as pessoas o veem lutando para segurar uma vassoura em determinado ângulo, elas entendem: "É o que acontece com os músculos do pescoço quando você se inclina sobre um laptop, tablet ou smartphone. Faça isso durante umas oito horas e não é de admirar que seu pescoço fique dolorido!"[32]

August entrou em contato comigo após assistir à minha palestra no TED porque havia começado a refletir sobre a mesma questão que me preocupava: será possível que passar horas a fio usando telefone, tablet e laptop está causando o mesmo efeito que as posturas impotentes? A tecnologia já dificulta muito a questão da presença. Em vez de nos envolvermos com as pessoas ao nosso redor, ficamos absortos em nossos dispositivos, respondendo a e-mails e verificando as redes sociais, transportando-nos para fora do momento, desligando-nos do mundo "real". Esses aparelhos já estão cognitivamente desviando nossa atenção do momento, mas estariam também nos induzindo a posições físicas que sufocam nosso poder e nossa capacidade de nos fazermos presentes?

August disse que, até nos correspondermos, havia se concentrado nas consequências musculoesqueléticas da posição inclinada – "dor aguda na parte superior das costas e nos ombros, dor de cabeça e outros numerosos problemas de saúde" –, sem focar nas consequências psicológicas. "Eu não havia considerado os efeitos da posição corcunda/encolhida na autoconfiança e na projeção de submissão aos outros", disse ele, mas esses resultados correspondem à sua experiência clínica. "À medida que os dispositivos diminuem de tamanho, não apenas a assertividade [em pacientes] diminui, mas a carga sobre o pescoço aumenta (levando imediata ou futuramente a dores generalizadas e a dores de cabeça) – nas mesmas proporções. É uma relação perfeita (e lógica): dispositivo menor, inclinar-se mais para usá-lo, assertividade menor, aumento da carga no pescoço, aumento das dores generalizadas e das dores de cabeça."[33]

Uau!

Essa ligação pareceu digna de estudo. O psicólogo social Maarten Bos e eu concebemos um experimento que nos permitiria testar a hipótese de que a iHunch leva as pessoas a se comportarem menos assertivamente.[34] Designamos aleatoriamente participantes para interagir com um dentre quatro dispositivos eletrônicos de tamanhos variados: um iPod Touch, um iPad, um laptop MacBook Pro ou um desktop iMac.

Cada participante permaneceu cinco minutos trabalhando com seu dispositivo, sozinho em uma sala (os voluntários estavam sendo filmados com seu consentimento, para podermos nos assegurar de que estavam cumprindo as regras). Todos responderam aos mesmos questionários "para matar o tempo" – tarefas para distraí-los durante o período estabelecido para o experimento.

Mas nós disfarçamos a medida comportamental crítica. Depois que os voluntários interagiram com o dispositivo por uns cinco minutos realizando algumas tarefas para matar o tempo (foram atribuídas as mesmas tarefas às pessoas em todas as situações), o pesquisador retornou, recolheu o dispositivo, apontou para o relógio e informou: "Voltarei em cinco minutos para avaliá-lo, aí farei o pagamento e você poderá ir embora. Se eu não estiver aqui, me procure na recepção." Quanto tempo eles aguardariam até se manifestarem? Esse indicador seria o meio de medirmos a assertividade dos participantes – talvez o componente psicocomportamental central do poder. E lembre-se de que havíamos confiscado os celulares dos voluntários assim que chegaram ao laboratório, de modo que não tinham nada para fazer senão olhar para o relógio enquanto aguardavam o retorno do pesquisador.

Conforme esperado, o tamanho do dispositivo afetou fortemente a disposição dos voluntários para ir atrás do pesquisador. Dez minutos depois, apenas 50% dos usuários do smartphone o procuraram para dizer que queriam ir embora. Em contraste, 94% dos usuários do desktop procuraram pelo pesquisador.

Você pode ver os outros resultados no gráfico a seguir: quanto maior o dispositivo, mais os voluntários tenderam a se manifestar. Na verdade, os usuários do dispositivo maior não apenas estiveram mais propensos a interromper como os que interromperam o fizeram mais cedo. Concluímos que, quanto menor o dispositivo, mais precisamos contrair nosso corpo para usá-lo, e quanto mais tempo passamos nessas posturas encolhidas, fechadas, mais impotentes nos sentimos.

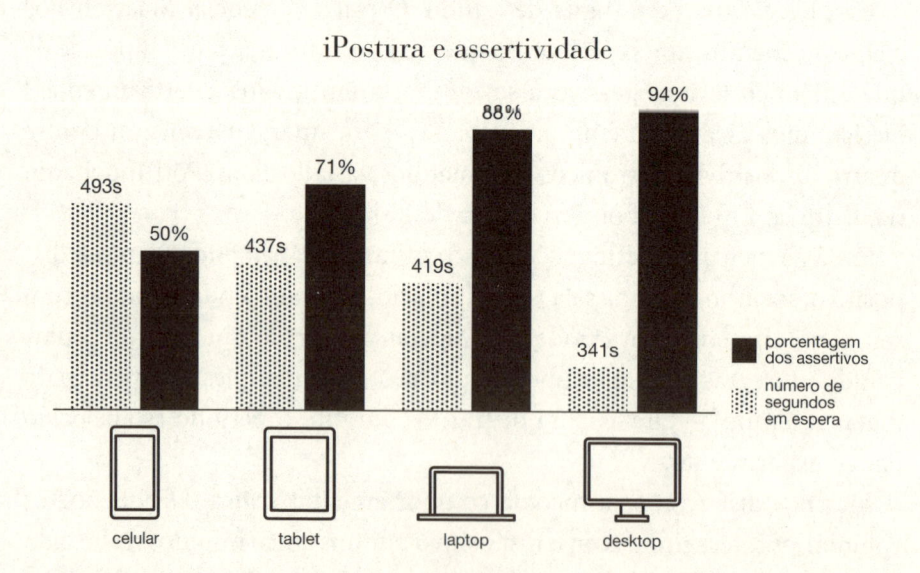

iPostura e assertividade

celular	tablet	laptop	desktop
493s / 50%	437s / 71%	419s / 88%	341s / 94%

- porcentagem dos assertivos
- número de segundos em espera

Nossas descobertas revelam uma ironia cruel: enquanto muitos de nós passamos horas trabalhando em dispositivos móveis pequenos, geralmente visando *aumentar* nossa produtividade e eficiência, interagir com esses objetos minúsculos, mesmo que por curtos períodos de tempo, pode reduzir a assertividade, potencialmente *minando* nossa produtividade e eficiência.

Se você precisa passar longos períodos diante de uma tela – o que ocorre com muitos de nós –, certifique-se de escolher um dispositivo cuidadosamente e configurar seu espaço de modo a permitir a postura mais ereta e expansiva possível.

Imaginando uma postura poderosa
(seu corpo está em sua cabeça)

Christine, que trabalha para uma organização sem fins lucrativos que ajuda indivíduos com deficiência a abandonar crenças limitadoras, escreveu-me pouco depois de minha palestra ser postada na internet:

> Minhas posturas de poder não são realizadas fisicamente, na verdade. Ninguém as vê. Ninguém sabe que as estou realizando – eu as imagino. Meu corpo é completamente não físico: tenho plena sensação dele, mas utilizo apenas um dedo de uma das mãos, e ainda assim me imagino fazendo gestos e movimentando minhas mãos. Quando me preparo para fazer uma apresentação em sala de aula, imagino uma postura de poder, porque é preciso incorporá-la.
>
> Acho que, quando as pessoas olham para mim, o julgamento típico é: mulher, ponto contra você; deficiente e numa cadeira de rodas, mais um ponto contra. Eu poderia ser considerada um tanto impotente. Mas, na verdade, sou poderosa, não importa o que meu corpo esteja fazendo. Imagino que estou me movimentando e dominando a sala inteira. Sou assertiva e competente, às vezes destemida (e talvez um pouco imprudente, mas tudo bem). Acho que tudo isso se deve a esse poder que criei. Consigo expressar todos os meus gestos e posturas, mesmo através de meus olhos.
>
> Eu me pergunto: poderíamos incentivar indivíduos com deficiências físicas a se sentirem mais assertivos usando a imaginação?

Christine não foi a única a fazer essa pergunta. Eu a ouvi de muitas pessoas portadoras de deficiências que limitam gravemente o modo como elas se portam ou carregam seus corpos. E muitas delas disseram a mesma coisa: *Eu me imagino adotando uma postura poderosa e me sinto poderoso(a). Você fez alguma pesquisa sobre isso?*

Àquela altura, eu não tinha feito. Mas tinha motivos para acreditar que simplesmente se imaginar numa postura de poder é suficiente para aumentar a autoconfiança. Pesquisas realizadas no decorrer de vários anos mostraram que, em termos de atividade cerebral e efeitos comportamentais, a imagística mental do movimento se assemelha ao movimento físico real. Estudos indicam que percorrer uma sequência de movimentos na mente aumenta a capacidade de realizá-los na prática. Pesquisas também mostram que muitas das mesmas regiões no cérebro que se tornam ativas ao executarmos ações específicas – áreas dentro e em volta do córtex motor – também reagem durante o ato de imaginar essas mesmas ações. Indícios menos diretos da sobreposição neural dos comportamentos simulado e real vêm do fato de que levamos mais ou menos a mesma quantidade de tempo imaginando uma ação e realizando-a, e do fato de que pacientes portadores de doença de Parkinson, que se movimentam lentamente, também retardam suas simulações mentais de movimento.[35]

Trabalhos recentes mostraram que usar ressonância magnética durante exercícios de imagística mental para avaliar a atividade do cérebro de pacientes paralíticos pode detectar o que eles estão pensando sobre seus membros e o que querem que estes façam. Um estudo descobriu que é possível saber se uma pessoa está imaginando caminhar por uma casa ou jogar tênis através do exame de imagens por ressonância magnética funcional.[36] (Essa pesquisa vem sendo adotada para detectar se pacientes afetados pela Síndrome do Encarceramento – ou seja, pacientes mentalmente conscientes porém incapazes de se movimentar ou se comunicar devido à paralisia completa – estão conscientes ao se pedir que se imaginem jogando tênis durante a tomografia de seus cérebros.)[37] Em outro estudo, pediu-se a um paciente tetraplégico que se imaginasse pegando algo enquanto seu cérebro era tomografado. Dispositivos chamados matrizes de microeletrodos foram então instalados em regiões do córtex parietal posterior ativadas quando planejamos esses movimentos, e o paciente usou os sensores para controlar um braço de robô como se fosse o seu.[38] Claro que, quando você imagina realizar uma ação, seu corpo não fornece nenhum feedback sensorial, mas simplesmente imaginar-se em uma postura poderosa seria suficiente para levá-lo a se comportar de forma poderosa.

Estimulado por e-mails recebidos de indivíduos com deficiências físicas, meu laboratório começou a realizar experimentos para testar a hipótese de que simplesmente se imaginar numa postura de poder é capaz de conferir a sensação de poder. Em nosso primeiro experimento, recrutamos cerca de 200 voluntários pela internet e os induzimos, com uma descrição viva, a se imaginarem numa sala, mantendo uma postura específica de alto ou baixo poder, e a continuar imaginando aquilo por dois minutos. Para impedir que se entediassem, nós os instruímos a também imaginar alguns desconhecidos entrando e saindo da sala enquanto mantinham a postura e a formar impressões daqueles desconhecidos.[39]

Depois que se imaginaram nas posturas, pedimos que descrevessem como se sentiram durante o exercício. Não os estimulamos com nenhuma palavra, mesmo aquelas que poderiam ter sido de interesse para nós, como *poderoso, impotente, presente, intimidado* e assim por diante. Lembre-se também de que essa foi uma amostra diversificada de voluntários de todo o país, que incluía uma grande variedade de etnias, idades, religiões e aspectos culturais.

Entre as pessoas que se imaginaram mantendo posturas de alto poder, 70% usaram palavras que chamamos de "confortavelmente confiantes". O que nos surpreendeu não foi apenas a alta porcentagem de participantes que disseram que se sentiam daquela forma, mas também a semelhança em como optaram por descrever aquelas sensações – muitos deles usaram quase exatamente as mesmas palavras. Eles completaram a afirmativa "Senti-me..." com expressões que refletiam a imagem mental de si mesmos:

Aberto e forte.
Determinado e confiante.
Confortável e equilibrado.
Firme, confiante e sólido.

Os voluntários que haviam se imaginado em posturas de baixo poder tiveram uma experiência bem menos agradável: 72% usaram palavras que consideramos "socialmente ameaçadoras". Elas também refletiam a imagem mental que os voluntários tiveram de si mesmos:

Constrangido e tenso.
Assustado e solitário.
Estúpido e envergonhado.
Isolado.
Ameaçado e vulnerável.
Muito, muito desconfortável.

Alguns fizeram descrições ainda mais extremas: por exemplo, "como se eu estivesse sufocando" e "apavorado, como se estivesse sendo torturado".

Pedimos também aos voluntários que contassem o que aconteceu em seus cenários imaginados. De novo, a pergunta foi aberta, sem nenhuma palavra indutora específica nem roteiros. Lembre-se de que, para tornar a tarefa mais envolvente, pedimos aos voluntários que imaginassem que alguns desconhecidos haviam entrado e saído da sala onde nossos estudados mantinham suas posturas expansivas ou contrativas. E de que não fornecemos nenhum detalhe sobre quem eram aquelas pessoas. Se adotar posturas contrativas, de baixo poder, faz com que nos sintamos ameaçados e vulneráveis, como você acha que isso poderia afetar o que lembramos sobre desconhecidos fortuitos nos rodeando?

Se você achou que os voluntários que se viram com posturas de baixo poder estariam mais vigilantes em relação a desconhecidos, acertou. De fato, em resposta às perguntas abertas do que imaginaram enquanto assumiam uma postura mentalmente, 82% daqueles com posturas de baixo poder forneceram descrições detalhadas dos desconhecidos. Seus relatos foram bem divertidos, como mostram estes exemplos:

"Um ciclista, uma médica e um hippie entraram."

"Havia um caubói usando chapéu, botas e uma camisa xadrez azul. E uma loura com rabo de cavalo e camiseta com os dizeres EU ♥ NY seguida por um urso marrom com um chapéu de Papai Noel que pedia donativos. E um homenzarrão com uma sacola imensa cheia de hambúrgueres cujo cheiro eu sentia do outro lado da sala."

"Alguns homens altos entraram e olharam para mim. Perguntaram o que eu estava fazendo e eu respondi: ioga. Eles riram e tentaram me desequilibrar, aí eu caí. Depois falei que eles não estariam rindo se experimentassem e vissem que funciona."

"Um homem que parecia o pirata Jack Sparrow, usando delineador e calça de pirata, uma menininha de vestido azul com marias-chiquinhas e um homem mais velho com barba branca. Parecia o cara do comercial da tequila Jose Cuervo."

Mesmo quando *tento* fazer com que voluntários forneçam esse nível de detalhamento em suas respostas, não consigo. Obtê-las quando eu nem sequer estava pretendendo... e de tantos voluntários – isso é raro. Estariam os voluntários fazendo piada com a nossa cara? Aparentemente, não, porque aqueles com as posturas de alto poder não estavam tão preocupados com os desconhecidos indefinidos: somente 16% foram capazes de descrevê-los com algum detalhamento. Em vez disso, quando solicitados a descrever o período que passaram na postura mental, ficaram serenamente concentrados nas próprias posturas e no ambiente, oferecendo descrições despojadas, sem julgamento. Estavam simplesmente *sendo*:

> "De pé numa sala com piso de madeira e paredes brancas, minhas mãos nos quadris observando desconhecidos entrando e formando impressões deles."
>
> "Eu estava de pé numa sala com os pés afastados meio metro, mãos na cintura e cotovelos para fora. Eu deveria imaginar as primeiras impressões das pessoas entrando no cômodo."
>
> "Eu estava diante de uma escrivaninha e pessoas desconhecidas entraram e caminharam pela sala."
>
> "Estou postada numa salinha branca. O piso é de madeira. Minhas mãos estão nos quadris, os cotovelos para fora. Meus pés estão afastados meio metro. Pessoas estão entrando na sala."
>
> "Estou de pé numa sala com as mãos nos quadris e os cotovelos para fora. Meus pés estão afastados meio metro. A sala é espaçosa e tem piso de madeira."

Pessoas que estão presentes concentram-se menos em como os outros podem julgá-las ou ameaçá-las. Deveríamos ser capazes de atentar e reagir aos outros, mas nos concentrar demais neles, além de contraproducente, é destrutivo, diminuindo nossa autoconfiança e interferindo em nossa capacidade de observar as interações do momento. Mesmo na postura de poder imaginada, as pessoas foram capazes de habitar plenamente o momento – observando seu ambiente sem julgar, não se sentindo ameaçadas nem dominantes sobre os desconhecidos que entravam e saíam da sala.

Você deve estar se perguntando se essas descobertas são compatíveis com as do estudo da Universidade de Auckland em que pessoas com posturas impotentes usaram mais pronomes na primeira pessoa em suas falas. A diferença crítica é que um experimento envolveu uma interação verbal, o outro, uma reflexão por escrito. No estudo da imaginação, os participantes não estavam interagindo com terceiros nem sendo avaliados por eles. No estudo da fala, estavam – e em tempo real, enquanto falavam. O uso de pronomes na primeira pessoa por aqueles com posturas impotentes provavelmente refletiu o desejo de se protegerem da avaliação negativa, tentando induzir os juízes verbalmente a enxergá-los de determinada maneira em vez de se envolverem de forma ponderada e deixar que os juízes chegassem às próprias conclusões. Ao refletir por escrito durante um momento que não envolvia avaliação social, como fizeram os voluntários da imaginação, a presença se manifestaria como autoconsciência – observar o próprio estado físico e psicológico –, o que requer o uso de mais, não menos, pronomes na primeira pessoa.

Como Christine explicou em seu e-mail, e como demonstram nossas pesquisas e outras, não é necessário possuir um corpo plenamente capaz para colher os benefícios das posturas poderosas. Na verdade, muitos de nós – com ou sem deficiências – nos vemos em situações em que não conseguimos achar espaço ou privacidade para a postura de poder antes de encarar um grande desafio. Mas sempre podemos nos imaginar como a Mulher-Maravilha ou o Super-Homem em nossa pequena bolha do pensamento.

Postura virtual

Os benefícios das posturas poderosas não se aplicam apenas ao espaço físico e mental – também se estendem ao espaço virtual. Mesmo as características físicas do seu avatar – num videogame ou na realidade virtual – podem mudar o modo como você se comporta na realidade. Pesquisas mostraram que, quando as pessoas habitam de maneira perceptiva representações virtuais de si mesmas, tendem a assumir as características de seus avatares. Esse fenômeno poderoso tem sido denominado ilusão da transferência do corpo e funciona até entre gêneros (por exemplo, um participante masculino personificando um avatar feminino).[40]

Dois pesquisadores da Universidade de Stanford, Nick Yee e Jeremy Bailenson, investigaram como a altura do avatar influenciaria o comportamento de uma pessoa numa negociação ocorrida num ambiente virtual.[41] No universo físico, pessoas que ocupam mais espaço vertical do que aquelas à sua volta têm, em média, mais propensão a adquirir poder social e status. Yee e Bailenson designaram voluntários para avatares altos, medianos ou baixos e a triste conclusão de seu estudo é que, mesmo no domínio virtual, a altura concede vantagem. Pessoas designadas para o avatar alto fizeram acordos melhores do que aquelas designadas para avatares médios ou baixos. Na verdade, os voluntários designados para um avatar baixo tiveram o dobro de probabilidade de aceitar um acordo injusto em relação àqueles em outras condições. Yee e Bailenson referem-se ao fenômeno de personificar as características de nossos avatares como o "efeito Proteu" – o deus grego que tinha a capacidade de alterar sua forma.

Em um de meus experimentos favoritos concebido para testar os efeitos comportamentais da realidade virtual imersiva, pessoas foram designadas aleatoriamente para vivenciar uma dentre duas experiências virtuais num videogame. Em uma delas, receberam a habilidade de voar como um super-herói (seus movimentos de braço eram monitorados para controlar o voo), e na outra eram passageiros num helicóptero.[42] Além disso, metade dos voluntários em cada grupo foi selecionada aleatoriamente para uma tarefa beneficente no videogame (levar insulina a uma criança diabética), enquanto a outra metade foi designada para uma tarefa não beneficente (percorrer a cidade do alto). Portanto havia quatro situações: o benfeitor com superpoderes, o benfeitor de helicóptero, o turista com superpoderes e o turista de helicóptero. Quando o experimento supostamente foi encerrado, o pesquisador "acidentalmente" esbarrou num copo com 15 canetas, espalhando-as pelo chão. Ele queria saber quem estaria mais disposto a recolher as canetas.

Revelou-se que o tipo de tarefa em que os voluntários se envolveram – turismo ou auxílio – não teve influência na propensão a apanhar as canetas. Mas o tipo de voo teve: em comparação com os passageiros do helicóptero, as pessoas que receberam os poderes de super-herói se mostraram bem mais propensas a ajudar o pesquisador a apanhar as canetas e foram mais rápidas em fazê-lo. Os super-heróis voadores também relataram sensações mais intensas de "presença" durante o jogo, sentindo-se mais "verdadeiros" e envolvidos durante a tarefa virtual.

Posição de sentido

Soldados costumam receber ordens para ficar em posição de "sentido", que em geral requer queixo elevado, peito estufado, ombros para trás e barriga para dentro. Ficar em posição de sentido é uma postura ereta, enraizada e imóvel. Além de sinalizar respeito, é uma postura que conduz mais a sentimentos de alerta e força. Soldados são treinados para assumi-la por um motivo simples: quando um oficial está comunicando informações que poderiam influenciar decisões de vida ou morte, os soldados precisam apresentar plena presença psicológica. A posição de sentido os traz ao presente.

Quando paramos de prestar atenção, ficamos mais suscetíveis aos resultados potencialmente destrutivos tanto da postura expansiva quanto da contrativa. Vimos como a falta de atenção pode nos enfraquecer quando estamos inclinados sobre nosso smartphone ou meramente desleixados em nosso assento. Quando paramos de cuidar da nossa postura, estamos nos abandonando.

Além disso, em determinadas situações tentadoras, deixar de prestar atenção na nossa postura pode nos desencaminhar. Como o poder tem a capacidade de ser um desinibidor, é importante nos contermos. Quando nosso poder aumenta e não estamos prestando atenção, às vezes afrouxamos nossos padrões e podemos usar atalhos indevidos para chegar aonde queremos. Por exemplo, num estudo conduzido por Andy Yap, meus colegas e eu pedimos que voluntários pilotassem um jogo de carros realista que incluía volante e pedais. O objetivo era vencer a corrida. Após uma rodada de treino, foram prometidos aos voluntários 10 dólares extras caso conseguissem completar o circuito em menos de cinco minutos, mas com uma condição: teriam de fazê-lo sem violar as leis de trânsito.[43]

O que os voluntários não sabiam era que havíamos projetado dois assentos diferentes para os motoristas. Um deles permitia o máximo de expansão – um banco e uma perspectiva visual altos, o que possibilitava braços estendidos ao volante e pernas esticadas até os pedais. O outro restringia os participantes e oferecia uma perspectiva visual mais baixa, além de obrigá-los a dobrar os braços para se adaptarem ao volante e a dobrar as pernas para se adaptarem aos pedais. Descobrimos que a área de assento expansiva levou os participantes a dirigir com menos prudência – colidindo contra mais objetos e não parando após acidentes.

Esses resultados indicam que a percepção e o controle de nosso poder pessoal são elementos de vital importância da presença e que devemos nos manter atentos.

Aprume-se!

Certa vez, quando eu estava lavando as mãos no toalete de um aeroporto, uma mulher na pia ao lado virou-se e disse: "Desculpe, mas por acaso você é...?" Fez uma pausa e, em vez de terminar a pergunta, lançou os braços para o alto. Respondi: "Sou, sim." (Acostumei-me a "Você é..." seguido também de um gesto de mãos nos quadris.) O nome da moça era Shannon e ela me contou que não apenas havia incorporado as posturas poderosas à própria vida como também continuava a compartilhá-las com colegas de trabalho, amigos e familiares. Na verdade, ela, seu marido e os quatro filhos têm um termo particular para isso: "Aprume-se!" Quando seus filhos estão tensos, ela os lembra de "se aprumarem".

Adorei o fato de Shannon e sua família terem se apropriado da prática. E de ter funcionado. Para me convencer de quanto minha palestra a havia influenciado, mostrou-me sua joia favorita: um anel de diamantes delicado em formato de estrela que seu marido lhe dera no seu aniversário para lembrá-la do poder pessoal ao qual sempre tinha acesso.

A ativista Maggie Kuhn disse o seguinte (e acho que a maioria de nós concordaria com ela): "O poder não deveria se concentrar nas mãos de tão poucos, e a impotência, nas mãos de tantos." Isso vale tanto para o poder pessoal quanto para o poder social. Muitos de nós sofremos com sentimentos predominantes de impotência pessoal. Temos o hábito terrível de obstruir nossos caminhos, especialmente nos piores momentos possíveis. Aceitamos essa postura, o que só faz reforçá-la e nos afastar da realidade de nossas vidas.

Mas podemos usar nosso corpo para alcançar o poder pessoal. Muitos indícios mostram que nosso corpo está impelindo, moldando e até comandando nossos pensamentos, sentimentos e comportamentos.[44] Que o corpo afeta a mente é incontestável, podemos dizer. E afeta de formas que facilitam ou impedem a capacidade de trazer nosso melhor eu autêntico para os maiores desafios.

Será que isso significa que dizer "Aprume-se!" ou imitar a Mulher-Maravilha funcionará para todas as pessoas em todas as situações? Claro que não. Não existe intervenção passível de funcionar para todas as pessoas em todas as situações. O que mais quero que você entenda é que seu corpo está contínua e convincentemente enviando mensagens para seu cérebro, e *você* precisa controlar o teor dessas mensagens. Centenas (talvez milhares) de estudos examinaram a conexão corpo-mente através de muitos métodos diferentes: respiração, ioga, redução da extensão vocal, incitar as pessoas a se imaginarem em posturas expansivas, simplesmente fazer com que as pessoas se sentem em postura ereta, etc. Existem inúmeros meios de expandirmos nossos corpos. E se o efeito corpo-mente está agindo através de nosso tônus vagal, de nossa pressão arterial, de nossos hormônios ou de algum outro mecanismo ainda não descoberto, o resultado é claro: expandir nosso corpo muda o jeito como nos sentimos em relação a nós mesmos, criando um ciclo virtuoso. Assim, o que importa para mim é que você encontre a técnica que lhe seja mais adequada. Se não encontrar, estará desperdiçando uma oportunidade preciosa.

Em última análise, expandir seu corpo traz você para o presente e melhora seu desempenho. Embora nossa linguagem corporal governe o modo como as outras pessoas nos percebem, ela também governa como nós nos percebemos e como tais percepções são reforçadas por nosso comportamento, nossas interações e até nossa fisiologia.

Por que não deveríamos nos portar com orgulho e poder pessoal? Quando o fazemos, conseguimos estar presentes em nossos momentos mais desafiadores. O jeito como você conduz seu corpo molda o jeito como você conduz sua vida.

Seu corpo molda sua mente. Sua mente molda seu comportamento. E seu comportamento molda seu futuro. Deixe seu corpo informar que você é poderoso e merecedor, e você se tornará mais presente, empolgado e autenticamente você mesmo. Portanto, encontre o caminho para se aprumar!

9

Posturas para a presença

Sente-se direito.
— Sua avó

Quando deveríamos exibir uma postura de poder? A maioria de nós se beneficiaria de uma carga de poder antes de uma entrevista de emprego, de uma reunião com uma figura autoritária, de um debate em sala de aula, de uma conversa difícil, de uma negociação, de uma audição, de um evento atlético ou de uma apresentação diante de um grupo. Pessoas também têm escrito para mim sobre a utilidade da postura de poder:

- antes de adentrar situações novas, conhecer pessoas ou falar outra língua em um país estrangeiro,
- ao defender a si mesmo ou outra pessoa,
- ao pedir ajuda,
- ao terminar um relacionamento – profissional ou pessoal,
- ao pedir demissão,
- antes de receber – ou dar – feedback crítico.

Nem todos enfrentam os mesmos tipos de desafios ou se sentem intimidados pelas mesmas experiências. Por isso é importante observar as situações (e pessoas) que desencadeiam a linguagem corporal impotente – para assim saber quando aplicar a postura de poder preparatória. Você também se beneficiará enormemente caso consiga adotar o hábito de verificar sua postura em situações desafiadoras e de maneira geral ao longo do dia.

Prepare-se com posturas grandiosas

Faça uso das posturas grandiosas para falar a si mesmo antes de enfrentar um grande desafio. Ao ocupar confortavelmente o máximo de espaço possível nos momentos que precedem o desafio, você está dizendo a si que é poderoso – que detém o controle – e se emancipando para levar seu eu mais arrojado e autêntico *ao* desafio. Você está otimizando seu cérebro para estar cem por cento presente quando entrar. Pense nisso como um aquecimento pré-evento.

- De certo modo, todo dia representa um desafio. Prepare-se fazendo das posturas poderosas a primeira atividade do dia. Saia da cama e pratique algumas de suas posturas favoritas só por uns minutos.
- Em casa e em outros espaços pessoais, você não está restrito por normas sociais, estereótipos ou posição hierárquica. Em outras palavras, pode parecer tão dominante quanto queira. Aproveite-se disso: adote posturas grandiosas nesses espaços.
- Na medida do possível, aproveite ao máximo a privacidade em espaços públicos – adote posturas num elevador, na cabine do banheiro, entre lances de uma escadaria.
- Em salas de espera, não sente curvado sobre o celular. Fique de pé ou caminhe pelo ambiente.
- Caso não consiga adotar fisicamente uma postura, faça-o mentalmente: imagine-se na postura mais poderosa e expansiva na qual consegue pensar. Seja um super-herói em sua bolha de pensamento.
- Se for encarar uma situação desafiadora e não tiver opção senão ficar sentado, enrosque seus braços em torno do espaldar da cadeira e junte as mãos. Isso o forçará a abrir os ombros e o peito.
- Se for possível, chegue antes de seu público ao local da apresentação. Sinta-se à vontade ocupando o espaço e se expandindo. Torne-o o seu espaço, de modo que seu público esteja vindo à sua "casa", e não você à casa dele.[1]

Presente com boa postura

Tão importante quanto adotar posturas poderosas e ousadas *antes* de situações desafiadoras é manter posturas menos ousadas, porém ainda fortes, eretas e abertas, *durante* situações desafiadoras. Uma postura de poder é ótima quando você está se preparando para um encontro desafiador, mas não é tão boa assim no meio de uma reunião. Adotar posturas de alto poder em interações reais muito provavelmente será um tiro pela culatra – violará normas, fará com que os outros se encolham e assim por diante, como já expliquei. Tampouco é fácil manter uma boa postura enquanto você trabalha em seu computador o dia inteiro. Felizmente, existem umas coisinhas sutis que podem ser feitas quando bancar o gorila não for garantia de sucesso:

- Enquanto estiver se apresentando ou interagindo, sente-se ou fique de pé, ereto.
- Mantenha os ombros aprumados e o peito estufado.
- Respire lenta e profundamente – lembre-se de como a respiração adequada é capaz de nos centrar. (É difícil fazer isso com os ombros caídos e o peito contraído.)
- Mantenha o queixo elevado e nivelado, mas não o empine ao ponto de olhar as pessoas de modo arrogante.
- Quando estiver parado, mantenha os pés no chão (sem cruzá-los na altura dos tornozelos). Você deve se sentir firme, não como se fosse perder o equilíbrio caso alguém o empurrasse levemente ou esbarrasse em você.
- Sempre que puder, movimente-se. Quando se trata de falar em público, uma das maiores tendências das últimas décadas é afastar-se do púlpito. Por quê? Porque o movimento envolve mais o público. E também é mais energizante e poderoso para o orador. Permite ocupar mais espaço, uma porção maior do ambiente.
- Se o espaço permitir, dê alguns passos, depois pare enquanto continua falando. (Não fique caminhando de um lado para outro. Isso dá a impressão de nervosismo e irritação.) Os movimentos não devem ser irregulares nem contínuos, mas claros e definidos.[2]
- Use apoios. Se seu corpo tende a se contrair em posturas impotentes quando você fala, tente usar apoios que o obriguem a se alongar. Se estiver em pé, apoie a mão sobre uma mesa, as costas de uma cadeira ou uma lousa. Se estiver sentado, incline-se para a frente e ponha as mãos na mesa, ou certifique-se de que seus braços estão repousando nos braços de uma cadeira, e não em seu colo. Se não tiver um grande

apoio, use um pequeno: segure um copo d'água, uma caneta laser ou um controle remoto – qualquer coisa que impeça você de contrair os braços e de apertar ou cruzar as mãos.

- Adote gestos abertos; eles são fortes *e* acolhedores. Por exemplo, quando seus braços ficam estendidos com as palmas das mãos para cima, parecem acolhedores e sinalizam confiança.
- Evite "braços de pinguim". Quando as pessoas se sentem ansiosas e impotentes, costumam imobilizar os braços (das axilas ao cotovelo) lateralmente, gesticulando apenas com os antebraços. (Tente.) Esse é outro meio de nos contrairmos, e faz com que nos sintamos desajeitados e ansiosos e sejamos vistos assim.[3] (Ouvi esse conselho útil de bons amigos, os escritores e especialistas em linguagem corporal John Neffinger e Matt Kohut.)
- Não ocupe apenas o espaço físico, ocupe o espaço temporal. Esse conselho vale para todos os contextos em que você fala (a não ser que esteja disputando uma competição em que deva responder a tudo depressa), seja durante uma apresentação, uma venda, uma entrevista, uma conversa difícil, uma discussão com seu médico ou uma reação a uma crítica no trabalho. Quando nos sentimos inseguros e perturbados, apressamo-nos, temendo estar consumindo muito tempo, e parecemos ansiosos por fugir.
- Faça pausas. Apavorados com silêncios, deixamos de explorar o enorme poder das pausas.
- Tente relaxar os músculos de sua garganta de modo que sua voz mantenha um tom natural.
- Caso cometa um erro – o que é inevitável –, não se permita contrair-se. Ao sentir que está começando a se contrair, resista. Aprume os ombros, estique o corpo e se energize.

Fique atento à postura no decorrer do dia

É importante evitar recair nas posturas impotentes que costumamos assumir inconscientemente. Como fazê-lo?

- Observe o que está acontecendo nos momentos em que começa a se contrair, desanimar e desaparecer. Quais situações e estímulos o levam

a se encolher? Quais idiossincrasias o levam a se sentir impotente? Essa percepção, por si só, vai ajudar a resistir ao impulso na próxima vez que se encontrar em apuros semelhantes.
- Prepare lembretes de posturas para si mesmo.
  - Faça do celular um aliado, não um inimigo:
    - Programe-o para lembrá-lo de conferir sua postura de hora em hora.
    - Mas não se incline sobre ele.
  - Cole Post-its® nas portas, em seu escritório, em casa e na tela do computador.
  - Conte com a ajuda de amigos confiáveis, familiares e colegas de trabalho. Peça que avisem quando você estiver desleixado (e pergunte se querem que faça o mesmo para eles).
- Organize os espaços em que você passa seu tempo, de modo a facilitar a boa postura.
  - Meu colaborador Nico Thornley coloca o mouse a uma distância que o obriga a expandir o corpo para usá-lo.
  - Pendure no alto das paredes ao seu redor fotos de pessoas e coisas que o deixam feliz para induzi-lo a se alongar e olhar para cima.
- Se você costuma a dormir encolhido, em posição fetal, alongue-se na cama antes de adormecer. Caso acorde encolhido, alongue-se antes de sair da cama.
- Combine posturas poderosas com as rotinas diárias. Por exemplo, minha assistente de pesquisas, Anna, mantém uma das mãos no quadril enquanto escova os dentes.
- Se você passa um tempão falando ao telefone, use fones de ouvido e estique-se enquanto fala (ou ouve) em vez de recolher os braços para segurar o aparelho.
- Estamos aprendendo cada vez mais sobre os muitos benefícios para a saúde e a mente provindos do ato de ficar de pé, e não sentado, no trabalho, ao computador, etc. Na medida do possível, faça uma tentativa.[4]
- Faça pausas ao longo do dia para caminhar. Na verdade, cogite fazer "reuniões andando", que, além de melhorarem seu humor, também levam a uma melhoria da comunicação, do envolvimento no trabalho e da resolução criativa de problemas.[5]

- Você pode comprar um dispositivo portátil para monitorá-lo e lembrá-lo de corrigir a má postura, embora o custo seja um impeditivo para muitas pessoas. Essa tecnologia está progredindo a uma velocidade espantosa, de modo que não recomendarei nenhum dispositivo específico.
- Sente frio em seu escritório com ar-condicionado? Pare de se enrolar numa bola fetal sob o xale, cachecol, lençol, cardigã imenso ou seja lá o que você usa. Simplesmente use roupas adequadas.
- Explore as ocasiões sociais que tiver para se alongar, como malhar, correr, praticar ioga e dançar. Não desperdice as oportunidades de se expandir!

10

Autocutucar: como pequenos ajustes levam a grandes mudanças

Qualquer um pode carregar esse fardo, por mais pesado que seja, até o anoitecer. Qualquer um consegue fazer esse trabalho, por mais pesado que seja, por um dia. Qualquer um consegue viver docemente, pacientemente, amavelmente, puramente, até o pôr do sol. E esse é o significado da vida.
— Robert Louis Stevenson

Eu costumava entrar em pânico sob determinados tipos de pressão. Por exemplo, se recebesse uma resenha negativa ou se algum artigo meu enviado a uma revista acadêmica fosse rejeitado; eu sempre achava que precisava fazer alguma coisa para remediar a situação – *qualquer coisa*. Sem parar para respirar, dissecava os comentários do editor ou resenhista exaustivamente, martirizava-me com aquilo, analisava cada um deles numa revisão "perfeita", compunha a carta de resposta mais inteligente e minuciosa possível e enviava o pacote completo de volta ao editor. Imediatamente. E fazia tudo isso em um estado de ansiedade e ameaça.

Em muitas dessas ocasiões, minha amiga Holly, uma resoluta voz da razão, me lembrava: "Você não precisa fazer nada hoje." E, na maioria dos casos, ela estava certa. Eu não precisava fazer nada naquele dia. No mínimo, poderia dormir refletindo a respeito (o que, conforme demonstraram os psicólogos, muitas vezes melhora a qualidade de nossas decisões, algo sobre o qual já escrevi).[1]

Nos últimos anos, percebi duas coisas. Primeira: desacelerar é um ato poderoso. Assim como falar devagar, fazer pausas e ocupar espaço estão ligados ao poder, dedicar tempo para refletir sobre como reagir e desacelerar seu processo de tomada de decisões em momentos de alta pressão também estão. ("O perfeccionismo", escreveu Anne Lamott, "é a voz do opressor, o inimigo do povo. Vai manter você confinado e maluco a vida inteira.")[2] Desacelerar é outro tipo de expansão. Holly estava me dizendo para *não* me apressar – para reivindicar o tempo que já *era meu*.

Porque eis a verdade sobre meu padrão de reação apressado e assustado: tal como o gesto de me tornar fisicamente pequena, esse padrão era uma expressão da minha sensação de impotência, e sempre dava errado. Por que correr para tomar uma decisão provavelmente ruim quando o estresse já está me impedindo de agir com plena eficiência? Isso não é ousadia; é pura reatividade.

Um trem desgovernado continuará avançando até que uma força se interponha para detê-lo, de acordo com Isaac Newton. Para desacelerar – para deter o trem desgovernado em minha mente –, eu necessitava de poder. Eu precisava sentir que tinha direito à desaceleração. Minha experiência de impotência naqueles momentos de alta pressão estava me levando a acelerar loucamente meu processo de tomada de decisões e a me espremer em bem menos espaço do que aquele ao qual eu tinha direito – o que acabava não beneficiando ninguém. Eu tinha de parar de dar permissão à entrada da sensação de impotência e começar a acessar meu poder pessoal, o que era difícil.

A segunda coisa que percebi, embora isso possa soar meio esquisito: não fazer nada já era fazer alguma coisa. Moderava minha sensação de ameaça. Não fazer nada me lembrava de que *tenho* algum poder para deter o trem desgovernado. E me libertava para ver a situação e reagir a ela com o maquinário cognitivo plenamente operante – uma memória operacional mais eficaz, maior clareza e a capacidade de adotar diversas perspectivas diferentes. Não fazer nada já estava fazendo algo por mim e ainda era bem *melhor* do que fazer alguma coisa, ao menos "alguma coisa" do tipo que eu vinha fazendo.

Quando eu tentava "corrigir" um problema ou ameaça imediatamente, daquela forma atabalhoada e nervosa, nunca ficava satisfeita com minha ação. E o resultado também nunca era o desejado. Conforme expliquei no primeiro capítulo, ter presença não consiste em vencer. A presença não pode ser motivada pelo desejo de determinado resultado – embora o resultado tenda a ser melhor quando você está presente. Ter presença consiste em enfrentar seus maiores desafios sem medo e sem ansiedade e sair deles sem arrependimento.

Não chegamos lá decidindo mudar *exatamente agora*. Chegamos lá lentamente, gradualmente, cutucando-nos – um pouco mais a cada vez. Eu, por exemplo, toda vez que sentia aquela pressão das altas expectativas, precisava me cutucar para desacelerar e me fixar menos nos resultados. Não tinha como mudar instantaneamente apenas decidindo mudar. Mas, toda vez que eu me cutucava, criava uma lembrança que eu poderia acessar na próxima vez que entrasse em pânico. Eu podia dizer: "Já fiz isto outras vezes, então por que não voltar a fazer?" Desacelerar tornou-se um autorreforço. E, por eu ser capaz de me acalmar e reagir com base na razão, e não na ameaça, meu comportamento era reforçado por outras pessoas também.

E foi assim, também, que me "recuperei" de uma lesão cerebral traumática – gradualmente, com uma lentidão exasperadora.[3] Quando as pessoas perguntam "Como você se recuperou?", esta é a única resposta que tenho: eu me cutuquei. Eu me cutuquei por inúmeros dias sombrios. Cada pequena experiência pessoal de melhoria se tornava uma nova fonte de inspiração e de informação – um lembrete de que eu poderia continuar tentando. Toda vez que eu conseguia assistir a uma aula sem entrar em pânico enquanto lutava para processar cognitivamente o que estava ouvindo era uma pequena vitória. E, à medida que as coisas foram ficando mais fáceis, outras pessoas começaram a reagir a mim como se eu fosse alguém *realmente* competente e forte – mesmo que eu ainda não acreditasse em mim.

Nunca em um milhão de anos pensei em me tornar professora em Harvard. Em 1992, eu só queria terminar cada semana sem perder a esperança; assistir a uma aula sem pensar em abandonar os estudos (e cheguei a abandonar, mais de uma vez, porque meu cérebro ainda não estava pronto para voltar à sala de aula). Eu não tinha nenhum objetivo concreto em mente. Só queria me sentir um pouquinho mais eu mesma, um pouco mais perspicaz, um pouco menos como se estivesse observando de dentro de uma bolha de vidro e um pouco mais como uma participante no que estava ocorrendo. Não posso sequer afirmar que eu era capaz de notar, plena e conscientemente, todas as mudanças que estavam acontecendo.

É assim que a coisa funciona. Em toda situação desafiadora, damo-nos uma cutucada: encorajamo-nos a nos sentirmos um pouco mais corajosos, a agir com um pouco mais de ousadia – a transpor as muralhas do medo, da ansiedade e da impotência. A ser um pouco mais presentes. E gradualmente, com o tempo, nos vemos onde queremos estar... embora nem sequer tivéssemos conseguido definir tal lugar quando começamos.

Cutucões e empurrões

Lá por volta de 2005, um grupo de economistas e psicólogos começou a explorar a ideia, baseada nos resultados de muitos estudos, de que a melhor forma de transformar o comportamento das pessoas para melhor talvez não fosse incentivando grandes mudanças na postura e nas preferências delas, mas cutucando-as numa direção saudável de forma sutil e quase imperceptível. As táticas dessa abordagem não são drásticas nem ousadas, e as mudanças produzidas, de início, são bem conservadoras. Mas, com o tempo, as mudanças se disseminam e se fortalecem. Gradualmente vão se instalando e acabam modificando não apenas o comportamento, mas também posturas e até normas sociais, reforçando e estendendo as transformações comportamentais dentro e fora das comunidades. Tornam-se o novo status quo.

Em 2008, o economista Richard Thaler, da Universidade de Chicago, e o professor Cass Sunstein, da Harvard Law School, publicaram o livro *Nudge* (Cutucada), que inspirou legisladores de políticas públicas ao redor do mundo a reexaminar seus pressupostos sobre o comportamento humano. Em 2010, o então primeiro-ministro do Reino Unido, David Cameron, solicitou à Equipe de Insights Comportamentais, também conhecida como "Unidade do Cutucão", que testasse e aplicasse essa ciência nova ao campo dos serviços sociais; o objetivo era melhorar o acesso e o uso dos serviços públicos e desenvolver políticas mais eficazes. Em uma ação, ao simplesmente lembrar aos contribuintes do Reino Unido que muitos cidadãos britânicos pagam seus impostos dentro do prazo, a "Unidade do Cutucão" aumentou substancialmente os pagamentos de impostos no prazo, o que resultou numa arrecadação adicional de cerca de 120 milhões de libras. Um resultado nada mau para uma intervenção de baixo custo.[4]

Em 2013, o governo americano começou a organizar sua equipe de cientistas comportamentais, conhecida como "Esquadrão do Cutucão", a fim de atacar problemas sociais como alimentação inadequada, evasão escolar e assim por diante.

Veja esta história real de como o cutucão funciona. As abordagens tradicionais para reduzir o consumo doméstico de energia em geral incentivavam as pessoas a realizar grandes mudanças, como isolar suas casas termicamente e comprar eletrodomésticos mais econômicos. Qual é o problema nisso? É pedir demais. Apenas uma pequena porcentagem das pessoas atendiam ao pedido, e normalmente eram aquelas cujas posturas e circunstâncias já estavam alinhadas ao comportamento específico que era incentivado. Uma pessoa, digamos, que é proprietária de uma casa (em vez de locatária), identifica-se como ambientalista, está interessada em reformar sua cozinha e dispõe de dinheiro para tal poderia cogitar comprar uma lava-louças nova. Embora essa medida pudesse ter gerado economias de energia impressionantes para as poucas pessoas que a adotaram, a maioria não demonstrou disposição para gastar mil dólares em resposta a uma sugestão genérica impressa no verso de uma conta. Aqueles eloquentes pedidos eram ineficazes para mudar a postura das pessoas que já não davam a mínima para a redução do consumo de energia.

Em 2006, dois jovens decidiram tentar uma abordagem totalmente diferente. Fundaram a Opower, uma empresa que visava fazer com que as pessoas consumissem menos energia. Em vez de solicitar explicitamente grandes mudanças onerosas, eles *cutucavam* as pessoas e davam um "empurrãozinho" rumo a mudanças pequenas e graduais, simplesmente comparando seu consumo energético ao dos vizinhos via feedback em forma de emoticons. Quanto mais emoticons sorridentes eles obtinham, melhor seu desempenho em comparação com o dos vizinhos. Essa intervenção minúscula levou a reduções entre 1,5% e 3,5% no consumo de energia em 75% dos lares contatados. Não apenas em uma cidade ou duas, mas em todo os Estados Unidos, com sua demografia altamente diversificada. Compare essa abordagem com aquelas mais antigas e caras, que levavam a mudanças em apenas uma porcentagem mínima de domicílios.[5]

Pesquisadores pioneiros dos cutucões, como o psicólogo Daniel Kahneman, os definiram como "nanoinvestimentos" que levam a "ganhos de médio porte".[6] Os custos são baixos e os mecanismos operam através do que os economistas comportamentais denominam "arquitetura da escolha" – contextos projetados explicitamente para a boa tomada de decisões.[7]

Os cutucões são eficazes por diversos motivos. Primeiro, *cutucões são pequenos e requerem empenho psicológico e físico mínimo*. O que a Opower descobriu foi que mesmo pessoas que não se identificavam como ambientalistas estavam dispostas a reduzir ligeiramente seu consumo de energia ao saber que seus vizinhos faziam o mesmo.

Segundo, *os cutucões operam via atalhos psicológicos*. Conforme mencionei várias vezes, nossos recursos cognitivos são limitados, o que significa que simplesmente não conseguimos atentar para todas as informações fornecidas para nós em todas as decisões que tomamos. Um atalho é fazer o que provocará menos vergonha ou constrangimento, baseado no que os outros estão fazendo. No caso da Opower, o comportamento das pessoas estava sendo cutucado via *influência normativa* (concluir como se comportar baseado no que é socialmente adequado) em vez da *influência informacional* (concluir como se comportar baseado numa avaliação da realidade objetiva). O comportamento humano costuma ser mais orientado pelo primeiro fator do que pelo último.

Muitas vezes observamos o que os outros estão fazendo e inferimos quais ações são apropriadas, especialmente se nos identificamos com aqueles que estamos observando. Quanto mais eles se assemelharem a nós, maior será sua influência sobre nosso comportamento. Embora muitas pessoas achem isso perturbador, o fato é que, por mais que queiramos nos imaginar como indivíduos singulares, estamos profundamente preocupados em nos enquadrar. O que não significa que nos lançaríamos, todos, de um penhasco caso víssemos um amigo fazendo isso. Significa apenas que, quando um comportamento não é tão oneroso para nós, preferimos nos adaptar a ele a investir um montão de tempo e energia cognitiva tentando descobrir precisamente a ação "certa" ou "melhor".

Em terceiro lugar, contrariando o pressuposto da maioria das pessoas de que nossos comportamentos decorrem de nossas atitudes (ou seja, compramos determinado produto devido a uma atitude positiva para com ele), a causalidade entre postura e comportamentos pode funcionar também na direção oposta: *nossas atitudes decorrem de nossos comportamentos* (ou seja, temos uma atitude positiva para com um produto porque já o compramos – e talvez o tenhamos comprado porque um amigo também faz uso dele, ou porque estava em oferta, ou simplesmente por ser mais fácil de alcançar na prateleira).

* * *

Muita atenção tem sido dada a estudos mostrando quão facilmente somos influenciados por outrem. E quanto à nossa influência sobre nós mesmos?

Em 2013 comecei a pensar sobre como três princípios – *empenho psicológico e físico mínimo, uso de atalhos psicológicos* e *atitudes decorrentes de comportamentos* – poderiam se aplicar à mudança pessoal automotivada. Assim como as empresas podem cutucar o comportamento de grandes grupos de pessoas, indivíduos podem cutucar o próprio comportamento rumo a hábitos mais saudáveis e produtivos.[8]

A ideia era que mudanças graduais, baseadas em cutucões minúsculos, acabariam levando não apenas ao sucesso profissional, mas também a confiança, ânimo e melhoria na eficiência pessoal, na qualidade dos relacionamentos, na saúde e no bem-estar. As pessoas não esperam muito dos cutucões, de modo que, ao sentir seus efeitos e observar as mudanças, costumam se surpreender: "Poxa, aquilo realmente funcionou!"

Os autocutucões, como comecei a chamá-los, são modificações mínimas na linguagem corporal e/ou na mentalidade visando produzir pequenas melhorias psicológicas e comportamentais no momento. Esses ajustes minúsculos têm o potencial de, com o tempo, levar a grandes transformações. Ao contrário de mudanças programáticas mais ambiciosas, metas de vida de longo prazo e autoafirmações forçadas de coisas nas quais não acreditamos realmente, os autocutucões apelam às nossas tendências naturais, inatas. Quando você se autocutuca, o hiato entre realidade e meta é estreito. Não é intimidador, o que reduz as chances de você desistir. Como resultado, sua mudança de comportamento é mais autêntica, duradoura e autorreforçadora.

Mudança gradual: pequenos passos

Quando se trata de mudar o eu, ninguém fez pesquisas psicológicas mais importantes do que Carol Dweck e seus colaboradores. Em um experimento após outro, com milhares e milhares de estudantes, Dweck demonstrou que as crianças desabrocham na escola quando adotam o que ela denominou de código mental construtivo – a crença de que podem progredir em uma dada área – em oposição a uma mentalidade presa à crença de que suas habilidades estão rigidamente fixadas e não podem ser modificadas. Quando crianças (e adultos) se concentram no processo, não nos resultados, seu desempenho melhora de forma notável e substancial. Em uma palestra no TEDx,[9] Dweck disse:

> Ouvi falar de uma escola de ensino médio em Chicago cujos alunos tinham de passar em determinado número de matérias para se graduar e, se não passassem em uma matéria, obtinham a nota "Ainda Não". Achei aquilo fantástico, porque, se você obtém uma nota deficiente, pensa: não sou nada, não estou progredindo. Mas se você obtém uma nota "Ainda Não", entende que está numa curva de aprendizado. Isso proporciona um caminho para o futuro.

Dweck argumenta que a maioria das escolas nos Estados Unidos está involuntariamente configurada para fomentar uma mentalidade fixa, derrotista, voltando o foco das crianças para notas, provas e seminários e elogiando-as pela inteligência e pelo talento. Em vez disso, as escolas deveriam ser intencionalmente configuradas para incentivar uma mentalidade de crescimento, elogiando esforços, estratégias, foco, perseverança, entusiasmo e melhoria. "Esse elogio do processo", explica Dweck, "desenvolve crianças destemidas e resilientes." Direciona os estudantes para o processo em vez de direcioná-los para o resultado e cultiva a crença de que uma tarefa difícil é um desafio a se tentar, e não uma oportunidade de demonstrar o fracasso.

Esse princípio não se limita ao sucesso acadêmico. David Scott Yeager, da Universidade do Texas em Austin, queria descobrir meios de deter o surgimento de depressão em adolescentes, algo bem comum no início do ensino médio. Um dos problemas, em sua visão, é que os jovens acreditam que as personalidades são fixas, não mutáveis, o que é bem desmoralizante num período em que tantos temos dúvidas sobre nós mesmos e nos sentimos socialmente categorizados e estratificados. Assim, ele realizou um estudo junto a 600 alunos do nono ano em três escolas. Os jovens em tratamento simplesmente leram um texto que dizia que a personalidade não é algo imutável, observando que infligir ou sofrer bullying não resulta de características pessoais fixas. Eles também leram um artigo sobre a plasticidade do cérebro. Depois disso, descreveram com as próprias palavras como a personalidade pode mudar. Nove meses depois, os jovens que haviam lido aquele texto não apresentaram, em média, nenhum aumento nos sinais de depressão. Porém os jovens no grupo de controle (que leram sobre a maleabilidade da capacidade atlética em vez de ler sobre a personalidade) demonstraram um aumento em torno de 39% nos sinais de depressão – compatível com as pesquisas anteriores sobre taxas de depressão entre adolescentes.[10]

Os cutucões consistem, em parte, em uma arquitetura de escolhas – desenvolver um ambiente no qual as pessoas tomem boas decisões. O autocutucão permite que você seja o arquiteto *e* o prédio. Construa um edifício poderoso e você estará criando um espaço para o comportamento saudável em sua vida.

Como nos cutucar para obter de pequenos ajustes a grandes mudanças

Em certo sentido, simplesmente ajustar nossa postura é o supremo cutucão minúsculo. Mas como nos certificarmos de que os efeitos serão duradouros? As pessoas costumam me perguntar isso. É uma pergunta difícil, porque, se mantivéssemos os voluntários sozinhos em nossos laboratórios sem nada para fazer nem ninguém com quem interagir, certamente quaisquer efeitos positivos das posturas poderosas se dissipariam rapidamente. Para que os efeitos persistam, são necessárias oportunidades de lançar raízes, crescer e se fortalecer. Eles precisam ser reforçados. Eis como isso acontece.

Primeiro, *nosso comportamento reforça nosso comportamento*, de várias formas.

Como já mencionei, com frequência nossas atitudes derivam de nosso comportamento, e não o inverso, que é o comportamento baseado nas atitudes. Essa ideia assemelha-se à hipótese bem respaldada de William James de que adquirimos nossos sentimentos a partir de nossas expressões.

Quando nos vemos fazendo algo com coragem ou competência uma vez, podemos recordar essa experiência na próxima ocasião em que enfrentarmos um desafio semelhante, facilitando um bom desempenho na segunda vez, na terceira e assim por diante. A sensação de poder e eficiência se fortalece, nossa sensação de merecimento aumenta e nossa capacidade de estar presentes, e não preocupados, melhora. Começamos a parar de atribuir bons resultados a causas externas (por exemplo, sorte, ajuda dos outros) e a atribuí-los a causas internas (por exemplo, tenacidade, inteligência).

Quando fazemos uso de intervenções não verbais, como respiração profunda, sorriso, costas retas ao sentar e posturas poderosas, não somos perturbados por autoavaliações momentâneas desconcertantes de quão bem estamos nos saindo ou não – aquele "caldeirão fervilhante eternamente calculista e autocrítico de pensamentos, previsões, ansiedades, julgamentos e metaexperiências incessantes sobre a experiência em si", na descrição de Maria Popova (veja Capítulo 1). Pelo contrário: estamos presentes e com a melhor performance possível no momento. Observamos nosso desempenho pós-intervenção mudar mais tarde, após uma reflexão saudável (em vez de pensamentos obsessivos). As posturas poderosas podem modificar gradativamente seu ponto de referência, o que, com o tempo, leva a grandes mudanças comportamentais. Podem causar um efeito cascata sobre outras mudanças, o qual reforça e amplia a mudança inicial.

E transformações fisiológicas – como as mudanças hormonais que acompanham as posturas poderosas – reforçam os comportamentos que as acompanham. Por exemplo, o aumento de cortisol quando estamos ansiosos nos leva a agir a partir de um senso de ameaça, o que só serve para reforçar nossa ansiedade quando voltarmos a enfrentar um desafio semelhante. Mas, quando nossa testosterona está alta, temos mais chances de vencer, o que por sua vez aumenta ainda mais nossa testosterona.

Cutucões corpo-mente evitam os obstáculos psicológicos básicos inerentes às intervenções mente-mente, tais como autoafirmações verbais de poder (por exemplo, dizer a si mesmo "Estou confiante!"). Por que essas abordagens costumam falhar? Porque requerem que você diga a si mesmo algo em que não acredita, ao menos não no momento. Enquanto estiver na agonia de duvidar de si, com certeza não irá confiar na própria voz para lhe dizer que está errado ao duvidar de si (ainda que você esteja, de fato, errado por duvidar de si). Autoafirmações generalizadas podem se tornar exercícios de autocrítica, particularmente quando você já está estressado e extrassensível ao julgamento social, acabando por reforçar a ausência de confiança em si. Abordagens corpo-mente como posturas poderosas dependem do corpo, que tem um vínculo mais primitivo e direto com a mente, para lhe contar que você está confiante, evitando assim aqueles bloqueios psicológicos.

A segunda forma como autocutucões produzem efeitos duradouros é pelo *reforço de nosso comportamento por outra pessoa.*

A expressão não verbal não consiste apenas em uma pessoa "falando" e outra ouvindo. É um diálogo em que a expressão de uma pessoa desencadeia uma resposta compatível. Essas interações reforçam as impressões que temos uns dos outros e de nós mesmos, afetando assim a maneira como nos comportaremos não apenas no diálogo imediato, mas também na próxima vez que estivermos em situação semelhante.

Em um dos experimentos de psicologia mais famosos já realizados, no início do ano letivo professores de uma escola primária na Califórnia receberam a informação de que, baseados nos resultados de testes, especialistas previam que um conjunto específico de alunos se destacaria nos estudos naquele ano.[11] Os professores foram informados dos nomes desses alunos. O que eles não sabiam era que a informação recebida era falsa: embora todos os alunos tivessem feito o teste, alguns haviam sido designados aleatoriamente para a situação de "destaque", no entanto não difeririam de fato dos alunos aleatoriamente designados para estar no grupo de controle. (Observe que esse experimento foi realizado na década de 1960 e, embora atendesse aos padrões da época, não atenderia aos padrões éticos atuais para voluntários. Portanto não se preocupe: seus filhos não serão sujeitados a esse tipo de estudo.)

O que você acha que aconteceu? Se fosse informado de que um de seus filhos estava na iminência de experimentar um grande progresso intelectual, o trataria de modo diferente? E se fosse um funcionário? Um amigo?

Bem, o que aconteceu foi que o comportamento dos professores acabou por promover um crescimento intelectual maior dos "destaques". Eles faziam mais perguntas a esses alunos, respondiam-lhes de formas mais alentadoras e afirmativas, davam-lhes mais oportunidades de aprender e assim por diante. Como resultado, ao final do ano, os destaques estavam superando os colegas do grupo de controle no mesmo teste no qual não haviam diferido no início do ano. Assim funcionam as profecias autorrealizáveis: temos uma expectativa sobre alguém e sobre como essa pessoa deverá se comportar, aí a tratamos de modo a provocar os comportamentos esperados, confirmando assim nossas expectativas iniciais... e assim por diante.

Em um famoso artigo de 1974, psicólogos de Princeton apresentaram um par de experimentos sobre o poder autorrealizável da linguagem corporal.[12] Os pesquisadores queriam saber se os responsáveis pelas admissões nas faculdades vinham inconscientemente adotando posturas corporais frias, distantes e desalentadoras (por exemplo, afastando seus corpos dos candidatos, cruzando os braços, evitando menear a cabeça) ao entrevistar candidatos negros e, em caso positivo, como tais posturas poderiam afetar o desempenho dos referidos candidatos nas entrevistas. No primeiro experimento, entrevistadores brancos foram selecionados aleatoriamente para entrevistar candidatos negros ou brancos. De fato, ao entrevistar candidatos negros, os entrevistadores brancos fizeram uso de uma linguagem corporal fria e distante, e os candidatos negros foram vistos como tendo um desempenho pior na entrevista em comparação com os brancos. No segundo experimento, entrevistadores brancos experientes na captação de candidatos a emprego foram divididos em dois grupos e instruídos a utilizar uma linguagem corporal fria e distante ou calorosa e interessada. Eles foram então selecionados aleatoriamente para entrevistar candidatos negros ou brancos. Os candidatos negros tiveram um desempenho tão bom quanto os candidatos brancos quando os entrevistadores exibiram uma linguagem corporal calorosa e interessada. E candidatos dos dois grupos tiveram um desempenho igualmente sofrível quando seus entrevistadores se comportaram de forma fria e desinteressada.

Além disso, em ambos os casos, a linguagem corporal dos candidatos correspondeu à dos entrevistadores; eles imitaram a postura dos entrevistadores inconscientemente, que é o que costumamos fazer em ambientes sociais. Em suma, nossa linguagem corporal, que em geral é baseada em preconceitos, molda a linguagem corporal das pessoas com quem estamos interagindo. Se esperamos dos outros um mau desempenho, adotamos uma linguagem corporal repelente e desalentadora. Naturalmente, as pessoas aceitam a deixa e reagem como esperado: mal. Como alguém poderia se destacar numa entrevista em tais circunstâncias?

Quando nossa linguagem corporal é confiante e aberta, as outras pessoas reagem de forma compatível, reforçando inconscientemente não apenas sua percepção a nosso respeito, mas também nossa percepção de nós mesmos.

Por que muitas abordagens populares de automudança falham – e chegam a gerar o efeito contrário

Por que aderir ao autocutucar? Por que não assumir simplesmente o compromisso de mudar seu comportamento e daí cumpri-lo? Bem, assim como os primeiros esforços para reduzir o consumo de energia incentivavam as pessoas a fazer grandes mudanças – como isolar suas casas termicamente –, nós também nos estimulamos a realizar grandes mudanças. Em ambos os casos, a tática decepciona. Um dos maiores culpados é a eternamente frustrante resolução de ano-novo, envolta em armadilhas psicológicas que conspiram contra nós.

Antes de tudo, as resoluções de ano-novo são ambiciosas demais. Fixar metas grandiosas, como só tirar notas 10 no colégio ou fazer exercícios três vezes por semana, é um passo positivo em teoria, mas essas metas não são concebidas de forma a permitir que avancemos rumo a elas. Dependem do sucesso de centenas de mudanças menores e não vêm acompanhadas de instruções passo a passo mostrando como chegar lá.

Os resultados que imaginamos quando tomamos resoluções ambiciosas também estão distantes demais. Não conseguimos nos identificar com eles ou imaginá-los, o que torna difícil concretizá-los em nossa vida. E a longa distância até a meta fornece muitas oportunidades de falha ao longo do caminho – o que significa mais chances de desistência. Dizemos a nós mesmos que não adianta, afinal já estragamos tudo mesmo. Se decidirmos abruptamente ir à academia três vezes por semana, provavelmente fracassaremos quase todas as semanas, o que enfraquece nossa eficácia, nossa confiança, nosso astral e nossa persistência.

Como o trabalho de Carol Dweck demonstrou claramente, a concentração no processo nos incentiva a continuar nos esforçando, a continuar avançando e a enxergar os desafios como oportunidades de crescimento, não como ameaças de fracasso. As resoluções de ano-novo são voltadas para resultados e com frequência pairam como ameaças, não incentivos. Cutucões, por outro lado, são eficazes por se concentrarem no *como*, e não no *quê*.

Grandes resoluções também enfocam o lado negativo – as coisas ruins da quais queremos nos livrar – em vez de focar no positivo – as coisas boas que nos permitem melhorar. Não queremos ficar pensando todo dia em nossos pontos negativos. Isso é desagradável e pode ser desmotivador, mas pensar nas coisas boas que podemos melhorar ainda mais nos deixa empolgados e prontos para agir.

Finalmente, as resoluções de ano-novo podem acabar com nossa motivação intrínseca – o desejo pessoal, interno de tomar uma atitude –, substituindo-a por motivadores extrínsecos. E décadas de pesquisas mostraram que isso pode dar errado, pois os motivadores extrínsecos (por exemplo, ganhar dinheiro e fugir de uma punição) nem sempre estarão presentes. Na verdade, quando o objetivo envolve algo que realmente adoramos fazer, os motivadores extrínsecos podem acabar matando a motivação intrínseca.[13]

Por exemplo: eu sempre quis adotar a corrida como uma forma de exercício. Gosto da elegância da corrida – um único movimento gracioso repetido; equipamento mínimo; nada de academia; pode ser praticada ao ar livre em praticamente qualquer lugar... Tudo isso me atraía. Antigamente, em quase todo ano-novo, eu resolvia me "transformar numa corredora". Na minha cabeça, um corredor era alguém disciplinado, veloz e capaz de completar maratonas. Mas, se você começa do zero, vai levar algum tempo até satisfazer esses critérios, e eu não conseguia aceitar isso. Ao enfocar o resultado – tornar-me uma corredora conforme minha definição –, eu estava ignorando a realidade de que existe todo um processo intermediário. Toda vez que saía para uma corrida, ela era curta, lenta e dolorosa. Toda corrida parecia um fracasso. E eu não curti o processo no início. Na verdade, toda vez que eu resolvia me tornar uma corredora, logo começava a odiar correr. Aquilo foi um problema de verdade. Qualquer motivação intrínseca que eu tinha morria rapidamente porque os motivadores extrínsecos eram poucos e irregulares. Concentrada nos incentivos extrínsecos inalcançáveis, eu estava perdendo a oportunidade de me identificar com alguns incentivos intrínsecos e desenvolvê-los. Todos os anos eu desistia antes de fevereiro.

Finalmente tentei algo diferente: resolvi correr uma só vez. E, se gostasse, correria outra vez. Correria apenas na velocidade e na distância que fossem confortáveis. E não tentaria correr quando sentisse cãibras nem tentaria acompanhar meus amigos mais experientes. Abandonei por completo as metas de longo prazo, que eram grandiosas e distantes demais. E descobri um meio de transformar a corrida numa experiência positiva, algo que eu sentisse vontade de fazer. Descobri minha motivação intrínseca associando a corrida a algo que adoro: viagens. Adoro viajar, mas, quando viajo a trabalho, não tenho tempo para ver ou aprender algo sobre o local que estou visitando. Com apenas uma corrida curta, eu poderia experimentar e ver um pouco do lugar a pé. Também aprendi que adoro correr em trilhas – percorrer caminhos na natureza. Não corro em alta velocidade quando faço isso, mas gosto de passar um tempo na floresta, de modo que não se trata de "virar uma corredora". Em vez de enfocar o que eu ainda não conseguia (por exemplo, correr com velocidade, bem e de forma competitiva), eu estava me concentrando no que poderia fazer (enriquecer minhas experiências de viagens a trabalho e curtir a natureza). Inverti cada aspecto de como estava tentando cumprir minhas resoluções de ano-novo. Corri alguma maratona? Nenhuma. Talvez nunca venha a correr uma maratona, sem problema. Mas não desisti. E isso já é alguma coisa.

Autocutucões

Uma intervenção corpo-mente é uma forma poderosa de se autocutucar, mas não é a única. Pesquisadores ao redor do mundo estão identificando outros pequenos cutucões que podem fortalecer nosso bem-estar psicológico, mudar nosso comportamento e nos ajudar a concluir nossas tarefas.

Em 2014, organizei com minha colega Alison Wood Brooks um simpósio intitulado "Autocutucões: como ajustes intrapessoais mudam a cognição, os sentimentos e o comportamento" no encontro anual da Society for Personality and Social Psychology.[14]

Brooks, também professora da Harvard Business School, tem um interesse especial pelas barreiras psicológicas que impedem as pessoas de apresentar um bom desempenho. Isso resulta, em parte, de sua experiência como cantora talentosa que passou centenas de horas diante de variados públicos. Além de possuir uma presença de palco invejável, ela também reconhece como esse tipo de postura pode facilitar a boa liderança e percebe que a maioria das pessoas luta para encontrá-la durante uma apresentação. Portanto ela resolveu procurar intervenções simples que pudessem ajudar as pessoas a superar seu medo do palco.[15]

Aviso: se você é fã do meme "Keep calm", provavelmente vai se surpreender com o que ela descobriu.

Como quase todos sabemos, o medo do palco pode parecer uma overdose paralisante de ansiedade. E o que as pessoas recomendam que façamos quando estamos ansiosos? Dizem, com a melhor das intenções, que nos acalmemos. Contudo, esse pode ser o pior dos conselhos. A ansiedade é o que os psicólogos descrevem como uma emoção de alta excitação. Como já expliquei, quando estamos ansiosos adentramos um estado intenso de vigilância fisiológica. Ficamos hiperalertas. Nosso coração dispara, suamos em bicas, nosso cortisol pode atingir seu pico – todas essas reações são controladas automaticamente por nosso sistema nervoso. E é praticamente impossível para a maioria das pessoas desligar esse tipo de agitação automática, reduzir sua escala abruptamente. Não apenas podemos *não* nos acalmar como, quando alguém *diz* que nos acalmemos, isso lembra quão calmos *não* estamos, atiçando ainda mais nossa ansiedade.

Mas existe outra emoção de alta excitação que não é tão negativa. Na verdade, é até positiva: empolgação. Brooks previu que talvez não sejamos capazes de extinguir a agitação, mas deveríamos ser capazes de mudar a forma como a interpretamos. Assim, em vez de tentarmos inutilmente baixar o nível de agitação de nosso estado emocional, que tal tentarmos transformá-lo de negativo em positivo? De ansiedade em empolgação?

Para testar seu prognóstico, Brooks realizou uma série de experimentos colocando voluntários em algumas situações que geram medo do palco: uma competição de canto, um concurso de oratória e uma prova difícil de matemática. Em cada experimento, pediu-se aleatoriamente aos participantes que dissessem a si mesmos uma destas três coisas antes da "apresentação": (1) mantenha a calma, (2) empolgue-se ou (3) nada.

Em todos os contextos – canto, oratória e matemática –, os voluntários que dedicaram um momento a reenquadrar sua ansiedade como empolgação superaram os outros. Quando você está empolgado, explicou Brooks, "isso propicia uma mentalidade de oportunidade, faz você pensar em todas as coisas boas que podem acontecer. Você fica mais propenso a tomar decisões e atitudes que tornarão [os bons resultados] passíveis de ocorrer".[16]

Como tenho a sorte de trabalhar num escritório que fica a uns 20 metros do de Alison Wood Brook, tivemos algumas boas conversas sobre esse trabalho. "Embora não tenhamos estudado esse fenômeno por um bom tempo", explicou ela, "suspeito que dizer 'Estou empolgada' ou tentar ao máximo 'ficar empolgada' antes de cada apresentação digna de ansiedade não tem rendimentos marginais decrescentes – ou seja, não se torna necessariamente menos eficiente com o passar do tempo. Pelo contrário, os efeitos positivos tendem a se capitalizar com o tempo. Quanto mais você reenquadra sua ansiedade como empolgação, mais feliz e bem-sucedido pode se tornar." É aí que o autocutucar entra em ação: ao se concentrar em cada momento novo à sua frente, e não no resultado da apresentação, lenta e gradualmente você se cutuca rumo a uma versão mais arrojada, mais autêntica e mais eficaz de si.

"Reenquadrar a ansiedade como empolgação me ajudou a cantar e a tocar diante de multidões, apresentar minha pesquisa, vender minhas ideias empresariais, lecionar para estudantes de graduação, de MBA e executivos, e interagir com meus colegas de Harvard diariamente." Quando uma psicóloga é capaz de pôr suas pesquisas em prática na própria vida, você sabe que está diante de algo bom.

Ao simplesmente reenquadrar o significado da emoção que estamos sentindo – cutucando-nos da ansiedade para a empolgação –, modificamos nossa orientação psicológica, mobilizando os recursos cognitivos e fisiológicos de que precisamos para obter sucesso sob pressão. Transformamos efetivamente nosso medo do palco em presença de palco.

De que outra maneira podemos usar pequenos cutucões para melhorar nossa vida? Hal Hershfield, professor da UCLA, identificou um autocutucão espantosamente simples que pode ajudar a tomar decisões melhores hoje a respeito de quanto dinheiro poupar para amanhã – ou para daqui a 50 anos.

Foi assim: em 2014, Hershfield perguntou a mil pessoas do país inteiro: "Qual é o seu pior inimigo?"[17] Quinhentas delas deram a mesma resposta: "Eu."

Acontece que não temos muito mais compaixão por nós mesmos do que por um desconhecido. E esse é um grande problema quando se trata de poupar dinheiro, porque, se não conseguimos nos identificar com a pessoa para quem estamos poupando, por que iríamos reservar conservadoramente um grande montante de dinheiro para ela? Por que não gastar agora, simplesmente, com nossos eus atuais?

Para tomarmos boas decisões sobre poupança para o futuro – para a aposentadoria, em particular – temos de gostar de nós e nos respeitar. Especificamente, temos de apreciar e respeitar nossos eus futuros, aqueles que se beneficiarão de um substancial fundo de aposentadoria. Temos de nos importar com eles e montar um panorama claro de quem são. Arrecadadores de recursos para organizações que ajudam grandes causas, por exemplo, são bem mais eficazes quando seu marketing se concentra em uma vítima específica, não anônima – uma pessoa afetada por um desastre natural, doença ou crime, em oposição a mil pessoas afetadas. Soa anti-intuitivo?

Não deveríamos querer aumentar a quantia doada se sabemos que ajudará milhares de pessoas? Sim, mas, embora não consigamos entender milhares de pessoas e nos identificar com elas facilmente, certamente conseguimos entender e nos identificar com uma. E quanto mais nítida ela for, melhor.[18]

Um estudo de neuroimagiologia realizado por Hershfield e seus colegas mostrou que, quando as pessoas se imaginavam 10 anos depois, sua atividade cerebral se assemelhava mais a quando estavam pensando numa pessoa totalmente diferente – Matt Damon ou Natalie Portman, por exemplo – do que quando estavam pensando em si mesmas no presente.[19]

Hershfield e seus colegas também descobriram que, quando mostravam aos seus voluntários fotos deles em idade mais avançada e depois lhes davam uma oportunidade hipotética de depositar dinheiro em cadernetas de poupança, os voluntários aplicavam duas vezes mais dinheiro na conta do que quando não haviam visto as fotos. Quando conseguiam se identificar com seus eus futuros, ficavam bem mais interessados em poupar para aquela pessoa.[20]

Hershfield de fato sugere imprimir uma imagem de seu eu futuro,[21] que você pode (acredite se quiser) criar on-line, e então colocá-la nos locais onde se posta ao tomar decisões financeiras importantes sobre seu futuro. Ou sugere escrever uma carta atenciosa ao seu futuro eu antes de fazer escolhas nesse sentido. O objetivo é reduzir a lacuna percebida entre o eu presente e o distante eu futuro – trazer o eu futuro para o presente, a fim de saudá-lo e desenvolver algum contato com ele.

Autocutucões podem até funcionar no nível superficial do vestuário. O que trajamos pode mudar como vemos, sentimos, pensamos e nos comportamos. Por exemplo, em três experimentos realizados na Northwestern University, os participantes tiveram de vestir um jaleco branco. No primeiro estudo, vestir o jaleco melhorou a atenção dos participantes – fundamental à presença em situações dinâmicas e não familiares. Mas os resultados foram um passo adiante: quando os participantes foram informados de que aquele era um jaleco de médico, vesti-lo melhorou ainda mais sua atenção. Quando informados de que era o jaleco de um pintor, não experimentaram o mesmo benefício.[22]

Reenquadrar uma emoção, fazer amizade com uma foto de seu futuro eu, usar roupas que combinem com um papel: essas são apenas algumas formas pelas quais podemos mudar o futuro modificando nossa interação com o presente, lenta e gradualmente. Os psicólogos estão começando a voltar sua atenção para a descoberta de outros autocutucões. Isso é só o começo.

Maria, uma mulher que vinha lutando contra a depressão que a impedia de se envolver plenamente com seu trabalho, enviou-me o seguinte e-mail:

> Eu costumava me identificar com minha "inteligência" como uma grande fonte de confiança. Após surtos recorrentes de depressão clínica, comecei a me sentir cada vez mais como uma impostora toda vez que começava num emprego novo.
> Ontem, 45 minutos antes de meu primeiro dia no emprego, consegui me arrastar para fora da cama, fazer uma postura de poder e com um urro me "empurrar" para o chuveiro, para o carro e finalmente para a porta da frente da empresa.

Não é que Maria nunca mais será assolada por desafios que despertarão suas dúvidas. Mas ela terá uma lembrança nova, um novo autoconhecimento, uma sensação de eficiência e poder, sem falar no reforço que obterá de seu superior e dos colegas.
Trata-se de hoje, da próxima hora ou apenas do momento seguinte.
Lembre-se de Eve Fairbanks – a jornalista que aprendeu a surfar – e de como ela descreveu o que aconteceu: "O prazer gerou mais prazer, a certeza da minha capacidade se ampliando a cada nova tentativa."
A cada autocutucão, o prazer gera mais prazer; o poder, mais poder; e a presença, mais presença.

11

Finja até virar verdade

Sou maior e melhor do que pensei,
eu não sabia que continha tanta bondade.
— Walt Whitman

Gostaria de poder dividir com você os milhares de relatos que as pessoas têm compartilhado comigo. Com uma frequência surpreendente, começam com a frase "Gostaria de lhe contar como você mudou minha vida". Mas a verdade absoluta é que *eu* não mudei a vida de ninguém; *elas* mudaram as *próprias* vidas. Aceitaram as ideias simples que apresentei, depois as adaptaram e as expandiram como eu jamais poderia ter imaginado.

Escolhi algumas histórias para compartilhar. Vêm diretamente de pessoas que, ao enfrentar um grande desafio ou auxiliar alguém que vinha enfrentando um grande desafio, agiram com base na própria compreensão de como o corpo guia a mente – conduzindo a si mesmas e aqueles que estavam ajudando aos seus eus mais arrojados e autênticos. São histórias de gente que chegou lá fingindo, em muitos casos, até se transformar naquilo que "fingia" ser.

Minha esperança é que você se reconheça em algum aspecto delas. Digo isso porque acredito que a parte mais impactante da minha palestra no TED não seja a pesquisa que apresentei, mas minha confissão de que passei boa parte da vida acreditando que "não mereço estar aqui". Embora não entendesse na época, agora vejo por que aquilo foi importante: fez com que as pessoas se achassem menos solitárias ao saber que alguém já havia se sentido daquele jeito e havia superado (em grande parte) aquela sensação. Uma história real, uma confissão honesta, pode ser poderosa.

Começarei contando sobre Will, que escreveu para mim quando era um estudante de 21 anos da Universidade do Oregon e ator nas horas vagas.

O agente de Will ligou e contou que tinha achado um trabalho perfeito para ele – uma aposta arriscada, mas o tipo de oportunidade irrecusável. Tratava-se de um papel numa grande produção cinematográfica que seria rodada no Oregon e para a qual procuravam atores jovens e amantes do ar livre. Will achou que seu agente tinha ficado maluco. Aquilo estava bem distante de sua realidade. Ele tinha feito alguns comerciais de TV, atuado em alguns filmes pequenos e aparecido num episódio de uma série de TV, mas realmente não estava focado em virar ator. Sabia que estaria competindo com profissionais.

Will, que se considera alguém disposto a correr riscos, concordou em comparecer ao teste. Mas não foi cheio de confiança, pelo contrário. Chegou lá, examinou a sala de espera e pensou: "Onde foi que me meti?" Subitamente atingido por uma onda de ansiedade, lembrou-se de algo que um amigo havia lhe falado: se você ficar tenso antes de uma entrevista, procure um lugar privado e pose de Mulher-Maravilha durante dois minutos.

Assim, Will achou o toalete masculino. "Abri a porta da cabine, ri de mim mesmo por uns segundos, depois pus as mãos nos quadris, elevei meu queixo, estufei o peito e fiquei parado ali em silêncio, sorrindo, por 120 segundos. Respirando fundo." Ele não se lembrava exatamente do efeito que aquilo deveria produzir, mas admira o amigo que lhe deu o conselho, a quem descreve como alguém que "nunca me decepcionou quando se trata de partilhar fatos ou insights esquisitos na busca dos meus sonhos". Will confiava o suficiente no conselho do amigo para ao menos fazer uma tentativa.

"Voltei à sala de espera, sentei-me ereto em minha cadeira e aguardei chamarem meu nome", recordou Will. Ao ser chamado, contou ele, "caminhei até a sala de testes sem a menor preocupação. Não tinha nada a perder".

O teste correu às mil maravilhas. Além de não ficar ansioso, ele também curtiu a experiência. Não se sentiu nem um pouco intimidado pelo diretor famoso do filme. Will nunca se sentira tão autêntico num teste – tão vivo.

Quando Will saiu de lá, seu pai o aguardava.

– E aí? – perguntou ele. – Como foi?

Radiante, Will exclamou:

– Ótimo! Um sucesso!

– Quer dizer que você conseguiu o papel?

Will fez uma pausa.

– Ah, não... Quer dizer, sei lá. Mas foi ótimo! Foi muito divertido. Nunca me senti tão bem durante um teste.

Will quase se esquecera do papel no filme. Estava tão presente no teste, tão envolvido no processo, que o resultado se tornou secundário, ou talvez não mais relevante.

Por mera coincidência, o sobrenome de Will é Cuddy. (Não somos parentes.) E você pode ver o nome dele nos créditos do filme *Livre*, indicado ao Oscar e estrelado por Reese Witherspoon. Seu entusiasmo, sua confiança e sua paixão se manifestaram durante o teste. E sua sensação de poder pessoal permitiu que libertasse e compartilhasse as competências necessárias para obter sucesso naquela situação. Os Cuddy do Oregon e os Cuddy de Boston permaneceram em contato. Na verdade, Will e seu pai voaram até Boston para assistir ao filme *Livre* comigo e com minha família na noite da estreia.

A história de Will capta lindamente o efeito ideal da presença: você atua com confiança e sincronia confortáveis e vai embora com uma sensação de satisfação e realização, independentemente do resultado mensurável. No caso de Will, ele quase se esqueceu de que *havia* um resultado mensurável.

Muitas das histórias que ouço têm a ver com desafios no trabalho ou na escola, as áreas em que costumamos nos sentir mais desafiados e onde as apostas (e ansiedades) são mais altas. As pessoas encontram todo tipo de meios de aplicar a ciência da presença ao processo de procura de emprego e entrevista. Eis como fez Melanie:

Eu vinha lutando havia meses após ter sido demitida do meu emprego, fazendo o ritual do desempregado e me sentindo uma eterna participante de um jogo de auditório. Foi um período bem desmoralizante. Meu filho me indicou seu vídeo e disse: "Você precisa tentar isso!"

Foi o que fiz. E então pratiquei posturas poderosas por alguns minutos antes de minhas três entrevistas de emprego seguintes. Em vez de cruzar as mãos no colo, pousei os cotovelos nos braços da cadeira.

Recebi ofertas de dois dos três empregadores que me entrevistaram. Escolhi o melhor dos dois e começo no emprego novo na segunda-feira...

Quando chegar ao escritório, não vou mais me enroscar e me tornar pequena. Quando nossa mente e nossas inseguranças fazem com que nos sintamos insignificantes, parece que nosso corpo realmente consegue nos lembrar de que somos, na verdade, feitos da matéria das estrelas.

Thomas trouxe a ciência da presença para suas reuniões profissionais:

Tenho uma empresa de representação comercial na qual lido com uma série de marcas globais. Batalhei durante anos para transmitir meus conhecimentos com precisão e para mostrar minha visão a pessoas particularmente dominantes, e até sua palestra no TED eu não havia percebido que sempre assumi um papel impotente em minha comunicação não verbal ao lidar com líderes empresariais.

Durante dois meses, trabalhei num projeto enorme, e o contrato simplesmente estagnara. Todas as negociações haviam sido por videoconferência, e percebi que minha postura sempre fora ruim. Eu deixava meus ombros caídos e muitas vezes mantinha uma das mãos no queixo.

Hoje, inspirado por sua apresentação, fiquei de pé no meu escritório, mãos na cintura, pés afastados, e iniciei uma videoconferência com os principais tomadores de decisões. Vi-me falando como se estivesse explicando o negócio a um amigo em minha cozinha.

Moral da história: pela primeira vez em seis reuniões, consegui demonstrar meus conhecimentos e minha visão – e fechei o contrato. Vou passar a implementar as posturas poderosas como uma iniciativa em toda a empresa. Seremos conhecidos como a empresa que se reúne com mãos nos quadris!

René era um jovem nigeriano que se sentia deslocado no Canadá.

Eu nunca participava das discussões em classe. Assim como a maioria dos calouros, acredito que ficava um pouco intimidado. Duvidava da consistência de minhas opiniões. Um amigo me enviou sua palestra no TED e hoje posso afirmar que ela mudou por completo minha experiência universitária. Comecei a levantar a mão na aula e a comparecer às conferências, e a falar nelas – espontaneamente! Obrigado por nos lembrar de que nada, muito menos a insegurança, deve nos impedir de perceber nosso pleno potencial.

René achou um meio de derrotar sua dúvida e se tornar não apenas um estudante de sucesso, mas um líder no campus e um empresário.

Também recebo mensagens de pais e professores preocupados que tentam ajudar seus filhos e alunos a lidar com tarefas escolares, vida social e outras questões importantes da infância e adolescência. Por exemplo, Noah ajudou sua filha a usar a ciência da presença para dominar o medo:

Como coach executivo e escritor, tenho muita curiosidade acerca dos estudos de neuroplasticidade e pesquisa cerebral, mas sua palestra foi bem além do meu interesse profissional. Após assistir a ela, fiz com que minha esposa e nossas duas filhas (de 8 e 10 anos) lhe assistissem também. Desde então, temos todos praticado as posturas poderosas. Na turma do quarto ano de minha filha mais velha, os alunos têm a opção de montar uma apresentação especial nas sextas-feiras. Trata-se de uma apresentação de 30 minutos sobre qualquer tema à escolha. Minha filha Sophie ficava apavorada diante da ideia de fazer isso, mas depois da sua palestra, enfim se apresentou como voluntária. Para meu choque (e contra minha recomendação), insistiu em fazer uma apresentação sobre o cérebro. Nos 10 minutos anteriores, porém, começou a ficar tensa e descreveu para mim o que pareceu o prenúncio de um ataque de pânico. Assim, sem ninguém ali para lhe dizer o que fazer, ela fez o que você ensinou. Preparou-se com uma postura de poder. Disse que aquilo a acalmou, deixando-a pronta para se apresentar.
Quando chegou a hora, disse ela, a apresentação foi "irada"!
Passamos o ano inteiro tentando convencê-la a se dispor a dizer duas palavras diante da turma. A postura de poder a ajudou a

se postar ali por 30 minutos completos e agora ela quer repetir a experiência.

Rebecca, mãe de uma caloura do ensino médio, diz que sua filha usou a ciência da presença para melhorar seu desempenho acadêmico:

Adorei sua palestra no TED sobre posturas poderosas. Por um golpe de sorte, minha filha, caloura no ensino médio, estava na sala e assistiu também. Ela vinha sofrendo de ansiedade antes das provas, de modo que, em parte por brincadeira, em parte desesperada pela cura, começou a fazer posturas poderosas antes das provas, e juro que ela não obteve menos de 100% nos últimos três meses! Suas amigas, que a acharam maluca quando ela começou, estão fazendo as posturas, e seus resultados também melhoraram. Agora aquilo se espalhou pelo time de futebol feminino. É uma epidemia de imitações de Mulher-Maravilha se alastrando entre os jovens da nossa comunidade! As posturas deram à minha filha tanta confiança em si e em seu desempenho sob pressão que são um verdadeiro milagre. Obrigada por compartilhar sua descoberta maravilhosa.

Eis uma mensagem de Barbara, professora que levou a ciência da presença para sua sala de aula:

Apresentei a meus alunos de física avançada as posturas poderosas na última primavera. Um aluno em particular vivia tenso nas avaliações e por isso suas notas nas provas não representavam suas habilidades. Mostrei o vídeo de sua palestra à minha turma e recomendei que fizessem uma tentativa. Daquele dia em diante aquele aluno fez posturas poderosas antes de cada prova de física e suas notas subiram de "sofrível" para o nível onde mereciam estar: boas. Ele então fez o vestibular e quase conseguiu a nota máxima. Estou convencida de que as posturas poderosas o ajudaram, ainda que seja difícil provar.

Uma de minhas histórias favoritas apareceu num blog maravilhoso chamado Crazy mom with kids (Mãe enlouquecida com filhos), criado por C. G. Rawles, uma escritora, artista e designer gráfica. Uma de suas matérias foi sobre sua filha de 6 anos, Sage, que assistiu a um filme de terror na TV que a deixou com um pavor paralisante. Estava convencida de que suas bonecas iriam atacá-la enquanto dormia e nenhum tipo de consolo conseguia impedir que ela acordasse no meio da noite aos berros. Nem a remoção de todas as bonecas e animais de pelúcia do quarto adiantou.

Então Rawles escreveu:

> Deparei-me com a palestra de Amy Cuddy no TED, "Sua linguagem corporal molda quem você é". Fiquei curiosa e resolvi testar os princípios com minhas filhas, especialmente Sage. Para resumir, eu disse às minhas filhas que iríamos "fingir até virar verdade", para citar Amy Cuddy.
>
> Todos os dias eu seguia o conselho de Cuddy, que era dizer às minhas filhas que achassem uma postura de poder e a mantivessem por dois minutos. Sage tornou-se grande fã da pose da Mulher-Maravilha, e assim fiz com que ficasse de pé com as mãos nos quadris, pés alinhados aos ombros e cabeça erguida antes de entrar num cômodo sozinha.
>
> Aquilo virou hábito. Às vezes, antes de pegar coisas para mim do outro lado da nossa casa ou de ficar sozinha em seu quarto, Sage colocava as mãos nos quadris e adotava sua posição, ou erguia os braços como se tivesse cruzado a linha de chegada em primeiro lugar.
>
> Sua ansiedade começou a se dissipar e sua confiança retornou.
>
> Cá estamos nós, um ano depois, e Sage melhorou substancialmente. Ela só precisava explorar sua Mulher-Maravilha interior e assumir uma postura de poder.
>
> Também ajuda o fato de as bonecas continuarem trancadas no armário.

O e-mail seguinte veio de um professor de escola de ensino fundamental. Ele descreveu como aplicou as ideias do "Finja até virar verdade" para ajudar um aluno do quinto ano com mutismo seletivo, um distúrbio de ansiedade infantil que bloqueia a capacidade de comunicação da criança em determinadas situações sociais:

> Tenho ajudado o aluno a escrever um diário este ano, e ele começou a se abrir um pouquinho naquelas páginas, bem como na sala de au-

la. Assisti ao lado dele à última parte de sua palestra no TED "Finja até virar verdade" e expliquei que gostaria que ele tentasse aquilo uma vez por dia em sala de aula quando eu estivesse presente (mais ou menos uma hora diariamente). Enquanto assistia à sua palestra, eu conversava com ele sobre como queria vê-lo bem-sucedido, sobre quão inteligente ele é e sobre como suas habilidades de liderança implícitas se manifestam na vontade dos outros de trabalhar com ele regularmente. Ele começou a chorar mais ou menos no mesmo ponto que você (eu consegui não chorar enquanto assistia ao vídeo com ele, mas não pude me conter em casa) e desde então vem respondendo a uma ou duas perguntas por dia. Há pouco tempo, pedi que se incumbisse da primeira pergunta de um grupo de leitura e ele o fez sem hesitação.

Como vimos ao longo deste livro, as posturas poderosas e os esportes são uma combinação natural: todas as posturas de vitória são idênticas àquelas que, conforme demonstrado em laboratório, aumentam a confiança e a presença. Ouvi isso de inúmeros atletas e treinadores de atletismo, esqui alpino, remo, beisebol, basquete, polo aquático, futebol, ginástica, vôlei e até iatismo.

No primeiro mês depois que minha palestra no TED foi postada, ouvi um treinador da seleção olímpica de natação explicar como vinha usando uma estratégia no estilo posturas poderosas – com grande sucesso – havia anos: incentivando alguns dos nadadores, na manhã da competição, a se comportarem fisicamente como se tivessem vencido seus eventos. Os nadadores, apontou ele, são notórios pelo uso de linguagem corporal dominante nos momentos antes das provas, não apenas para sinalizar seu poder aos adversários, mas também para relaxar os músculos e se energizarem. Às vezes eles literalmente esmurram o próprio peito, feito gorilas. Mas a abordagem usada por esse treinador – incentivar os nadadores a adotar posturas "alfa" não verbais desde o momento em que acordam nos dias de prova – foi mais benéfica para nadadores que haviam sido prejudicados por um mau desempenho ou que vinham sentindo uma onda de insegurança e dúvida quanto à própria capacidade.

O técnico de natação e salto ornamental Jess Book, da Kenyon College, deparou por acaso com o vídeo de minha palestra no TED e achou que ela poderia ajudar no desempenho de sua equipe. "As posturas poderosas reforçam a ideia de que queremos ser poderosos, fortes e confiantes", contou ele à revista *Swimming World*. "Embora nem toda a equipe tenha recebido bem a ideia, muitos a aceitaram. E os que mais se beneficiaram dela foram aqueles que costumavam sentir a pressão dos próprios pensamentos. As posturas poderosas não apenas lhes deram um incentivo fisiológico, mas proporcionaram uma ligação tangível com o restante da equipe – algo fora de si."

Uma nadadora queniana, Sarah Lloyd, escreveu sobre o que aconteceu quando a equipe inteira, inclusive os treinadores, se ergueu na postura do X antes de uma competição:

Não dava para conter o riso ao ver aquilo. Todos nós parecíamos um tanto idiotas, mas acho que funcionou para nós. Conectamo-nos como uma equipe de um jeito que não tinha ocorrido na temporada anterior. Nossos níveis de energia dispararam, os nadadores individuais e de revezamento nadaram com uma rapidez estonteante e a torcida foi ao delírio.

Eis um e-mail sobre vôlei de Steve, um professor do ensino médio no Meio-Oeste americano:

Mostrei sua palestra do TED hoje a todas as minhas turmas do ensino médio. Meus alunos se envolveram muito e ao longo do dia fizeram diversas posturas poderosas, espontaneamente, sem nenhum estímulo. A parte mais bacana da história aconteceu à noite, quando nosso time de vôlei perdeu sua primeira partida na pós-temporada regional e entrou em campo para começar a segunda, todos adotando posturas de poder. O time venceu as três partidas seguintes e passou para as finais. Acredito que houve uma preparação excepcional e uma ótima orientação técnica, mas as moças realmente acreditaram na SUA mensagem o suficiente para adotá-la numa situação difícil. Após o jogo, elas me abordaram para perguntar quão orgulhoso eu estava de suas "posturas poderosas"! Adoro isso! Obrigado por fazer parte de nossas Terças-Feiras de Palestras do TED e da educação de nossos alunos.

O que mais me inspira é quando fico sabendo de pessoas que enfrentaram dificuldades graves – abuso e violência doméstica, falta de moradia e outros problemas que podem trazer grandes dificuldades – e conseguiram recuperar o controle de suas vidas e tomaram as rédeas de seus futuros. Essas histórias sempre me comovem.

Ouvi coisas desse tipo de uma boa quantidade de veteranos de guerra, como Roberto:

Sou um veterano de guerra que sofre de transtorno de estresse pós-traumático (TEPT) e atualmente estou estudando psicologia. Deparei-me com o vídeo de sua palestra e, resumindo, levei suas informações e experiências pessoais bem a sério. Desde que ouvi sua apresentação sobre posturas poderosas, tornei-me muito atento à minha linguagem corporal e reconheço quando, inconscientemente, estou me isolando. Essas informações me abriram para uma existência antes inacessível e me ajudaram a superar alguns dos sintomas de inquietação e alerta máximo associados ao TEPT. Depois de acrescentar esse reconhecimento atento da linguagem corporal às minhas estratégias para lidar com tudo, fui capaz de me destacar em áreas em que antes não tinha confiança.

CJ, que é coordenadora comunitária de uma agência de combate à violência doméstica chamada Turning Point e dá aulas em uma prisão feminina, contou a seguinte história:

Sou sobrevivente da violência doméstica. Consegui emprego num abrigo para vítimas de violência doméstica após sair de um relacionamento abusivo. Tenho feito muita terapia de autocura e crescimento pessoal, e continuei como autodidata. Aprendi ao longo dos anos que adoro ler estudos, especialmente na área de ciência social.

Após 20 anos trabalhando no campo da violência doméstica, comecei a formar grupos educacionais numa prisão feminina. As detentas absorvem as informações como esponjas, principalmente quando aprendem como nossos corpos entram em ação sob o estímulo de diversas substâncias químicas quando estamos assustados e como velhos traumas interferem nisso tudo.

Tenho mostrado seu vídeo às minhas turmas. Gostaria que você pudesse ver as lâmpadas se acendendo acima das cabeças delas. Costumamos fazer um debate depois em que pergunto como as posturas poderosas poderiam beneficiá-las.

Minhas alunas identificaram os seguintes momentos nos quais podem adotar suas posturas poderosas:

1. Durante as audiências judiciais, antes de enfrentar o comitê de liberdade condicional.
2. Durante investigações dentro da prisão.
3. Em provas (como supletivos).
4. Em entrevistas de emprego depois que deixam a prisão.
5. Em entrevistas na prisão para vagas em comitês privilegiados.

Suas descobertas sobre as posturas poderosas e como elas nos devolvem à nossa verdadeira essência também repercutiram em mim. Obrigada por dizer: "Compartilhem a ciência." Eu estou compartilhando. Seu trabalho está penetrando nos muros da prisão e sendo dividido com quem mais precisa dele.

Mac, que mora na Califórnia, enfrenta dificuldades diárias que muitos de nós jamais experimentamos. Ele dedicou um tempinho a compartilhar suas reflexões:

Sou um sem-teto desde setembro de 2012. Não é uma história muito interessante, de modo que não entrarei em detalhes. O que lhe contarei é que você e suas posturas poderosas me ajudaram imensamente. Não, eu não dei a volta por cima nem arranjei um emprego poderoso, mas consigo encarar a vastidão de problemas complicados e muitas vezes assustadores que enfrento na condição de sem-teto, em parte porque, quando morei num abrigo no inverno passado, assisti à sua palestra na TED num tablet que eu possuía na época. Antes daquilo, eu costumava lidar com uma vergonha intensa e uma enorme sensação de marginalização. Meus velhos problemas de depressão e ansiedade em nada melhoraram quando fui morar na rua. Eu era um sem-teto bem típico: sujo, desgrenhado, e acredito que exalava aquele odor de quem vive nas ruas.

Neste momento, embora eu vá dormir sobre um pedaço de papelão, você não me reconheceria como um sem-teto. Na verdade, outros desabrigados que me veem na rua costumam pedir dinheiro, ao que respondo (com um sorriso): "Também estou aqui fora." Dou certo crédito ao fato de que conscientemente adotei as posturas poderosas, bem como a maximização do meu espaço, e me detenho quando faço o contrário. Não pretendo me estender, mas imagino que nunca havia chegado a você uma carta de um sem-teto.

Bem, ao menos neste caso, saiba que funciona para nós também. Muito obrigado por seu tempo e boa sorte.

Annike, recém-graduada em uma universidade da Suíça, descreveu como encontrou coragem para deixar um relacionamento abusivo e começar a se recuperar: "Ele minou minha autoconfiança e toda minha motivação para atividades de lazer e qualquer energia que eu pudesse ter para ser feliz", escreveu. "Eu já não era mais eu mesma." Ao visitar uma amiga na Irlanda, ela se deparou com minha palestra do TED e ela e sua amiga assistiram ao vídeo juntas. A amiga intuiu que poderia ajudar Annike, que descreve o que aconteceu depois:

Daquele dia em diante, minha amiga me enviava diariamente uma mensagem pedindo uma foto minha numa postura de poder, onde quer que eu estivesse no momento. Pode parecer piegas, mas acho que isso mudou minha vida. Fiz as posturas por tanto tempo que, como você mesma diz, fingi até virar verdade. Aos poucos voltei ao meu velho eu, levando suas instruções constantemente no fundo da minha mente. Consegui terminar com meu namorado e comecei a perceber coisas boas em mim. Passei a adotar posturas poderosas em todo tipo de situação, assim que começava a me sentir insegura.

Agora estou até tentando sair da minha zona de conforto com regularidade, porque conheço esse truque e sei como funciona. Ontem eu estava fazendo uma apresentação diante dos maiores pesquisadores da minha área na faculdade, embora tenha começado o Ph.D. apenas uma semana atrás. A antiga Annike teria inventado um pretexto para não ir, mas eu fui, e foi ótimo. Eles me trataram como igual e consegui convencê-los a colaborar comigo. Voltei a acreditar em mim e estou orgulhosa.

Mas aí chegou o maior desafio de Annike:

Encontrei meu ex-namorado dois dias atrás. Eu não o via há um ano e meio e fiquei apavorada ao encontrá-lo de novo. Quando o vi passando pelo corredor da universidade, endireitei minhas costas, "cresci" e eu mesma tomei a iniciativa de me aproximar dele. Pela primeira vez, fui eu quem conduziu a conversa, e deu para perceber sua surpresa com minha autoconfiança. É a primeira vez em muitos anos que estou feliz de novo, e sua palestra me ajudou a chegar lá.

Também fico sabendo de terapeutas, clínicos e médicos que estão encontrando meios simples de adotar as posturas poderosas para ajudar seus pacientes. Eis como Myra o faz:

Sou psicóloga clínica na África do Sul e venho adotando posturas poderosas para permitir que meus pacientes mudem conjuntos de crenças negativas. Quando se sentem aprisionados por uma crença, faço com que se ergam numa postura de poder. Todos informam que não conseguem mais sustentar a crença negativa enquanto estão naquela postura!

David, um instrutor de deficientes na Austrália, enviou-me esta mensagem:

Trabalho como instrutor de deficientes, ajudando-os em um ambiente de trabalho assistido para que desenvolvam habilidades com o objetivo de atingir suas metas de obter empregos normais. Ensinar habilidades a pessoas com deficiência é a parte mais fácil. Ajudá-las a ganhar confiança já era um pouco mais difícil – antes de eu começar a apresentar as posturas poderosas que você mencionou. As mudanças positivas na atitude e a redução da ansiedade são visíveis, e ajudaram a maioria a conseguir um emprego em período integral.

Por que ficar só nos seres humanos? Algumas pessoas estão usando ideias de posturas poderosas para ajudar animais. Um dos e-mails mais incomuns que recebi foi de uma adestradora de cavalos chamada Kathy, que vinha trabalhando havia anos num projeto voltado para "incentivar cavalos a achar comportamentos intrinsecamente motivadores como meio de reabilitação física e mental".

Tem sido um sucesso surpreendente. Sua palestra no TED ajudou a pôr tantas coisas em marcha que tentei um pequeno experimento com um de meus cavalos. Aquele cavalo sempre fez parte da hierarquia inferior do grupo, apesar de fisicamente maior, mais apto e mais forte do que o restante. Ele é introvertido e não conseguia brincar com outros cavalos, e nunca queria aparecer, mesmo em brincadeiras. No entanto, está se tornando bem atlético e muito talentoso.

Assim, inspirada em seu trabalho, bolei um exercício que faria com que ele assumisse o "papel" de um cavalo agressivo (caçando algo como um predador faria, tentando atingir ou atacar a suposta presa, que é o que cavalos fazem ao brincar ou flertar). Foi um grande sucesso, além de qualquer expectativa. Após três dias, ele estava representando aqueles mesmos movimentos no pasto e tentando iniciar brincadeiras com os outros. Um comportamento totalmente novo (e um pouco chocante para os demais cavalos). Não ficou mais agressivo, mas *parece* que é precisamente isso que um cavalo com mais testosterona e menos cortisol demonstraria.

Num novo e-mail alguns meses depois, Kathy escreveu:

Vafi sempre foi desprezado por quase todo mundo em nossa comunidade de entusiastas e treinadores de cavalos islandeses, sendo considerado "um mero cavalo de família", certamente não o tipo de cavalo pertencente aos níveis mais altos das competições, em que você só encontra animais talentosos, aptos e, acima de tudo, *altivos*.

No fim de semana passado, foi nosso festival anual de primavera de cavalos islandeses. Inscrevi Vafi na classe mais avançada, onde estavam competindo o melhor cavalo e o melhor jóquei do mundo na atualidade, junto com outros nove cavalos.

Você sabe no que isso vai dar.

Todos ficaram chocados quando chegamos às finais, com apenas cinco cavalos: Vafi e quatro outros, todos classificados para o campeonato mundial em Berlim. Foi uma visão e tanto, e dezenas de pessoas estavam se perguntando qual magia havia transformado Vafi num cavalo tão diferente.

Havia pessoas naquele festival que tinham cogitado comprar Vafi antes de mim, mas ninguém o vira positivamente como um cavalo de competição [...] Era apenas um "cavalo de trilha para crianças". Elas perceberam então como estavam erradas, mas estão ainda mais chocadas com o "mistério" de como a mudança ocorreu. Porque ele agora *não* apenas é mais apto e capaz como também *quer* se exibir, expor sua velocidade, poder e capacidade de impressionar, o que – no mundo dos cavalos islandeses – é muito importante. Esses são os cavalos dos vikings, e o espírito importa muito nessa comunidade e também para os juízes. Nós exibimos esses cavalos em uma pista de corrida.

Obrigada de novo – seu trabalho me levou a algo inesperado e maravilhoso, para mim e meus cavalos.

E, cerca de um ano depois, quando começou a treinar um novo cavalo chamado Draumur, Kathy escreveu:

Os testes para o campeonato mundial de cavalos islandeses ocorrerão em 10 semanas e vou levar meus *dois* cavalos para a eliminatória. Ninguém no mundo dos cavalos acreditaria nisso alguns anos atrás. Nesse meio-tempo, tanto Vafi como Draumur levaram a abordagem de postura de poder e ação agressiva a novos patamares. Até agora, os benefícios nem sequer começaram a se estabilizar – os cavalos estão cada vez mais motivados e bem mais aptos e fortes. Especialistas em biomecânica equina começaram a prestar atenção e o líder mundial atual da Islândia voou até aqui para saber como fiz isso com Draumur. Você deu início a algo que está ganhando vida própria no mundo dos cavalos.[1]

E, em seu e-mail mais recente, ela escreveu:

Acabei de conversar com nossa comunidade de criadores de cavalos sobre o potencial aparentemente infinito dessa abordagem da postura de poder. Eu a venho praticando há vários anos e os cavalos *continuam* fazendo progressos. No mínimo, é um verdadeiro círculo virtuoso o progresso deles estar se *acelerando*. São como os cavalos de Benjamin Button com essa abordagem: é como se estivessem rejuvenescendo em vez de envelhecer em termos de comportamento.

Assim, por enquanto, NADA DE DESACELERAR o progresso das posturas poderosas por aqui!

De certa forma, esses são os indícios casuais mais convincentes dentre todos – ninguém informou a Vafi ou Draumur ou a quaisquer outros cavalos o que a postura de poder deveria fazer.[2] Kathy e eu descobrimos que treinadores têm feito seus cavalos adotarem posturas poderosas há muito tempo – há mais de 2 mil anos, na verdade:

> *Que o cavalo seja ensinado a manter sua cabeça alta e arquear seu pescoço. [...] Ao treiná-lo para adotar o ar e o encanto que assume quando está naturalmente se exibindo, você dispõe de um animal esplêndido e ostentoso, a alegria dos observadores. [...] Sob a sensação agradável de liberdade com porte nobre e patas se movimentando com flexibilidade, ele dispara à frente em seu orgulho, em cada aspecto imitando o ar e o encanto de um cavalo ao se aproximar de outros.*
> – Xenofonte (430-354 a.C.)

Pouco tempo atrás, alguém contou uma história que me deixou atônita – e em lágrimas. Eu tinha acabado de ministrar uma palestra e várias pessoas estavam aguardando para me cumprimentar e fazer perguntas. Observei uma jovem mulher esperando pacientemente. Com o tempo, fui adquirindo certa sensibilidade para perceber quando as pessoas necessitam de privacidade. Consigo notar uma intensidade nos olhos delas. Elas transmitem que têm algo bem pessoal para compartilhar, algo que ficariam constrangidas em dizer diante de desconhecidos.

Aquela mulher estava ladeada por dois amigos, que tocavam seus ombros de leve, falando com ela suavemente, confortando-a e incentivando-a. Quando ela veio até mim, olhos marejados, de início teve dificuldade para falar. Houve um longo silêncio – não constrangedor, mais como um momento de reorientação para nós duas. Uma preparação. Ela reuniu energia, respirou fundo, depois disse: "Vim ao seu encontro porque preciso que saiba que você mudou minha vida."

A história que ela me contou naquela noite mudou minha vida também. Demonstrou lindamente como nos conectamos através de nosso corpo com nossos melhores eus autênticos, como libertamos nosso poder pessoal e fazemos uso de tais recursos para estar presentes em meio aos nossos maiores desafios – libertando os outros para que se façam presentes também. E ilustrou exatamente como eu esperava que as pessoas usassem essa pesquisa: para encontrar seu poder pessoal quando têm pouquíssimo poder ou status social. Para canalizar coragem e generosidade. Para mudar o curso de suas vidas. Para fazer o bem a si e aos outros.

Perguntei se estaria disposta a dividir sua história com todos vocês e ela respondeu: "Não há nada que eu quisesse mais, para que outras pessoas possam se sentir apoiadas e inspiradas a fazer o mesmo."

Eis a história de Kristin:

Casei-me bem jovem, divorciei-me aos 30 e achava que não poderia prosseguir com minha vida enquanto não visse o mundo mais um pouco. Assim, num impulso, mudei-me para a América do Sul e encontrei um lugar para morar com algumas outras pessoas – nós o chamávamos de casa da árvore. Toda de madeira reciclada, sobre estacas, completamente ao ar livre, era simples e bonita.

Kristin começou a trabalhar num café local.

Tudo parecia bem de início, mas após umas semanas meu chefe começou a fazer comentários sobre meu corpo. Sobre ganhar gorjetas melhores por causa dos meus seios, e a coisa foi só piorando. Ele fazia comentários o tempo todo, constantemente. Minha primeira reação foi de decepção porque, pensei, ele tem dois filhos pequenos, mora bem perto de mim, a cidade é pequena, e eu tinha uma impressão diferente de quem ele era. Mas pensei, acho que isso acontece [...] e talvez não seja tão ruim assim. Vivendo em uma terra estranha, eu estava temerosa – a necessidade de se integrar pode ser bem forte e poderosa, e pode dar medo. Você se afasta da sua zona de conforto ao se mudar para um país estrangeiro e tentar se adaptar ali.

A cada dia o assédio sexual aumentava.

Então pensei, "Poxa, eu sou forte", e continuei convivendo com aquilo. Minimizei o problema pensando: "Ele está sendo um cafajeste." Mas a situação só piorou. Acho que àquela altura eu nem percebia, mas me sentia cada vez menor. [...] Até que um dia ele parou de me chamar pelo nome e só se referia a mim de maneira vulgar. Daquele dia em diante, foi o único nome que ele usou para me abordar.

Eu sabia como aquilo era errado, e odiava, mas, de novo, às vezes você se questiona e pensa: "Será que esse problema é mesmo tão grave assim?" O que soa ridículo agora.

Pouco depois, um pequeno grupo de amigos de ambos os sexos a convidou para um jantar. Kristin disse: "Eu estava me sentindo tão pequena e desesperada que quase não fui." Mas ela acabou indo.

Achei que eu ficaria envergonhada de revelar aos amigos o que permiti que acontecesse. Mas aí comecei a pensar no lugar de onde eu tinha vindo, pelo que eu havia passado e em quem eu sou de verdade [...] e resolvi contar o que estava acontecendo. Eles foram tão solidários, as mulheres e os homens, que aquilo realmente impeliu minha decisão: àquela altura eu sabia que tinha de dizer algo ao meu chefe – precisava defender a mim e todas as outras pessoas que haviam passado por algo daquele tipo. E tinha de fazê-lo por mim e por elas.

Uma amiga havia compartilhado sua palestra alguns meses antes e aquilo realmente tinha mexido comigo na época, e eu percebi que estava na hora de colocar a mensagem em prática. Tive alguns dias para refletir a respeito. Decidi chegar cedo, antes de uma reunião matutina da equipe. Lembro-me de que estava sozinha na casa da árvore, algo raro. Coloquei música e me vesti de forma a me sentir bem. [...] Aí fiquei de pé naquela casa da árvore, ereta e alta, com as mãos nos quadris e os ombros para trás, e postei-me ali por mais que alguns minutos, porque realmente queria que aquilo perdurasse. Quando deixei a casa e fui para a cidade, senti-me cada vez maior – de um jeito que eu não me sentia havia muito tempo. Eu estava incorporando meu eu superior e pensando: "Tenho que trazer este eu para fora, fazer isso por mim primeiro e principalmente, mas também por todos os outros."

De jeito nenhum eu iria simplesmente ignorá-lo ou enviar um bilhete avisando que estava caindo fora. Eu poderia me safar da situação de outras maneiras, mas me defender era um meio que me elevava ao meu próprio poder. [...]

Quando cheguei lá, senti-me forte e percebi que meu chefe não era tão grande quanto eu pensava – não tão grande como o via em minha mente. Parecia menor. E eu me senti tomando dele meu poder de volta. Eu não estava tomando o poder dele. Estava apenas recuperando o poder que eu havia permitido que ele retirasse de mim. Informei que estava indo embora e contei o porquê. Eu disse: "Você sabe que o que vem fazendo é errado. Você sabe, porque tem filhas que ama e jamais quereria que alguém as tratasse do mesmo jeito que você vem me tratando." Eu disse que não queria magoá-lo nem prejudicar seu negócio – só queria que ele mudasse o comportamento, que não magoasse mais ninguém e que fosse uma pessoa melhor e mais adulta. Ele respondeu "Tem razão. Foi mal. Não sei por que fiz isso" e pediu desculpas várias vezes. Conversamos por uns bons 20 minutos. Senti-me forte, mas não dominante de um modo alfa. Senti-me forte o suficiente para ser compassiva. E quase desejo ter gravado o que eu disse, porque não fui eu – foi... divino.

Respondi a Kristin: "Foi divino porque foi exatamente você. Foi o melhor de você – seu eu mais forte e generoso."

Como eu disse no princípio, este livro é sobre momentos. É sobre estar presente nos momentos que mais nos desafiam. É sobre confiar em que tais momentos se reforçam uns aos outros à medida que nos cutucamos para a frente, consolidando nossos pensamentos, sentimentos e fisiologia. Em última análise, esses momentos podem mudar nossa vida.

A frase mais comentada da minha palestra no TED é: "Não finjam até conseguirem fazer, finjam até virar verdade." É disto que se trata: cutucar-se gradualmente para tornar-se a melhor versão de si mesmo. Estar presente durante momentos desafiadores. Não se trata de enganar as pessoas para obter o que você deseja e depois ter que manter a farsa. Trata-se de enganar a si mesmo, só um pouquinho, até se sentir mais poderoso, mais presente – e trata-se de continuar a prática, ainda que leve tempo para chegar lá.

Uma jovem chamada Monique escreveu para mim: "Continuo 'fingindo até virar verdade', mas fingir com certeza é melhor do que fugir do desafio!" Lembre-se do que William James nos contou: "Comece a ser agora o que você será no futuro."

A lendária coreógrafa e bailarina Agnes de Mille disse certa vez: "Dançar é estar fora de si. Maior, mais bonita, mais poderosa. Isso é poder, é a glória na Terra, e está à sua disposição."

Dance até alcançar a presença. Apodere-se das partes grandiosas, bonitas e poderosas em você – aquelas que você ama e nas quais acredita. Elas estão, de fato, à sua disposição.

Agradecimentos

Sou grata às inúmeras pessoas que doaram tanto de seu tempo e sabedoria para tornar possível a publicação de O *poder da presença*.

Serei eternamente grata a Richard Pine e a toda a equipe da InkWell Management.

Na Little, Brown, sou grata a Reagan Arthur por acreditar neste projeto. Foi uma honra trabalhar com minha notável gerente editorial Tracy Behar. Obrigada a toda a equipe incrivelmente talentosa da Little, Brown, incluindo Nicole Dewey, Jean Garnett e Miriam Parker, que desenvolveu um lindo site. Também sou grata a Mario Pulice, Julie Ertl, Betsy Uhrig e Genevieve Nierman – todos membros de minha fantástica equipe dos sonhos da Little, Brown. Tive a sorte de trabalhar com o editor externo Bill Tonelli, com Matthew Hutson e com Sheri Fink. Chris Werner, Jeff Gernsheimer e Jack Gernsheimer, obrigada por sua visão e paciência.

Em Harvard, várias pessoas tornaram a publicação deste livro possível – todas elas não apenas incrivelmente competentes, mas também gentis e generosas. Meu antigo gerente de laboratório, Nico Thornley, Kailey Anarino, Jack Schultz, meu atual gerente laboratorial, Brian Hall e Joe Navarro, obrigada por colocar este projeto em movimento. Meus gentis e talentosos colegas da unidade de Negociações, Organizações e Mercados da HBS: é uma honra trabalhar com todos vocês. E obrigada aos meus alunos de MBA, alunos de doutorado, alunos do meio empresarial e a meus alunos em empresas no mundo inteiro.

Tenho a sorte de ter sido educada por uma longa sucessão de professoras e orientadoras. Elsa Wertz, minha professora da terceira série, trouxe à tona a confiança em minha capacidade e meu merecimento de *pensar*; Kathy Mohn, minha professora de inglês do ensino médio, que cultivou meu amor compulsivo por escrever; e Barbara O'Connor, minha professora de história e sociologia do ensino médio, que mostrou-me como questionar o status quo com coragem e bom humor. Quando eu era aluna de graduação na Universidade do Colorado, a professora Bernadette Park e a então estudante de Ph.D. Jennifer Overbeck me iniciaram na psicologia social, me orientaram em uma tese avançada sobre um tema de cuja importância eu estava convencida e depois tiveram fé suficiente em mim para me encaminhar à minha orientadora da pós-graduação Susan Fiske. Nunca encontrei orientadora de doutorado mais dedicada e atenciosa. Quando eu era auxiliar de ensino em Harvard, outras mulheres continuaram a me incentivar, apoiar e desafiar, incluindo Kathleen McGinn, Robin Ely, Teresa Amabile, Jan Hammond, Youngme Moon, Frances Frei e Rosabeth Moss Kanter. Graças a vocês estou aqui.

Sem as pesquisas, eu com certeza teria bem menos assunto. A lista de cientistas talentosos que contribuíram para este conjunto de pesquisas é bem longa. Mas, em primeiro lugar, sou imensa e eternamente grata a Dana Carney, uma cientista meticulosa e dedicada e o verdadeiro cérebro por trás de tantos estudos para este livro. Andy Yap, você foi um colaborador atencioso e inspirador. Foi um grande prazer. Susan Fiske e Peter Glick, conquanto nossas pesquisas compartilhadas não constituam o foco principal deste livro, de certa forma sustentam toda minha ideia sobre psicologia social. Lizzie Baily Wolf, você me ajudou a refletir sobre tantos detalhes dessas ideias, além de ser uma colaboradora excepcional. E a todos meus outros colaboradores que contribuíram substancialmente com esta pesquisa, meu muito obrigada: Maarten Bos, James Gross, Kelly Hoffman, Elise Holland, Christina Kallitsantsi, Julia Lee, Jennifer Lerner, Christine Looser, Brian Lucas, Chris Oveis, Jonathan Renshon, Jack Schultz, Gary Sherman, Nico Thornley, Nikolaus Troje, Abbie Wazlawek, Annie Wertz e Caroline Wilmuth.

Existe uma longa lista de pesquisadores com quem não colaborei diretamente, mas cujos estudos extraordinários foram de suma importância para minhas ideias sobre presença, poder e a ligação corpo-mente, incluindo (mas certamente não se limitando a) Jessica Tracy, Pamela Smith, Joe Magee, Adam Galinsky, Deb Gruenfeld, Vanessa Bohns, Li Huang, Scott Wiltermuth, Bob Josephs, Pranj Mehta, Lakshmi Balachandra, Leanne ten Brinke, Nancy Etcoff, Dan Cable, Alison Wood Brooks, Francesca Gino, Alison Lenton, Laura Morgan Roberts, Claude Steele, Geoff Cohen, David Sherman, Robert Sapolsky e Bessel van der Kolk. Obrigada a vocês e todos os outros pesquisadores que contribuíram com suas ideias e estudos para este campo.

Agradeço à minha querida comunidade de amigos escritores, muitos dos quais atenderam aos meus telefonemas cheios de pânico e ajudaram pacientemente a achar as palavras certas. Sou muito grata a este grupo especial de pessoas: Susan Cain, Adam Grant, Neil Gaiman, Amanda Palmer, Simon Sinek, Adam Alter, Bill Ury e Brené Brown. Vocês garantiram o tipo exato de otimismo calmante do qual eu necessitava.

O apoio e incentivo dos meus amigos na área significaram muito para mim. Agradecimentos especiais extras para Kenworthey Bilz, Molly Crockett, Liz Dunn, Eli Finkel, June Gruber, Elizabeth Haines, Lily Jampol, Michael Morris, Kathy Phillips, Jennifer Richeson, Mindi Rock e Todd Rose.

Muitos amigos me apoiaram, ajudaram e incentivaram de várias maneiras antes e durante o processo de redação do livro, incluindo Michael Wheeler, Chantal e Michelle Blais, Marina Mitchell, Monica Lewinsky, Guy Raz, Joanna Coles, Mika Brzezinski, Jane McGonigal, Kelly McGonigal, Ken Cain, David Hochman, Eileen Lorraine, Kristin Vergara, Kendra Lauren "Prefeita de Aspen" Gros, Peggy Fitzsimmons, Jason Webley, Wendy Berry Mendes, In Paik, Toni Schmader, David Gergan, Piper Kerman, Sam Sommers, Katie Stewart Sigler, Bret Sigler, Vera Sundström, Olga e Sergei Demidov, Alex e Amy Myles, April Rinne, Laurie e Josh Casselberry, Pat e Jack Casselberry, Christine Getman, Mac McGill, Uyen Nguyen e tantos membros de minha comunidade de Jovens Líderes Globais.

Sou especialmente grata às pessoas que me ajudaram a encontrar minha voz oral. Sem vocês, talvez eu não tivesse a oportunidade de encontrar minha voz escrita. Liz Dunn, obrigada por me trazer como sua convidada para a PopTech em 2010 e por me mostrar como ministrar uma ótima palestra de psicologia para um grande público. Andew Zolli, Erik Hersman e a equipe de PopTech, obrigada por me convidarem para falar na PopTech 2011. Bruno Giussani e Chris Anderson, obrigada por me convidarem para falar no TEDGlobal 2012. Sou grata a toda a equipe do TED, incluindo June Cohen, Ben Lillie, Emily McManus e muitos outros.

Sou eternamente grata às pessoas que dedicaram horas (e horas) do seu tempo a entrevistas para *O poder da presença*, fazendo-o com grande generosidade (e presença). Suas histórias e perspectivas são essenciais a este livro: reverendo Jeffrey Brown, Pauline Rose Clance, Will Cuddy, Neil

Gaiman, Jamini Kwon, Julianne Moore, Mikko Nissinen, Calida Garcia Rawles, Emma Seppälä e Kathy Sierra.

Às muitas outras pessoas maravilhosas que me permitiram compartilhar suas histórias através deste livro, mas cujos nomes não posso citar: fiquem sabendo que vocês têm minha eterna admiração e gratidão. Aprendi muito com vocês e sinto-me honrada por poder partilhar suas histórias com outros que aprenderão com vocês.

E a todos vocês que corajosamente dividiram suas histórias comigo: por mais estranho que pareça, vocês me ensinaram sobre o próprio tema que eu vinha estudando em laboratório. Vocês deram vida à ciência. E todos os dias vocês alimentam meu otimismo incansável em relação às pessoas, que é o que realmente me mantém na ativa. Vocês têm minha mais profunda gratidão e espero tê-los homenageado adequadamente nestas páginas.

Finalmente, agora que escrevi um livro, *realmente* entendo por que as pessoas agradecem aos seus familiares – fazem isso porque escrever um livro é como subitamente adotar e cuidar de um membro novo da família... em período integral. Francamente, é preciso muito amor e paciência para que uma família apoie alguém plenamente ao longo do processo. Meu marido Paul Coster e meu filho Jonah Cuddy também merecem algum tipo de medalha pelo seu amor, paciência e total devoção e fé em mim. Jonah, você é uma alma sábia e gentil, com uma presença que muitas vezes me deixa boquiaberta. Como fui ter tanta sorte assim? Paul, você veio do outro lado do mundo para estar comigo, para me trazer aventura e o mais puro amor... Puxa, estou tão contente por você ter conseguido aquelas calças azuis! Portanto, do fundo do meu coração, obrigada, Paul e Jonah.

Nota da editora sobre referências bibliográficas

As notas bibliográficas completas podem ser encontradas no site da Editora Sextante, na página do livro *O poder da presença*.

CONHEÇA ALGUNS DESTAQUES DE NOSSO CATÁLOGO

- Augusto Cury: Você é insubstituível (2,8 milhões de livros vendidos), Nunca desista de seus sonhos (2,7 milhões de livros vendidos) e O médico da emoção
- Dale Carnegie: Como fazer amigos e influenciar pessoas (16 milhões de livros vendidos) e Como evitar preocupações e começar a viver
- Brené Brown: A coragem de ser imperfeito – Como aceitar a própria vulnerabilidade e vencer a vergonha (900 mil livros vendidos)
- T. Harv Eker: Os segredos da mente milionária (3 milhões de livros vendidos)
- Gustavo Cerbasi: Casais inteligentes enriquecem juntos (1,2 milhão de livros vendidos) e Como organizar sua vida financeira
- Greg McKeown: Essencialismo – A disciplinada busca por menos (700 mil livros vendidos) e Sem esforço – Torne mais fácil o que é mais importante
- Haemin Sunim: As coisas que você só vê quando desacelera (700 mil livros vendidos) e Amor pelas coisas imperfeitas
- Ana Claudia Quintana Arantes: A morte é um dia que vale a pena viver (650 mil livros vendidos) e Pra vida toda valer a pena viver
- Ichiro Kishimi e Fumitake Koga: A coragem de não agradar – Como se libertar da opinião dos outros (350 mil livros vendidos)
- Simon Sinek: Comece pelo porquê (350 mil livros vendidos) e O jogo infinito
- Robert B. Cialdini: As armas da persuasão (500 mil livros vendidos)
- Eckhart Tolle: O poder do agora (1,2 milhão de livros vendidos)
- Edith Eva Eger: A bailarina de Auschwitz (600 mil livros vendidos)
- Cristina Núñez Pereira e Rafael R. Valcárcel: Emocionário – Um guia lúdico para lidar com as emoções (800 mil livros vendidos)
- Nizan Guanaes e Arthur Guerra: Você aguenta ser feliz? – Como cuidar da saúde mental e física para ter qualidade de vida
- Suhas Kshirsagar: Mude seus horários, mude sua vida – Como usar o relógio biológico para perder peso, reduzir o estresse e ter mais saúde e energia

sextante.com.br

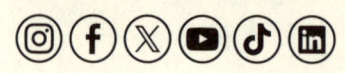